petite collection maspero

C. Wright Mills

L'imagination sociologique

Traduit de l'américain
par Pierre Clinquart

FRANÇOIS MASPERO
1, place Paul-Painlevé
PARIS Vᵉ
1983

Si vous désirez être tenu régulièrement au courant de nos parutions, il vous suffit d'envoyer vos nom et adresse aux Editions François Maspero, 1, place Paul-Painlevé, 75005 Paris. Vous recevrez gratuitement notre bulletin trimestriel *Livres Partisans*.

1

Le grand espoir des sciences sociales

Aujourd'hui les hommes sentent souvent que leur vie privée est semée de dangers. Dans leur univers quotidien, ils ont
le sentiment que leurs épreuves sont insurmontables, et ils ont
souvent raison : l'homme ordinaire ne connaît et n'entreprend
que dans les limites où gravite sa vie privée ; sa vision et ses
pouvoirs s'arrêtent aux gros plans : profession, famille, voisinage. S'il s'aventure dans d'autres milieux, il n'existe que par
procuration et reste un spectateur. Mieux il devine, même
confusément, les ambitions et les menaces qui se dressent au-
delà de son univers immédiat, plus il se sent désarmé.

Il semble que ce sentiment recouvre des transformations
impersonnelles dont sont victimes les structures sociales à
l'échelle continentale. Mais ce n'est qu'une apparence. L'histoire contemporaine est faite aussi des hauts et des bas d'individus en chair et en os. Qu'une société s'industrialise, et le
paysan devient ouvrier, le seigneur féodal disparaît ou il
entre dans les affaires. Que les cotes montent ou descendent,
l'ouvrier est embauché ou mis à pied. Que les placements
croissent ou diminuent, quelqu'un reprend goût à la vie ou
se retrouve sur le pavé. Une guerre, et le courtier d'assurances
échoue derrière un lance-fusées, le vendeur de magasin aux
commandes d'un radar ; l'épouse vit seule ; l'enfant grandit
sans connaître son père. L'existence de l'individu et l'histoire
de la société ne se comprennent qu'ensemble.

Or, habituellement, les hommes ne savent pas voir le rapport entre leurs épreuves et les bouleversements de l'histoire ou les contradictions qui déchirent les institutions. Leur bonheur, ils l'attribuent rarement aux vicissitudes de la société dont ils font partie. Ignorant ordinairement le rapport complexe qui attache leur existence à l'histoire du monde, les hommes ne savent pas ce que signifie ce rapport pour leur devenir d'homme et pour les pages d'histoire qu'ils peuvent être amenés à écrire. Ils n'ont pas l'esprit qu'il faudrait pour saisir les effets réciproques de l'homme sur la société, de la biographie sur l'histoire, du moi sur le monde. Ils ne peuvent affronter leurs épreuves personnelles de manière à maîtriser les transformations structurelles auxquelles d'ordinaire ils tournent le dos.

Rien d'étonnant à cela. Jamais tant d'hommes à la fois n'ont été secoués si souvent et si brutalement par les séismes de l'histoire. Les cataclysmes, qui ont bouleversé hommes et femmes à travers le monde, ont épargné les Américains ; les causes de ce phénomène sont historiques ; plus l'on va, plus ce n'est « que de l'histoire ». Aujourd'hui, c'est l'histoire du monde qui concerne tous les hommes. Ici et maintenant, en l'espace d'une seule génération, un sixième de l'humanité passe de la féodalité et de la nuit à la modernité, au progrès, et à l'effroi. On décolonise ; en même temps, l'impérialisme s'installe sous des formes nouvelles et sournoises. Des révolutions éclatent : les hommes sentent des espèces nouvelles d'autorité les étreindre. Les totalitarismes surgissent, et s'écroulent, quand ils ne connaissent pas de fabuleuses réussites. Après un règne de deux cents ans, on dit son fait au capitalisme : il n'est qu'un moyen parmi d'autres d'organiser la société en machine d'industrie.

Après deux siècles d'espoir, seule une petite minorité de par le monde connaît la démocratie, fût-elle de pure forme. Dans les pays sous-développés, on rompt partout avec les anciens modes de vie, et les aspirations deviennent des exigences péremptoires. Dans les pays surdéveloppés, l'autorité et la violence ne respectent plus aucun domaine, et revêtent une forme bureaucratique. Aujourd'hui, l'humanité est devant nos yeux ; de chaque côté, les deux supergrands mettent tout en œuvre, avec méthode et puissance, pour préparer la troisième Guerre Mondiale.

L'histoire va trop vite, et les hommes ne peuvent plus

s'orienter d'après les valeurs qu'ils respectent. Quelles valeurs, du reste ? Même sans céder à la panique, les hommes comprennent souvent que les anciennes façons de penser et de sentir se sont effondrées, et que l'ambiguïté des nouveaux départs risque de provoquer une stase morale. Comprend-on alors pourquoi les hommes ordinaires ne peuvent suffire aux univers dilatés où ils sont plongés brutalement ? Pourquoi ils ne comprennent pas ce que leur époque signifie pour leur existence ? Pourquoi, en défendant leur individualité, ils tombent dans l'indifférence morale, parce qu'ils essayent de rester des particuliers ?

De quoi ont-ils besoin ? Pas seulement d'être informés : en ce siècle positif, l'information accapare souvent leur attention et les rend incapables de l'assimiler. Pas seulement des armes de la raison non plus, bien qu'à trop lutter pour les acquérir, ils épuisent leur pauvre énergie morale.

Ce dont ils ont besoin, ce dont ils éprouvent le besoin, c'est une qualité d'esprit qui leur permette de tirer parti de l'information et d'exploiter la raison, afin qu'ils puissent, en toute lucidité, dresser le bilan de ce qui se passe dans le monde, et aussi de ce qui peut se passer au fond d'eux-mêmes. C'est cette qualité que journalistes et universitaires, artistes et collectivités, hommes de science et annotateurs attendent de ce qu'on peut appeler l'imagination sociologique. Tel est mon argument.

1

L'imagination sociologique permet à celui qui en est doué de comprendre le théâtre élargi de l'histoire en fonction des significations qu'elle revêt pour la vie intérieure et la carrière des individus. Grâce à cette imagination, il est à même de prendre note que, dans le tumulte de l'expérience journalière, les individus se méprennent sur la place qu'ils occupent dans la société. Au cœur de ce tumulte, on cherche l'ossature de la société moderne, et au cœur de l'ossature s'exprime la psychologie d'un certain nombre d'hommes et de femmes. Ce faisant, on oriente le malaise personnel vers certaines épreuves explicites, et on transforme l'indifférence des collectivités en prise de conscience des enjeux collectifs.

Premier fruit de cette imagination et première leçon à tirer de la sociologie qui s'en inspire : l'idée que l'individu ne peut penser sa propre expérience et prendre la mesure de son destin qu'en se situant dans sa période ; qu'il ne peut savoir quoi attendre de la vie, qu'en sachant ce que peuvent en attendre tous les individus dont la situation est la même que la sienne. C'est à bien des égards une grande et terrible leçon. On ne sait ce dont l'homme est capable dans la recherche de l'effort suprême et dans celui de l'avilissement, dans les larmes et dans les rires, dans la joie de la brutalité et les délices de la raison. Mais on sait bien aujourd'hui que les limites de la « nature humaine » sont d'une redoutable élasticité. On a compris que tous les individus, d'une génération à l'autre, vivent dans une société ; qu'ils écrivent une biographie, et qu'ils l'écrivent dans une séquence historique précise. Du fait qu'il vit, l'individu contribue, si peu que ce soit, à la formation de cette société et à son histoire, dans le temps même où il est produit par la société, et poussé, l'épée dans les reins, par son histoire.

L'imagination sociologique permet de saisir histoire et biographie, et les rapports qu'elles entretiennent à l'intérieur de la société. C'est la tâche qui lui revient et c'est l'espoir qu'elle fait naître. Reconnaître cette tâche et cet espoir est le propre du sociologue classique. C'est ce que fait Herbert Spencer, à sa manière ampoulée, polysyllabique, et exhaustive, mais aussi le gracieux, le pourfendeur, le juste, qu'est E. A. Ross : c'est ce que font Auguste Comte, Emile Durkheim, et Karl Mannheim, avec sa pensée subtile et compliquée. C'est ce qu'on trouve chez Marx, chaque fois qu'il fait preuve d'excellentes qualités intellectuelles ; c'est ce qui fait l'acuité ironique et étincelante de Thorstein Veblen, le réel à facettes que s'est plu à reconstruire Joseph Schumpeter ; et c'est à elle qu'on doit l'envergure psychologique de W. E. H. Lecky, au même titre que la profondeur et la clarté de Max Weber... C'est à elle qu'on reconnaît le meilleur des études contemporaines sur l'homme et sur la société.

Nulle étude sociale n'a bouclé son périple intellectuel, qui n'est retournée vers les problèmes de biographie et d'histoire, et vers leurs interférences au cœur de la société. Quels que soient les problèmes spécifiques abordés par les sociologues classiques, quelle que soit l'étendue des aspects de la réalité sociale qu'ils ont examinée, ceux dont l'imagination a formulé les promesses de leur tâche ont tous posé les trois séries de questions suivantes :

1) Quelle est la structure d'ensemble de la société étudiée ? Quelles sont ses composantes, et comment s'organisent leurs rapports ? En quoi se distingue-t-elle des autres espèces d'ordre social ? Au sein de cette société, quels aspects contribuent à sa survivance, à ses transformations ?

2) Où se situe cette société dans l'histoire humaine ? Quelle est la mécanique de ses transformations ? Quelle place occupe-t-elle dans le développement de l'humanité tout entière, et quel rôle y joue-t-elle ? Quelles sont les influences tour à tour subies et exercées par les aspects étudiés, au sein de la période historique où ils gravitent ? Et cette période elle-même, quelles sont ses caractéristiques ? En quoi se distingue-elle des autres ? Quelle est sa façon à elle de faire l'histoire ?

3) Quels hommes, quelles femmes trouve-t-on essentiellement dans la société et dans la période étudiées ? Quelle majorité y domine ? Comment ces êtres sont-ils choisis, formés, émancipés, bridés ; sensibilisés, immunisés ? Quelles sortes de « nature humaine » voit-on apparaître dans la conduite et le caractère de cette société, à cette période-là ? Et quel rôle joue chaque aspect de la société examinée auprès de la « nature humaine » ?

Qu'il s'agisse d'étudier une grande puissance ou un petit mouvement littéraire, une famille, une prison, une foi — ce sont ces questions-là que les meilleurs sociologues ont posées. Ce sont les charnières intellectuelles de toute étude classique sur l'homme en société, et ce sont les questions que pose inévitablement tout esprit doué d'imagination sociologique. Etre ainsi fait, c'est changer de perspective à volonté ; pouvoir passer du politique au psychologique ; d'une famille particulière aux budgets nationaux comparés de tous les pays du monde ; du séminaire à l'institution militaire ; du pétrole à la poésie contemporaine. C'est pouvoir franchir tous les degrés qui séparent les transformations les plus impersonnelles et les plus lointaines, des traits les plus intimes de la personne humaine, et apercevoir leurs rapports. A l'arrière-plan, se trouve le besoin de connaître la signification sociale et historique de l'individu, dans la société et durant la période où il plonge et vit.

Voilà en somme pourquoi l'homme s'en remet aujourd'hui à l'imagination sociologique pour saisir ce qui se passe dans le monde et pour comprendre ce qui lui arrive, en tant que point d'intersection de biographie et d'histoire, au cœur de la société. Si l'homme d'aujourd'hui se pense comme un être marginal, sinon comme un perpétuel exilé, c'est qu'il ressent profondément la relativité sociale et la puissance de transformation de l'histoire. L'imagination sociologique est la forme la plus féconde de cette prise de conscience. Grâce à elle, il arrive à des hommes dont les mentalités n'ont parcouru que de courtes orbites, de se réveiller brutalement comme à l'intérieur d'une demeure qu'ils croyaient seulement reconnaître.

— A tort ou à raison, ils s'estiment en mesure de se donner de justes bilans, des évaluations qui se tiennent, des orientations d'ensemble.

— D'anciens jugements qui leur semblaient raisonnables font figure, aujourd'hui, d'élucubrations stupides. Ils savent à nouveau s'étonner. Ils acquièrent une nouvelle façon de penser, ils refondent et dépassent leurs propres valeurs. En un mot ils saisissent, à l'aide de leur réflexion et de leur sensibilité, la signification culturelle des sciences sociales.

2

La distinction la plus fructueuse qu'on doive à l'imagination sociologique est celle qu'elle opère entre les « épreuves personnelles de milieu » et les « enjeux collectifs de structure sociale ». C'est là un instrument majeur de l'imagination sociologique et un trait commun à tous les ouvrages classiques de sociologie.

Les épreuves surgissent au sein du caractère de l'individu et affectent ses rapports immédiats avec autrui ; elles concernent son moi et les secteurs limités de vie sociale qu'il connaît personnellement et directement. Partant, la formulation et la résolution des épreuves ne franchissent pas les frontières de l'entité biographique que constitue l'individu, ni celles de son milieu immédiat, le contexte social où s'exercent directement son expérience personnelle et, dans une certaine mesure, son activité consciente. L'épreuve affecte l'individu : il sent peser une menace sur les valeurs qui lui tiennent à cœur.

Les enjeux soulèvent des questions qui transcendent le voisinage de l'individu et le champ de sa vie intérieure. Ils concernent la combinaison de ces milieux limités, dont la somme constitue les institutions d'une société historique ; ils affectent la façon dont ils se recoupent et s'interpénètrent en donnant cette structure à grand point qu'est la vie sociale et historique. L'enjeu affecte les collectivités : elles sentent qu'une menace pèse sur une valeur qui leur est chère. On ne s'entend pas toujours sur ce qu'est au juste cette valeur, et sur ce qui la menace. Il s'agit le plus souvent d'un dialogue de sourds, pour la bonne raison que l'enjeu (par sa nature même, et contrairement à l'épreuve, fût-elle communément répandue) se définit très mal en fonction du milieu quotidien immédiat des hommes ordinaires. Pour tout dire, il ne va presque jamais sans une crise dans les institutions, et sans ce que les Marxistes appellent des « contradictions » ou des « antagonismes ».

Qu'on songe au chômage. Que, dans une ville de 100.000 habitants, un seul homme soit au chômage, il traverse là une épreuve personnelle ; pour le soulager, il faut tenir compte de son caractère, de ce qu'il sait faire, et des occasions qui peuvent se présenter. Mais lorsque, dans une nation de 50 millions de salariés, 15 millions d'hommes sont au chômage, on a affaire à un enjeu, et ce n'est pas du hasard qu'on peut attendre une solution. La structure même du hasard est détruite. L'énoncé correct du problème réclame, au même titre que ses solutions possibles, l'examen préalable des institutions économico-politiques de la société, et non plus des seules situations et des caractères propres à une diaspora d'individus.

Qu'on songe à la guerre. La guerre, lorsqu'elle se produit, pose à l'individu des problèmes personnels : comment en réchapper, ou comment y mourir en se couvrant de gloire ; comment s'y remplir les poches ; comment se réfugier dans les hautes sphères de la machine militaire ; comment concourir à la paix. En un mot, il s'agit, suivant les valeurs qu'on défend, tantôt de trouver un ensemble de milieux qui vous permettent de passer au travers, tantôt de donner un sens à sa propre mort. Mais les enjeux structurels de la guerre en affectent les causes : les types d'hommes qu'elle se donne pour stratèges ; ses conséquences économiques, politiques, familiales, religieuses ; l'irresponsabilité anarchique d'un monde d'états-nations.

Qu'on songe au mariage. Dans le mariage, l'homme et la femme peuvent traverser des épreuves personnelles, mais lorsque la moyenne des divorces au cours des quatre premières années de mariage atteint 250 pour 1 000, c'est bien que quelque chose ne va pas, qu'il existe un problème structurel dans les institutions matrimoniales, familiales, et dans celles qui reposent sur ces deux-là.

Qu'on songe à la capitale américaine, à l'horreur, à la beauté, à la laideur, à la splendeur de cette ville tentaculaire. Pour la haute bourgeoisie, la solution personnelle au « problème de la capitale » consiste à se procurer un appartement avec garage particulier au cœur de la ville, et à se faire construire, à 50 ou 100 kilomètres en dehors, une maison signée Henry Hill, et un jardin signé Garrett Eckbo, sur un terrain de 50 hectares. Grâce à ces deux zones d'influence, nanties chacune d'un petit personnel, et reliées par hélicoptère privé, on résoudra aisément les multiples épreuves de milieux personnels suscitées par les sujétions de la ville.

Tout cela est bel et bon, mais résout-on les enjeux collectifs que pose la donnée structurelle de la ville ? Que faire de ce monstre admirable ? Le faire exploser en unités dispersées, à la fois professionnelles et résidentielles ? Se contenter de le remettre à neuf ? L'évacuer, le faire sauter à la dynamite, élever ailleurs d'autres cités conçues selon des plans nouveaux ? Mais quels plans ? Et qui devra les choisir et les mettre en œuvre ? Ce sont là des problèmes de structure ; s'y attaquer et les résoudre réclame que nous examinions les problèmes politiques et économiques qui affectent de multiples milieux.

Dans la mesure où un système économique laisse la porte ouverte à des crises, il n'y a pas de solution personnelle au problème du chômage. Dans la mesure où la guerre est inhérente au système de l'état-nation et à l'inégalité de l'implantation industrielle dans le monde, l'individu ordinaire dans son étroit milieu est incapable — avec ou sans la psychiatrie — de résoudre les épreuves que fait naître ce système ou cette absence de système. Dans la mesure où l'institution de la famille fait des femmes de mignonnes petites esclaves, et des hommes leurs protégés et leurs pourvoyeurs attitrés, aucune solution strictement privée ne peut résoudre le problème du mariage idéal. Dans la mesure où le monstrueux développement de la ville tentaculaire et celui de l'automobile sont parties intégrantes de la société surdéveloppée, les problèmes de la vie citadine ne trouvent pas leur solution dans l'esprit d'invention personnel ni dans la fortune des particuliers.

Ce que nous vivons dans des milieux spécifiques et variés, je l'ai dit, est souvent le résultat de changements structurels. Partant, pour comprendre les changements qui affectent de nombreux milieux personnels, il faut les dépasser. Le nombre et la variété de ces changements structurels croissent à mesure que les institutions où nous vivons s'élargissent et s'imbriquent les unes dans les autres. Connaître l'idée de structure sociale et en user avec sagesse, c'est être capable de relier entre eux un grand nombre de milieux. Etre à même de les relier, c'est être doué d'imagination sociologique.

3

Quels sont aujourd'hui les principaux enjeux qui se posent aux collectivités et les épreuves majeures que rencontrent les individus ? Pour formuler épreuves et enjeux, il faut se demander quelles valeurs sont en même temps chéries et menacées par les grandes tendances de notre époque, et quelles valeurs sont en même temps chéries et défendues. Dans un cas comme dans l'autre, il faut examiner quelles contradictions fondamentales de structure impliquent l'appui et la menace.

Quand on chérit des valeurs et qu'on ne sent peser sur elles aucune menace, c'est le *bonheur*. Quand on chérit des valeurs et qu'on les sent menacées, on traverse une crise, vécue comme épreuve personnelle ou comme enjeu collectif. Et quand la menace paraît planer sur toutes les valeurs, c'est la panique.

Mais que se passe-t-il, si l'on ne chérit aucune valeur, et si l'on ne sent planer aucune menace ? C'est l'état *d'indifférence*. S'il enveloppe toutes les valeurs, il s'agit d'apathie. Que se passe-t-il enfin si, ne chérissant aucune valeur, on sent néanmoins planer une menace ? C'est l'état *d'inquiétude*, ou d'angoisse, qui, s'il se généralise, provoque une espèce de malaise, douloureux et vague.

Notre époque est faite d'inquiétude et d'indifférence ; mais elles ne sont pas encore formulées de manière à laisser œuvrer la raison et jouer la sensibilité. En lieu et place d'épreuves définies en fonction de valeurs et de menaces, on ne trouve souvent que le désarroi d'une inquiétude imprécise. En lieu et place des enjeux explicites, existe simplement l'impression que « rien ne va plus ». On n'a pas encore dit quelles sont les valeurs menacées, et ce qui les menace ; en somme, on n'a même pas encore statué sur leur cas. Quant à en faire des problèmes de sociologie, il n'en a jamais été question.

Dans les années trente, hormis certains milieux d'affaires, tout le monde savait que certain problème économique ne faisait qu'un avec un tissu d'épreuves personnelles. Dans ces discussions sur la « crise du capitalisme », les analyses de Marx et celles qu'on avait plus d'une fois démarquées dans ses œuvres, sans toutefois le dire, avaient certainement posé les termes essentiels du problème, et des hommes y avaient lu leurs épreuves personnelles. Les valeurs menacées étaient assez claires, et tous les avaient à cœur ; les contradictions de structure qui les menaçaient n'étaient pas moins claires. Les unes et les autres étaient passionnément vécues. C'était une époque de conscience politique.

Mais les valeurs menacées dans l'ère qui s'ouvre au lendemain de la deuxième Guerre Mondiale ne sont ni unanimement reconnues comme valeurs, ni ressenties comme menacées. Souvent, l'inquiétude personnelle ne s'exprime pas ; souvent, le malaise collectif et les décisions qui engagent l'avenir des structures ne donnent pas lieu à des enjeux collectifs. Pour ceux qui révèrent les valeurs transmises sous le nom de raison et de liberté, c'est l'inquiétude même qui fait l'épreuve ; c'est l'indifférence qui fait l'enjeu. Et c'est cet état d'inquiétude et d'indifférence qui caractérise notre époque. Ce phénomène est si frappant qu'il fait souvent croire à une sorte de glissement de la problématique actuelle. On nous dira plus d'une fois que les problèmes de notre décennie, ou même que les crises de notre époque, ne s'inscrivent plus dans le domaine extérieur de l'économie mais dans la sphère de l'existence individuelle — qu'il s'agit bel et bien de savoir s'il y aura un jour une véritable existence individuelle. On ne pose plus le problème du travail des enfants, mais celui des illustrés ; on ne s'occupe plus du problème de la pauvreté, mais du problème de l'organisation des loisirs. Les grands enjeux collectifs comme les épreuves personnelles sont souvent décrits selon le « psychiatrique », et on cherche par là à ignorer les grands enjeux et les grands problèmes collectifs de la société moderne. On se fonde généralement sur une sorte d'étroit provincialisme occidental, pour ne pas dire américain, qui laisse de côté les deux tiers de l'humanité. Trop souvent aussi, on arrache arbitrairement la vie individuelle aux institutions qui l'enveloppent, au sein desquelles elle se déroule, et qui d'aventure pèsent sur elle plus lourdement que le milieu intime de l'enfance.

On ne saurait poser les problèmes du loisir sans faire appel aux problèmes du travail. Les épreuves familiales que provoque la fréquentation des illustrés ne peuvent faire problème que si l'on omet d'envisager la situation où mettent la famille contemporaine ses nouveaux rapports avec les plus récentes institutions de la structure sociale. Ni le loisir, ni le mauvais usage qu'on en peut faire ne font problème, si l'on oublie à quel point le malaise et l'indifférence infectent le climat social et le climat personnel, où baigne la société américaine contemporaine. Dans ce climat, on ne saurait poser ni résoudre aucun problème de « vie privée » qui ne reconnaisse la crise d'ambition dont est marquée la carrière professionnelle des artisans de la concentration économique.

Il est vrai de dire, avec les psychanalystes, que les gens « se sentent de plus en plus à la merci de forces obscures, qui les habitent et qu'ils sont incapables de définir ». Mais il n'est pas vrai de dire, avec Ernest Jones, que « le plus grand ennemi de l'homme et son plus grand péril résident dans sa nature désordonnée et dans les forces obscures refoulées au plus profond de lui-même. » C'est tout le contraire. Le « plus grand péril » de l'homme réside dans les forces désordonnées de la société contemporaine elle-même, l'aliénation qu'entraînent ses méthodes de production, ses techniques enveloppantes de domination politique, son anarchie internationale — en un mot comme en cent, dans les transformations tentaculaires qu'elle fait subir à la « nature » de l'homme, aux conditions et aux objectifs de sa vie.

A présent, le sociologue a une tâche urgente à accomplir ; elle est à la fois politique et intellectuelle (car en l'espèce les deux coïncident), et elle consiste à isoler clairement ce qui fait l'inquiétude et l'indifférence du monde contemporain. Tous les travailleurs de la culture le lui demandent instamment — les physiciens, les artistes, et, d'une façon générale toute la communauté intellectuelle. C'est cette tâche et cette attente qui font des sciences sociales le commun dénominateur de notre ère culturelle, et qui rendent l'imagination sociologique tellement nécessaire.

4

Chaque siècle possède une manière de penser qui constitue la raison commune de sa vie intellectuelle. De nos jours, certes, en l'espace d'un an ou deux, les engouements intellectuels se succèdent. Ces flambées d'enthousiasme donnent sans doute du sel à l'activité culturelle, mais s'éteignent sans laisser de traces. Ce ne fut pas le cas des grands courants de pensée que furent la physique de Newton et la biologie de Darwin. L'une et l'autre étendirent leur influence bien au-delà de leur domaine immédiat. Directement ou indirectement, elles permirent à d'obscurs chercheurs comme à d'insignes commentateurs de regrouper leurs observations et de reformuler leurs problèmes.

A l'époque moderne, la biologie et la physique ont été le dénominateur commun de la pensée sérieuse et de la métaphysique populaire en Occident. La « technique du laboratoire » s'est imposée comme méthode et comme garantie intellectuelle. Tel est le premier sens du dénominateur commun intellectuel : que les hommes puissent exprimer leurs convictions les plus profondes en fonction de lui ; les autres langages et les autres pensées ne sont que des instruments de fuite et d'obscurité.

Bien entendu, ce n'est pas parce qu'un dénominateur commun s'impose que d'autres pensées et d'autres sensibilités n'existent pas. Cela veut dire simplement que les centres d'intérêt intellectuels plus généraux tendent à s'y glisser, à trouver là leur expression la plus nette, et, une fois exprimés, à donner l'impression qu'ils ont découvert sinon une solution, du moins une voie d'avenir.

L'imagination sociologique est en passe de devenir le commun dénominateur de notre vie culturelle, et son trait distinctif. Cet esprit est à l'œuvre en sociologie et en psychologie, mais il dépasse largement l'une et l'autre dans l'état actuel de leur évolution. Il est lent et douloureux à acquérir par les individus et par la communauté ; nombreux sont les sociologues qui ignorent son existence. Ils paraissent méconnaître qu'au prix de cette imagination ils donneraient le meilleur d'eux-mêmes ; qu'à la laisser en friche, ils trompent les attentes que la culture est à la veille d'exiger d'eux, et que les traditions classiques de leurs disciplines leur permettraient de remplir.

Or, dans les disciplines exactes comme dans les disciplines morales, en littérature comme en politique, on fait régulièrement appel à cette imagination. Dans de nombreuses formes d'expression, ses qualités sont devenues les traits dominants de l'entreprise intellectuelle et de la sensibilité culturelle. On les trouve chez d'éminents critiques comme chez les bons journalistes, et à vrai dire les uns et les autres sont souvent jugés en fonction d'elles. Les catégories populaires de la critique, fondées sur le degré « d'intellectualité » (*high-brow, low-brow, middle-brow*) relèvent aujourd'hui autant de la sociologie que de l'esthétique. Les romanciers dont l'œuvre de qualité incarne les définitions les plus répandues de la réalité possèdent souvent cette imagination, et s'efforcent de répondre aux attentes. C'est avec elle qu'on cherche à s'acheminer vers le présent comme histoire. A mesure que les représentations de la « nature humaine » deviennent de plus en plus problématiques, on éprouve le besoin d'accorder aux catastrophes et aux routines sociales une attention à la fois plus étroite et plus imaginative, car elles dévoilent (en même temps qu'elles façonnent) la nature de l'homme, en ces temps d'agitation politique et de conflits idéologiques. Quoiqu'on se laisse à y toucher par mode, l'imagination sociologique n'est pas seulement une mode. C'est un esprit, qui semble augurer très bien d'une compréhension de notre réalité intime, en accord avec les réalités sociales qui l'englobent.

Ce n'est pas seulement un esprit parmi les modes de sensibilité contemporaine ; c'est *l'esprit par excellence* qui, si l'on en use à meilleur escient et plus amplement, laisse à penser que tous ces modes de sensibilité, pour ne pas dire la raison humaine, en viendront à jouer un plus grand rôle dans les affaires humaines.

Le rôle culturel de la physique — le plus ancien dénominateur commun, s'amenuise de plus en plus. On la considère à présent comme un style intellectuel impropre. Depuis toujours, le doute religieux et la polémique théologique avaient mis en question le bien-fondé du style scientifique dans la pensée, l'affectivité, l'imagination et la sensibilité ; mais nos pères et nos grands-pères avaient balayé ces doutes. Le doute, aujourd'hui, est laïc, humaniste, et très souvent confus. Les derniers progrès de la physique, couronnés par l'invention et la propagation de l'arme thermo-nucléaire, n'apportent guère de solutions aux problèmes qui préoccupent les communautés intellectuelles et les collectivités culturelles. On y a vu, à raison, le résultat d'une recherche hautement spécialisée, et on y a senti, à tort, je ne sais quel merveilleux mystère. Ces progrès ont soulevé davantage de problèmes qu'ils n'en ont résolu, tant sur le plan intellectuel que sur le plan moral, et ces problèmes relèvent du social et non de la physique. Dans les sociétés surdéveloppées, on estime que la nature est conquise, et la pauvreté vaincue. Or, c'est ici même que la science, instrument principal de ces conquêtes, apparaît comme déchaînée, sans objet, comme un instrument à réévaluer.

Pendant longtemps, la Science a joui d'une estime sans problème, mais aujourd'hui, l'ethos technologique et l'imagination technique qui lui sont associés nourrissent plus de terreurs et d'ambiguïtés que d'espoirs et de progrès. Certes la « science » est autre chose que cela, mais on craint précisément qu'un jour elle ne soit plus *que* cela. Si l'on éprouve le besoin de réévaluer la science physique, c'est qu'on a besoin d'un nouveau dénominateur commun. C'est la signification humaine et le rôle social de la science, son enjeu commercial et militaire, sa dimension politique, qui sont soumis à une confuse réévaluation. Les progrès scientifiques de l'armement peuvent rendre nécessaire une réorganisation de la politique mondiale — mais on sent que cette « nécessité » n'est pas résolvable par la science physique.

Ce qui passait pour de la « science » apparaît aujourd'hui comme une philosophie contestable ; quant à la « vraie science », on lui reproche de ne livrer que des fragments confus des réalités où vivent les hommes. Les hommes de science n'essaient plus de représenter la réalité totale, ou de donner un aperçu fidèle de la destinée humaine. En outre, la « science » semble tenir beaucoup moins d'un ethos créateur et d'une sorte d'orientation, que d'une batterie de Machines à Science, servies par des techniciens et dirigées par des économistes et des militaires, qui n'incarnent ni ne comprennent la Science comme ethos et comme orientation. De leur côté, les philosophes qui parlent en son nom tombent dans le « scientisme », en donnant son expérience pour équivalente de l'expérience humaine, et en prétendant que les problèmes de la vie ne peuvent se résoudre que grâce à sa méthode. Cela étant, beaucoup de culturalistes prennent la « science » pour un faux messie prétentieux, ou du moins pour un élément extrêmement ambigu de la civilisation moderne.

Mais il y a, comme l'a dit C. P. Snow, « deux cultures » : la culture scientifique et la culture humaniste. Histoire ou drame, biographie, poésie ou roman, l'essence de la culture humaniste a toujours été la littérature. Or on laisse entendre maintes fois que la littérature sérieuse est devenue à bien des égards un art mineur. S'il en est ainsi, la faute n'en revient pas aux collectivités, aux moyens de communication de masse, et à toutes les menaces qu'ils font peser sur la production littéraire sérieuse. C'est dû aussi à la qualité même de l'histoire de notre temps, et à ce dont a besoin l'homme sensible pour saisir cette qualité. Où est l'invention romanesque, où est le journalisme, où l'entreprise artistique qui peut rivaliser avec les faits politiques de notre temps ? Quelle vision dantesque approche de l'enfer de la guerre moderne ? Quelle accusation saurait se mesurer à l'insensibilité morale des hommes en proie aux tourments de l'accumulation primitive ? C'est la réalité sociale et historique que les hommes veulent connaître, et bien souvent, la littérature ne leur apporte rien. Ils ont soif de faits, ils en cherchent le sens, ils veulent qu'on leur peigne un grand tableau qui fasse vrai, et où ils puissent se comprendre. Ils veulent aussi des valeurs directrices, des émotions et des modes de sensibilité appropriés, des vocabulaires de mobiles. La littérature d'aujourd'hui ne leur offre guère. Est-ce son rôle ? Peu importe ; ce qui compte, c'est que les hommes n'y trouvent pas ce qu'ils cherchent.

Autrefois, les hommes de plume se faisaient les critiques et les historiens de l'Angleterre ou de l'Amérique. Ils essayaient de caractériser des sociétés, d'entrevoir leur portée morale. Si Tocqueville et Taine étaient en vie aujourd'hui, ne seraient-ils pas sociologues ? C'est la question qu'un journaliste du *Times* de Londres posait à propos de Taine ; il répondait ceci :

« Pour Taine, l'homme était essentiellement un animal social, et la société un ensemble de groupes ; Taine c'était un observateur scrupuleux, un homme de terrain infatigable, et il possédait une qualité précieuse pour discerner les rapports entre les phénomènes sociaux — la souplesse. Il était trop curieux du présent pour faire un bon historien, trop théoricien pour tâter du roman, et il concevait trop la littérature comme une documentation sur la culture d'un siècle ou d'un pays pour se tailler la réputation d'un grand critique. Ses travaux sur la littérature anglaise tiendraient plutôt du commentaire sur la moralité de la société anglaise et de la thèse positiviste. C'est avant tout un théoricien de la société[1]. »

Au fait qu'il soit resté un « homme de plume », et non un sociologue, on mesure combien la sociologie du XIXe siècle chérissait les « lois », qu'elle voulait analogues à celles des sciences de la nature. En l'absence d'une science sociale adéquate, critiques et romanciers, poètes et hommes de théâtre ont été les grands, et souvent les seuls formulateurs des épreuves personnelles — parfois même des enjeux collectifs. L'art sait exprimer ces sentiments, et les met souvent en valeur, il leur prête un relief dramatique, mais il lui manque cette limpidité intellectuelle dont on a besoin aujourd'hui pour les soulager, ou pour les comprendre. L'art ne peut pas présenter ces sentiments sous forme de problèmes recouvrant les épreuves et les enjeux dont les hommes doivent prendre conscience, s'ils veulent triompher de leur malaise et de leur indifférence, de la misère opiniâtre qui en est la rançon. Non, l'artiste ne s'y attache pas souvent, et d'ailleurs, s'il est sérieux, il a aussi ses épreuves, et il retirerait le plus grand bien, culturellement et intellectuellement, d'une science sociale fouettée par l'imagination sociologique.

5

Mon propos, dans ce livre, est de définir la portée des sciences sociales devant les tâches culturelles de notre temps. Je veux montrer quel effort implique le développement de l'imagination sociologique ; ses retentissements sur la vie poli-

---

1. *Times Literary Supplement,* 15 novembre 1957.

tique et culturelle ; et, peut-être, signaler les conditions nécessaires à son éclosion. De la sorte, je veux préciser la nature et les utilisations de la science sociale d'aujourd'hui, et indiquer ce qu'il en est aux Etats-Unis[2].

A un moment donné, certes, la « science sociale », c'est ce que font les sociologues patentés — mais ils ne font pas tous la même chose, tant s'en faut. La science sociale, c'est aussi ce qu'ont fait les sociologues du passé — mais les différents esprits cherchent à retrouver des traditions différentes.

---

2. Je me dois d'avouer que je préfère beaucoup l'expression d' « études sociales », à celle de « sciences sociales » ; non pas que j'en veuille aux physiciens (je les aime beaucoup, au contraire), mais le mot « science » a acquis un grand prestige, et n'a plus de sens bien précis. Je ne veux surtout pas ravir le prestige ou dégrader le sens davantage, en l'utilisant comme une métaphore philosophique. Malheureusement, si je parlais d'études sociales, le lecteur américain penserait aussitôt à l'instruction civique des *High Schools*, ce qu'à Dieu ne plaise. L'expression « les sciences du comportement » ne passe pas ; c'est une invention destinée à soutirer de l'argent aux Fondations, qui mettent « science sociale » et « socialisme » dans le même sac. Il faudrait un terme qui englobe l'histoire (et la psychologie, dans la mesure où elle étudie l'être humain), et qui ne prête à aucune discussion : les mots sont les armes de la réflexion et non l'enjeu de nos querelles. Je crois que les « disciplines humaines » conviendraient. Mais laissons cela. En espérant ne pas prêter à confusion, je sacrifierai à l'usage, et je parlerai de « sciences sociales ». (On traduira ici *social sciences* par *sciences sociales, sciences humaines*, et quand on ne risque pas d'ambiguïté, par *sociologie*.)

Autre point : j'espère que mes collègues s'accommoderont de l'expression « l'imagination sociologique ». Les politistes qui m'ont lu proposent « l'imagination politique », les anthropologues « l'imagination anthropologique » — et ainsi de suite. Le mot compte moins que l'idée, et j'espère qu'elle se fera jour au cours de cette étude. Bien entendu, je ne songe pas exclusivement à la discipline universitaire qui porte le nom de « sociologie ». Les sociologues sont loin de toujours l'illustrer. En Angleterre, par exemple, c'est une discipline qui est encore marginale à l'université, alors qu'elle fleurit abondamment dans le journalisme, le roman et surtout l'histoire. Même chose en France : la confusion et l'audace de la pensée française depuis la Deuxième Guerre Mondiale s'appuient sur le sentiment qu'elle nourrit des traits sociologiques du destin de l'homme à notre époque, alors que ce sont plutôt les hommes de lettres et non les sociologues de métier qui apportent ce message. Toutefois, j'utiliserai l'expression « imagination sociologique » parce que 1) chacun prêche pour sa paroisse, et après tout je suis sociologue ; 2) je crois qu'historiquement c'est une qualité d'esprit qu'on trouve plus fréquemment chez les sociologues classiques que chez les autres spécialistes des sciences sociales ; 3) comme je m'en vais critiquer diverses écoles sociologiques, j'ai besoin d'un terme contraire.

Quand je parle du « grand espoir de la sociologie », c'est évidemment de l'espoir que je discerne.

Il y a, en ce moment, chez les sociologues, un malaise général, qui est à la fois intellectuel et moral, et qui concerne la direction que paraissent prendre leurs études. Ce malaise, ses causes funestes, s'inscrivent, je suppose, dans la grande inquiétude intellectuelle des temps présents. Pourtant, ce malaise paraît être plus aigu chez les sociologues, ne serait-ce que par l'espoir plus solide qui les guidait naguère, la nature des sujets qu'ils abordent, et le besoin pressant de travaux importants qui se fait sentir aujourd'hui.

Tout le monde ne partage pas ce malaise, mais c'est justement parce que certains y sont imperméables que le malaise redouble chez ceux qui ont conscience de cet espoir, et qui reconnaissent honnêtement la médiocrité prétentieuse des tentatives actuelles. C'est précisément mon intention que d'ajouter à ce malaise, de cerner ses causes, de le remplacer par un désir ardent de réaliser l'espoir, après que j'aurai préparé la place pour de nouveaux départs ; en somme je voudrais signaler quelques-unes des tâches qui s'imposent, et les moyens qui permettent de mener à bien ce qu'il faut faire désormais.

Ma conception de la sociologie n'est pas « dans le vent ». Elle condamne la science sociale des techniques bureaucratiques, qui inhibent la recherche par des prétentions « méthodologiques », l'alourdissent de conceptions confuses, la galvaudent sous les problèmes mineurs coupés des enjeux collectifs. Ces inhibitions, ces obscurités, ces banalités ont plongé les études dans la crise, sans en suggérer l'issue le moins du monde.

Certains vantent les « équipes de techniciens », d'autres le primat du chercheur isolé. Certains s'escriment à fignoler les méthodes et les techniques d'enquête ; d'autres pensent que les modes de travail adoptés par les artisans intellectuels sont délaissés et devraient être remis en honneur. Certains respectent scrupuleusement un code de procédures rigide ; d'autres s'emploient à faire fructifier, à solliciter, à exploiter l'imagination sociologique. Certains, empoisonnés par le formalisme extrême de la « théorie », passent leur temps à unir et à désunir les concepts d'une manière fort surprenante pour les autres ; ces « autres » ne recourent à l'élaboration terminologique que s'ils sont bien sûrs par là d'élargir le champ de leur sensibilité, et d'augmenter la portée de leur raisonnement. Certains s'enferment dans l'examen des milieux restreints, avec l'espoir de les « mettre bout à bout », pour concevoir les grandes structures ; d'autres étudient les structures sociales, où ils comptent pouvoir situer d'innombrables petits milieux. Certains, dédaignant toute étude comparée, n'étudient qu'une petite communauté à la fois, dans une seule société ; d'autres, comparatistes convaincus, envisagent directement les structures sociales des nations du monde. Certains restreignent leurs recherches à des séquences extrêmement brèves ; d'autres se penchent sur des enjeux que seule une longue perspective historique laisse apparaître. Certains enferment leurs travaux dans les limites des cloisonnements universitaires ; d'autres, s'inspirant de toutes les sections, se spécialisent en fonction du sujet ou du problème, au mépris de ses coordonnées universitaires. Certains s'attaquent à la diversité de l'histoire, de la biographie, de la société ; d'autres s'en abstiennent.

Ces contrastes, pris parmi bien d'autres, ne sont pas toujours de véritables alternatives, comme les chaudes polémiques des politiques ou le mol oreiller de la spécialisation invitent à le croire. Pour l'instant, je me contente de les énoncer en vrac ; j'y reviendrai à la fin du livre. J'espère aussi qu'on verra vers quoi j'incline, car je crois que les jugements doivent être explicites. Mais j'essaye aussi, abstraction faite de mes jugements personnels, de dire quelles sont les dimensions politiques et sociales de la science sociale. Mes préférences ne le cèdent en rien à celles que je vais examiner. Ceux à qui elles déplaisent feront bien d'employer leurs critiques à reconnaître et à expliciter les leurs avec autant de clarté que je m'y efforce moi-même... C'est alors que le problème moral de la sociologie — le problème de la science sociale comme enjeu collectif, sera reconnu, et que la discussion pourra avoir lieu. Les prises de conscience se multiplieront, condition préliminaire à l'objectivité de toute la sociologie.

En un mot, ce qu'on peut appeler l'analyse sociologique classique est faite à mon avis d'un ensemble de traditions, qu'on peut définir et utiliser. Elle se distingue essentiellement par son goût des structures sociales historiques ; ses problèmes concernent directement les enjeux collectifs pressants et les épreuves humaines douloureuses. Je crois aussi que cette tradition se heurte à présent à des obstacles considérables, tant à l'intérieur des sciences sociales que dans leur contexte politique et universitaire — mais que néanmoins les qualités d'esprit qui lui sont inhérentes sont en passe de devenir le commun dénominateur de toute notre vie culturelle, et qu'enfin, sous leurs aspects déroutants, en dépit de leur imprécision, elles deviennent une nécessité. Bon nombre de sociologues, notamment aux Etats-Unis, me paraissent peu disposés à relever le défi qui leur est lancé. Beaucoup se dérobent aux tâches politiques et intellectuelles de l'analyse historique ; d'autres, c'est trop clair, ne sont pas à la hauteur du rôle qu'on leur attribue. Il arrive qu'on les surprenne à recourir, presque volontairement, à de vieux subterfuges, à faire les timides. Malgré ce mauvais vouloir, ils tiennent là une occasion unique, du fait que leur champ social, celui qu'ils sont censés étudier, est surveillé avec grande attention par les intellectuels et par la collectivité. C'est là que gisent le grand espoir intellectuel des sciences sociales, les applications culturelles de l'imagination sociologique, et la dimension politique des sciences de l'homme et de la société.

6

Au grand dam du sociologue que je suis, les tendances déplorables que je vais examiner font toutes partie, à une exception près, de ce qu'on appelle « le domaine de la sociologie », alors même que la démission culturelle et politique qui les accompagne existe aussi dans les autres sciences humaines. Quoi qu'on puisse dire sur la science politique, l'économie, l'histoire et l'anthropologie, il est évident que ce qu'on appelle ici la sociologie est devenu le foyer des réflexions sur les sciences humaines. C'est le foyer des considérations de méthode ; c'est aussi le domaine par excellence de la « théorie générale ». La tradition sociologique s'est enrichie de tout un lot d'activités intellectuelles. Y voir une tradition est en soi aventureux. On reconnaîtra pourtant que le travail « sociologique » s'inscrit dans l'une au moins de trois grandes tendances, dont chacune court le risque d'être déformée, détruite.

Tendance I : Vers une théorie de l'histoire. Aux mains de Comte, de Marx, de Spencer, de Weber, la sociologie est une tentative encyclopédique, qui embrasse toute la vie sociale de l'homme. Elle est à la fois historique et systématique ; historique parce qu'elle traite et utilise les matériaux du passé ; systématique parce qu'elle cherche à apercevoir les « étapes » de la marche de l'histoire, et les régularités de la vie sociale.

La théorie de l'histoire humaine risque la paralysie de l'ultra-historisme, où l'on fait entrer de force les matériaux de l'histoire humaine, et d'où l'on tire des visions prophétiques sur l'avenir — généralement pessimistes. Exemples classiques : les travaux d'Arnold Toynbee et d'Oswald Spengler.

Tendance II : Vers une théorie systématique sur « la nature de l'homme et de la société ». Ainsi, dans les travaux des formalistes, notamment chez Simmel et Von Weise, la sociologie manipule des conceptions censées cataloguer tous les rapports sociaux et révéler les invariants. Elle fournit donc une image abstraite et statique des composantes de la structure sociale à un très haut niveau de généralité.

Par réaction envers les déformations de la Tendance I, il peut arriver que l'histoire soit complètement perdue de vue. La théorie systématique de la nature de l'homme et de la société devient un formalisme aride et compliqué, dont l'unique souci est de couper les Concepts en quatre et de les reconstruire sans cesse. Chez ceux que j'appelle les Suprêmes-Théoriciens, les conceptions sont devenues d'authentiques Concepts. L'œuvre de Talcott Parsons en est le meilleur exemple actuel, au sein de la sociologie américaine.

Tendance III : Vers l'étude empirique des faits et des problèmes sociaux contemporains. Bien que Comte et Spencer soient restés les piliers de la sociologie américaine jusqu'en 1914, et malgré l'emprise de la théorie allemande, l'étude empirique s'est imposée très tôt aux Etats-Unis. C'est que l'économie et la science politique étaient déjà installées de plein droit à l'université. Ceci étant, dans la mesure où la sociologie se définit comme l'étude d'un secteur de la société, elle devient assez vite une espèce de *factotum* parmi les sciences humaines, un fourre-tout où l'on précipite les laissés-pour-compte de l'université : villes, familles, rapports raciaux et rapports ethniques et, bien entendu, « petits groupes ». Ce manteau d'Arlequin est devenu un style de pensée, que j'examinerai sous l'appellation d' « empiricité libérale » (*liberal practicality*).

Les études sur les faits contemporains deviennent assez facilement des faits de milieu, sans lien et souvent sans intérêt. Les cours de sociologie américaine qu'on trouve dans le commerce sont souvent de ce type ; le meilleur exemple en est fourni par les manuels de morceaux choisis sur la désorganisation sociale. D'autre part, les sociologues se sont faits les spécialistes de la recherche de n'importe quoi ; chez eux, la méthode est devenue Méthodologie. Exemples : l'œuvre, et surtout l'ethos de Georges Lundberg, Samuel Stouffer, Stuart Dodd, Paul F. Lazarsfeld. Ces deux tendances (dispersion et méthode-pour-la-méthode) s'accordent fort bien, sans toutefois apparaître nécessairement côte à côte.

Les traits particuliers de la sociologie peuvent s'interpréter comme les déformations d'une ou de plusieurs tendances traditionnelles. Mais ces tendances expliquent aussi les espoirs qu'on peut en attendre. Aujourd'hui se produit aux Etats-Unis une sorte de fusion hellénistique, qui réunit les éléments et les objectifs des sociologies issues des diverses sociétés occidentales. On peut craindre qu'éblouis par cette pléthore sociologique, les spécialistes des autres sciences humaines, dans leur impatience, et les sociologues, dans leur soif de « recherche », ne laissent échapper un legs infiniment précieux. Mais la chose a son bon côté : la tradition sociologique recèle les meilleurs énoncés qu'on puisse trouver sur le grand espoir de toutes les sciences sociales, et même un début d'application. Les nuances et les idées que peuvent découvrir les sociologues dans leurs traditions sont trop nombreuses pour qu'on les résume brièvement, mais ceux qui les dépouilleront seront amplement récompensés. S'ils les possèdent bien, ils pourront aisément en tirer de nouvelles directions de travail.

Je reviendrai aux espoirs de la science sociale (chapitres 7 à 10), après avoir examiné quelques-unes des déformations les plus courantes (chapitres 2 à 6).

2

La Suprême-Théorie

Commençons par donner un échantillon de Suprême-Théorie, extrait du *Système Social*, de Talcott Parsons — livre qui passe pour un chef-d'œuvre du genre.

« L'élément du système symbolique commun qui sert de critère ou de norme pour opérer un choix entre les orientations contradictoires qui s'ouvrent intrinsèquement au cœur d'une situation s'appelle une valeur... Mais, étant donné le rôle des systèmes symboliques, il convient d'opérer une distinction entre cet aspect d'orientation motivationnel de l'action comme totalité et l'aspect d' « orientation de valeur ». Cet aspect n'affecte pas le sens de l'attente aux yeux de l'agent dans le rapport d'équilibre satisfaction-destitution, mais le contenu effectif des références du choix. Le concept d'orientation de valeurs en ce sens constitue donc un procédé logique pour formuler un aspect essentiel de l'articulation des traditions culturelles autour du système d'action.

De la dérivation de l'orientation normative et du rôle des valeurs dans l'action exprimés plus haut, il s'ensuit que toutes les valeurs impliquent ce qu'on peut appeler une référence sociale... De façon inhérente au système d'action, l'action est, pour employer une formule, « orientée selon le normatif ». Ceci découle, comme il a été montré, du concept d'attente, et de sa place au sein de la théorie de l'action, et particulièrement dans la phase « active », où l'agent poursuit

27

des fins. Les attentes, donc, en accord avec la « double contingence » du processus d'interaction, comme nous l'avons appelé, créent un problème d'ordre, à la fois crucial et impérieux. On peut en retour distinguer deux aspects dans ce problème d'ordre — l'ordre qui affecte les systèmes symboliques qui autorisent la communication, et l'ordre qui affecte la réciprocité de l'orientation motivationnelle vers l'aspect normatif des attentes, le problème d'ordre « à la Hobbes ».

Le problème d'ordre, et partant, celui de la nature de l'intégration des systèmes stables d'interaction sociale, c'est-à-dire de structure sociale, se centre donc sur l'intégration de la motivation des agents dans les références culturelles normatives qui intègrent le système d'action, interpersonnellement dans notre contexte. Ces normes sont, selon la terminologie du chapitre précédent, des modèles d'orientations de valeurs, et, en tant que tels, constituent une fraction cruciale de la tradition culturelle en vigueur dans le système social[1]. »

A cette lecture, certains ont peut-être envie de passer tout de suite au chapitre suivant ; je leur conseille de n'en rien faire. La Suprême-Théorie — montage et démontage de concepts, vaut la peine qu'on l'examine. Certes, elle n'a pas eu autant d'influence que *l'inhibition méthodologique* étudiée au chapitre suivant, car elle n'a pas essaimé. Il ne faut pas se cacher qu'elle est difficile à comprendre. C'est à coup sûr une magnifique protection, mais la médaille a son revers dans la mesure où ses *pronunciamentos* devraient se faire sentir dans le travail concret des sociologues. Plaisanterie à part, et pour être objectifs, il faut bien admettre qu'elle a rencontré auprès des sociologues l'un au moins des accueils suivants :

— Une minorité de ceux qui prétendent l'avoir comprise, et qui l'apprécient, la tiennent pour l'une des plus belles conquêtes de toute la sociologie.

— La majorité de ceux qui prétendent l'avoir comprise, mais ne l'apprécient pas, estiment avoir affaire à un fatras dont l'enflure n'a d'égale que la gratuité (ceux-là sont rares, pour la bonne raison que l'impatience et l'aversion leur évitent d'approfondir la question).

— Aux yeux de ceux qui, sans prétendre comprendre, l'apprécient fort (ils sont nombreux) c'est un labyrinthe, qui

---

1. Talcott Parsons, *The Social System*, Glencoe, Illinois, The Free Press, 1951, pp. 12, 36-37.

tire son pouvoir de fascination de sa splendide inintelligibilité.

— Quant à ceux qui ne l'aiment pas et ne prétendent pas la comprendre, mais conservent le courage de leurs opinions, ils doivent avoir l'impression que le roi est nu...

Bien entendu, beaucoup nuancent leur jugement, et plus encore restent dans l'expectative, suspendus à la bouche des professionnels, qui ne l'ouvriront peut-être pas. Et, malgré, qu'on en ait, peut-être faut-il ajouter que beaucoup de sociologues ne la connaissent que par ouï-dire.

Voilà qui soulève un problème délicat, celui de l'intelligibilité. Il dépasse bien entendu le domaine de la Suprême-théorie[2], mais ses tenants y sont tellement compromis qu'il faut poser la question brutalement. Leur théorie n'est-elle que verbiage, ou bien exprime-t-elle quelque richesse ? Je répondrai qu'il y a quelque chose à trouver, quelque chose de très enveloppé, certes, mais quelque chose tout de même. Cela dit, il faut poser la question sous cette forme : une fois résolu le problème de la compréhension, une fois extraite la substantifique moelle, que disent les suprêmes-théoriciens ?

1

Il n'y a qu'une façon de procéder : traduire un passage caractéristique et examiner la traduction. J'ai choisi Parsons. Qu'on sache bien ce que je veux faire : je ne tente pas de juger l'ensemble de son œuvre. Si je fais appel à d'autres ouvrages, c'est simplement pour élucider rapidement certains points particuliers du *Système social*. Je traduirai en langage clair le contenu de ce livre, et, ce faisant, je ne chercherai pas la perfection ; je prétends seulement ne rien perdre du sens explicite de l'ouvrage. Je livrerai tout ce qui est intelligible. En particulier, je tenterai de faire le départ entre ce qui est verbal (définition et relations terminologiques) et ce qui énonce quelque chose. Les deux ont leur importance ; mais les confondre, c'est se condamner à l'obscurité. Pour montrer ce dont nous avons besoin, je traduirai d'abord plu-

---

2. Voir Appendice, section 5.

sieurs passages, puis je donnerai deux versions abrégées de l'ensemble du livre.

Traduction de l'extrait qui ouvre le chapitre : *Les gens obéissent à des critères communs et s'attendent mutuellement que chacun les respecte. Dans la mesure où il en va ainsi, leur société peut être une société où il y a de l'ordre.*

Parsons écrit ailleurs :

« La structure de cette contrainte (*binding in*) est double à son tour. Tout d'abord, par suite de l'intériorisation de la norme, l'obéissance qu'elle réclame tend à prendre pour le moi une signification personnelle, expressive, et/ou instrumentale. Ensuite, la structuration des réactions d'autrui à l'égard des actions du moi sous l'aspect de sanctions, est fonction de leur conformité à la norme. Par conséquent, l'obéissance comme mode direct d'accomplissement de ses propres dispositions-besoins tend à coïncider avec l'obéissance comme condition permettant de provoquer la réaction favorable d'autrui et d'éviter les réactions défavorables. Dans la mesure où, relativement aux actions d'une pluralité d'agents, l'obéissance à une norme d'orientation de valeur remplit les conditions de *ces deux critères,* c'est-à-dire dans la mesure où aux yeux de n'importe quel agent du système, il est à la fois mode d'accomplissement des dispositions-besoins du moi et condition propre à « optimiser » la réaction d'autres agents pertinents, nous dirons que cette norme est « institutionnalisée ».

Dans ce sens, un modèle de valeur est toujours institutionnalisé dans un ensemble d'interactions. Par conséquent l'aspect du système d'attentes qui est intégré en accord avec lui est *double.* D'une part les attentes qui ont pour objet les conduites de l'agent, et qui fixent en partie les normes de ce moi, pris comme point de référence ; ce sont là ses « attentes de rôles ». D'autre part, de son point de vue, la série d'attentes relatives aux réactions contingentes et probables des autres (l' « alter ») ; ce sont là des « sanctions », lesquelles à leur tour sont positives ou négatives, selon que le moi les éprouve comme flatteuses ou comme destituantes. La relation entre attentes de rôles et sanctions est donc clairement réciproque. Ce que les sanctions sont au moi, les attentes de rôles le sont à autrui et réciproquement.

Le rôle est donc un secteur du système total d'orientations d'un agent individuel, organisé autour d'attentes en rapport avec un contexte particulier d'interactions, c'est-à-dire intégré dans un ensemble de normes de valeurs qui commandent l'interaction, où la réplique est donnée par un ou plusieurs *alter* appropriés. Cet autrui n'est pas forcément incarné par un groupe d'individus précis, tout *alter* peut jouer ce rôle, si et lorsqu'il entre en situation particulière d'interaction complémentaire avec un moi, laquelle entraîne une réciprocité d'attentes à l'égard des normes communes d'orientations de valeurs.

L'institutionnalisation d'un ensemble d'attentes de rôles, et des sanctions qui vont de pair avec elles est une simple affaire de degré. Ce degré est fonction de deux paramètres : les variables qui constituent le degré de communauté effective des modèles d'orientation de valeurs, et celles qui déterminent l'orientation motivationnelle ou l'engagement envers l'accomplissement des attentes pertinentes. Nous verrons que toutes sortes de facteurs modifient le degré d'institutionnalisation par le truchement de ces deux canaux d'influences. L'antithèse polaire de l'institutionnalisation absolue est néanmoins *l'anomie*[3] — l'absence de complémentarité structurée au sein du processus d'interaction, ou encore, ce qui revient au même, l'effondrement total de l'ordre normatif dans les deux sens. C'est là toutefois un concept limite, qui ne rend jamais compte d'un système social concret. Tout comme l'institutionnalisation, *l'anomie* a aussi ses degrés. Les deux se répondent.

L'institution est un complexe d'entiers de rôles institutionnalisés, dont l'importance structurelle est essentielle dans le cadre du système social en question. L'institution est une unité d'ordre de structure sociale plus élevée que le rôle, et elle est faite d'un agrégat de modèles, de rôles interdépendants ou de leurs composants[4]. »

Traduction : Les hommes ne cessent d'agir en accord et en désaccord les uns avec les autres. Chacun tient compte de ce que les autres attendent de lui. Lorsque ces attentes mutuelles sont assez précises et assez durables, nous les appelons des critères, ou des normes. Chacun attend également que les autres réagissent à ses actes. Ces réactions attendues, nous les appelons des sanctions. Certaines sont flatteuses, d'autres pas. Lorsque les hommes se laissent guider par les normes et par les sanctions, nous dirons *qu'ils jouent* les uns pour les autres.

---

3. En français dans le texte.
4. Parsons, *op. cit.*, pp. 38-39.

C'est une métaphore pratique. Et ce que nous appelons une institution n'est en fait qu'un ensemble de rôles plus ou moins stable. Lorsqu'au sein d'une institution ou d'une société composée d'institutions de ce genre, les hommes ne se laissent plus guider par les normes et les sanctions, on peut parler, avec Durkheim, *d'anomie*. A un bout de la chaîne, nous trouvons donc les institutions, le bel ordre des sanctions et des normes ; à l'autre, l'anomie : comme dit Yeats, le centre s'échappe ; ou encore, pour m'en tenir à ma formule : l'ordre normatif s'est effondré. (Fin de la traduction.)

Je ne me suis pas montré un traducteur très fidèle, je l'avoue ; j'en ai rajouté, parce que ce sont là des idées excellentes. A vrai dire, une fois traduites, la plupart des idées exprimées par les suprêmes-théoriciens, sont de celles qui traînent dans tous les manuels de sociologie. Mais ce qui précède ne suffit pas à définir exactement une institution. A la suite de la traduction, il faut ajouter que les rôles qui tissent l'institution ne sont pas uniquement une « complémentarité » d' « attentes partagées ». Il suffit pour s'en persuader, d'avoir appartenu à un régiment, à une usine et même simplement à une famille. Voilà des institutions. Or, il y en a, parmi leurs membres, dont les attentes sont plus impérieuses que d'autres. C'est ce qui leur confère ce que nous appelons le pouvoir. Ou encore, de manière plus sociologique, mais pas encore vraiment sociologique : une institution est un ensemble de rôles organisés selon le degré d'autorité.

Parsons écrit :

> Du point de vue des motivations, l'attachement aux valeurs communes implique que les agents ont des « sentiments » communs favorables aux modèles de valeurs, ce qui veut dire que la conformité avec les attentes pertinentes est éprouvée comme « bonne » en dehors de tous les « avantages » instrumentaux spécifiques attachés à cette conformité, autrement dit le refus des sanctions négatives. En outre, cet attachement aux valeurs communes, en même temps qu'il répond aux besoins de flatterie de l'agent, possède toujours un aspect « moral » en ce sens que, dans une certaine mesure, cette conformité délimite les « responsabilités » de l'agent au cœur des systèmes plus larges (ceux de l'action sociale)

dont il fait partie. Il est clair que le foyer de responsabilité est la collectivité constituée par une orientation de valeur commune particulière.

Pour finir, il va de soi que les « sentiments » qui vont dans le sens de ces valeurs communes ne sont pas, dans leur structure spécifique, la manifestation de tendances organiques constitutives. Ils sont généralement acquis ou appris. En outre, le rôle qu'ils jouent dans l'orientation de l'action n'est pas au premier chef celui des objets culturels auxquels on s'adapte ; les modèles culturels se sont intériorisés ; ils font partie intégrante de la structure de la personnalité de l'agent lui-même. Ces sentiments, ces « attitudes de valeurs », comme on pourrait les appeler, sont donc des dispositions-besoins authentiques de la personnalité. C'est seulement à la faveur de l'intériorisation des valeurs institutionnalisées qu'une authentique intégration motivationnelle de la conduite dans la structure sociale se produit, que les couches « profondes » des motivations se branchent sur l'accomplissement des attentes de rôles. C'est seulement lorsque cette phase s'est accomplie jusqu'au bout qu'on a le droit de dire qu'un système social est hautement intégré et que les intérêts de la collectivité tendent à coïncider avec les intérêts privés de ses membres[5].

Cette intégration d'un ensemble de modèles de valeurs communes dans la structure intériorisée des dispositions-besoins des parties prenantes, constitue le phénomène fondamental de la dynamique des systèmes sociaux. Le fait que la stabilité de tout système social, non compris le processus d'interaction le plus évanescent, soit fonction du degré de l'intégration, constitue le théorème fondamental de la dynamique sociologique. C'est le point de référence de toute analyse qui prétend être une dynamique des phénomènes sociaux[6].

Traduction. Lorsque les gens partagent les mêmes valeurs, ils tendent à adopter les comportements qu'ils attendent les uns des autres. En outre, ils attachent souvent du prix à cette conformité, fût-ce aux dépens de leurs intérêts immédiats. Ce

---

5. La coïncidence absolue est un cas-limite, semblable à la fameuse machine sans friction. Bien qu'on ne connaisse pas d'exemple de système social de motivations garni d'un ensemble cohérent de modèles culturels, il est hautement significatif pour la théorie qu'on puisse concevoir un système social aussi intégré (*Note de Parsons*).

6. Parsons, *ibid.*, pp. 41-42.

n'est pas parce que ces valeurs sont acquises, et non transmises, qu'elles sont moins importantes pour la motivation humaine. Au contraire, elles deviennent partie intégrante de la personnalité même. En ce sens, elles sont le ciment de la société, car ce qui constitue l'attente sociale devient besoin individuel. C'est un élément si important pour la stabilité de tout système social que je le prendrai pour point de départ si j'analyse une société en tant qu'activité. (Fin de la traduction.)

Et le reste à l'avenant. On pourrait, je crois, traduire en 150 pages de langage clair les 555 pages du *Système social*. Le résultat ne serait pas autrement spectaculaire. Toutefois, on y trouverait les termes dans lesquels le problème majeur que pose le livre, ainsi que sa solution, s'expriment le plus clairement. Toute idée, tout ouvrage peuvent évidemment se résumer en une phrase ou demander trente volumes. Le tout est de savoir quel développement réclame une idée pour être claire, et quelle importance paraît avoir cette idée — combien d'expériences elle élucide, combien de problèmes elle permet de résoudre ou du moins de poser.

En trois phrases, que dit le livre de Parsons ? « *On nous demande : à quelles conditions l'ordre social est-il possible ? On nous répond, semble-t-il : à condition qu'il existe des valeurs communément acceptées.* » Est-ce tout ? Non, bien sûr, c'est là l'important. Mais ne sommes-nous pas malhonnêtes ? Ne peut-on en faire autant avec n'importe quel livre ? Bien sûr que si. A preuve l'un des miens : « *En fin de compte qui gouverne en Amérique ? Personne absolument, mais dans la mesure où il s'agit d'un groupe, c'est l'élite du pouvoir* » (*The Power Elite*, 1956). Et celui que vous avez entre les mains : « *Quel est l'objet de la sociologie ? Ce devrait être l'homme et la société, et c'est parfois le cas. Elle tente de nous aider à comprendre la biographie et l'histoire, ainsi que leurs rapports au sein des multiples structures sociales.* »

Voici, en quatre paragraphes, la traduction du livre de Parsons :

Imaginez une chose que nous appellerons le « système social », au sein duquel les individus agissent relativement les uns aux autres. Ces actions sont souvent alignées, car les individus de ce système partagent les critères des valeurs et des conduites qu'il convient pratiquement de tenir. Certains de ces critères, nous les appellerons des normes ; ceux qui s'y conforment agissent de la même façon dans les mêmes occasions. Dans la mesure où il en va ainsi, il existe des « régularités sociales », qu'il nous est loisible d'observer, et qui sont souvent vivaces. Les régularités stables et durables, je les qualifierai de « structurelles ». On peut se les représenter comme une vaste balance, extrêmement délicate, installée au cœur du système social. Ceci est une métaphore, mais je veux l'oublier, car il faut que vous croyiez à la réalité de mon concept : c'est l'Equilibre Social.

Il y a deux régulateurs d'équilibre, dont la déficience, unilatérale ou bilatérale, entraîne la perte d'équilibre. Le premier s'appelle la « socialisation » ; c'est l'ensemble des moyens qui visent à faire du nouveau-né une personne sociale. Cette mise en forme consiste pour une part à faire acquérir aux gens des mobiles propres à les faire agir selon l'exigence ou l'attente des autres personnes. Le second régulateur c'est le contrôle social. J'entends par là tous les moyens propres à mettre les gens au pas et à les persuader de rectifier d'eux-mêmes l'alignement. Par le « pas », et « l'alignement », cela va de soi, j'entends toute action que le système social attend et approuve.

Maintenir l'équilibre social, c'est surtout persuader les gens de vouloir faire ce qu'on exige et ce qu'on attend d'eux. En cas d'échec, il faut alors aviser d'autres moyens de rectifier cet alignement. C'est Max Weber qui a donné les meilleures définitions et les meilleures classifications de ces emprises sociales, et j'ai peu de chose à ajouter à ce qu'il a si bien dit, et à ce qu'on a si bien répété après lui.

Une chose m'embarrasse : cet équilibre social une fois admis, ainsi que toute la socialisation et toute la mainmise sociale qui le garantissent, comment imaginer que quiconque perde la cadence ? J'ai du mal à l'expliquer, du moins dans le cadre de ma Théorie Systématique et Générale du Système Social. Et il y a encore quelque chose qui me chiffonne : comment expliquer la transformation sociale, c'est-à-dire l'histoire ? Justement, si vous en avez l'occasion, je vous recommande d'entreprendre des recherches empiriques. (Fin de la traduction.)

En voilà peut-être assez. Nous pourrions sans doute en mettre davantage, mais on n'y gagnerait pas en précision et je renvoie le lecteur au *Système social* aux fins d'enquête complémentaire. En attendant, il nous reste trois tâches à remplir. Tout d'abord, caractériser le style de pensée logique incarné par la Suprême-théorie ; ensuite débrouiller certaine confusion générique dans cet exemple particulier ; enfin, signaler comment les sociologues d'aujourd'hui posent et résolvent le problème d'ordre qu'on trouve chez Parsons. Mon propos, dans ce chapitre, est d'aider les suprêmes-théoriciens à descendre de leur inutile piédestal.

2

Ce n'est pas entre les sociologues qui pensent sans observer et ceux qui observent sans penser que court la ligne de démarcation ; c'est entre les modes de pensée, les modes d'observation, et éventuellement les liens qui les unissent.

La cause profonde de l'attitude de la Suprême-théorie, c'est d'avoir choisi d'entrée en jeu un niveau de pensée si général que ses adeptes ne peuvent logiquement s'abaisser à observer. Jamais, au nom de leur Haute Théorie, ils ne quitteront les généralités pour affronter les problèmes dans leur contexte historique et structurel. C'est cet aveuglement aux vrais problèmes qui explique à son tour l'étonnante irréalité de leurs ouvrages. C'est lui qui fait l'abondance des *distinguo*, dont la multiplication arbitraire et lassante ne facilite nullement notre compréhension et n'ajoute aucun sens à notre expérience. C'est aussi le refus, en partie bien organisé, de décrire et d'expliquer sans phrases la société et la conduite humaines.

Quand nous envisageons ce que représente un mot, nous faisons de la *sémantique* ; quand nous envisageons ses rapports avec d'autres mots, nous faisons de la *syntaxe*[7]. Si j'introduis ces notions, c'est pour arriver à la formule lapidaire

---

7. On peut également l'envisager dans ses rapports avec l'utilisateur : c'est l'aspect *pragmatique*, dont nous n'avons que faire ici. Ce sont les trois « dimensions de la signification » analysées si brillamment par Charles M. Morris dans son indispensable ouvrage *Foundations of the Theory of Signs, International Encyclopedia of United Science*, vol. 1, n° 2, University of Chicago Press, 1938.

suivante : les suprêmes-théoriciens s'enivrent de syntaxe et n'entendent rien à la sémantique. Ils ne comprennent pas vraiment qu'en définissant un mot, nous encourageons simplement les autres à l'utiliser selon nos vœux ; que le but d'une définition est de faire porter la discussion sur les faits, et que la définition a rempli son rôle si elle transforme un accord sur la forme en désaccord sur le fond, donnant ainsi le champ à de nouvelles recherches.

Les suprêmes-théoriciens sont tellement absorbés par les significations syntaxiques, et si démunis quand il s'agit de références sémantiques, ils sont tellement enfermés dans leurs splendides abstractions que leurs « typologies », et le mal qu'ils se donnent pour les élaborer, font plus souvent figure d'arides jeux de Concepts que de véritables tentatives pour définir systématiquement — c'est-à-dire de façon claire et méthodique — les problèmes qui se posent, et pour nous aider à les résoudre.

La grande leçon à tirer de cette lacune systématique dans l'œuvre des suprêmes-théoriciens, c'est que tous les penseurs réfléchis doivent être sans cesse conscients des niveaux d'abstraction où ils travaillent — c'est-à-dire qu'ils doivent être toujours en mesure de les régler. Pouvoir clairement et facilement faire la navette entre les niveaux d'abstraction constitue l'apanage des penseurs méthodiques et intelligents.

Des expressions comme « capitalisme », « classe moyenne », « bureaucratie », « élite du pouvoir » ou « démocratie totalitaire » ne vont pas sans d'obscures connotations qu'il convient de surveiller et de tenir bien en main, le cas échéant. Les expressions en question sont souvent enveloppées dans un « combinat » de relations et de faits objectifs aussi que de facteurs et d'observations hypothétiques. Ces excroissances-là, il faut aussi les classer soigneusement et les faire ressortir dans les définitions comme dans leur emploi.

Pour mettre en évidence les dimensions syntaxiques et sémantiques de ces expressions, il faut avoir à l'esprit la hiérarchie des spécificités qui s'y attachent, et être à même de nous placer à tous les niveaux de cette hiérarchie. On se demandera : dans le contexte où nous l'employons, faut-il simplement entendre par « capitalisme » la propriété privée de tous les moyens de production, ou bien voulons-nous impliquer de surcroît que la libre concurrence est le mécanisme responsable des prix, des profits et des salaires ? Et sommes-nous fondés à poser que, par définition, le mot a des inci-dences politiques aussi bien qu'économiques ?

Cette discipline de l'esprit, j'en fais la pierre de touche de la réflexion systématique ; son absence témoigne d'un féti-chisme du Concept. Pour mettre en relief certaine conséquen-ce de cette lacune, examinons l'une des confusions majeures du livre de Parsons.

3

En prétendant faire une « théorie sociologique générale », le suprême-théoricien élabore en fait un royaume de concepts dont sont bannies maintes structures de la société humaine, depuis longtemps reconnues précisément comme indispensa-bles à sa compréhension. Le but est clair : il s'agit d'éviter que le propos sociologique se confonde avec celui de l'écono-mie et des sciences politiques. Selon Parsons, la sociologie a pour objet « l'aspect particulier de la théorie des systèmes sociaux qui envisage les phénomènes d'institutionnalisation des modèles d'orientation de valeurs dans le système social, comp-te tenu des conditions de cette institutionnalisation ; ainsi que les phénomènes de transformation des modèles, compte tenu des conditions de conformité ou de non-conformité avec un ensemble de ces modèles et des processus de motivation, dans la mesure où ils entrent en jeu »[8]. Traduit en clair, et libéré de toute affirmation, comme doit l'être une bonne définition — cela donne : *les sociologues de mon espèce aimeraient savoir ce que les gens veulent et chérissent. Nous aimerions aussi découvrir pourquoi il existe tant de valeurs, et pourquoi elles se transforment. Quand nous tombons sur un ensemble unitaire de valeurs, nous aimerions savoir pourquoi certains s'y conforment, et d'autres pas.* (Fin.)

Comme l'a remarqué David Lockwood[9], cette prise de po-sition permet au sociologue de laisser de côté la notion de « pouvoir » et les institutions politiques et économiques.

---

8. Parsons, *op. cit.*, p. 552.
9. Cf. ses excellentes « Some Remarks on *The Social System* », dans *The British Journal of Sociology*, vol. VII, 2 juin 1956.

J'irai plus loin. Le livre de Parsons tout entier fait une plus grande place à ce qu'on appelle traditionnellement la « légitimation », qu'aux institutions. Cela le conduit à transformer, par définition, toutes les structures institutionnelles en une sorte de sphère morale — ou plus précisément en ce qu'on a appelé une « orbe de symboles »[10]. Pour montrer ce dont il s'agit, je voudrais d'abord m'expliquer sur cette orbe, ensuite, mettre en question sa prétendue autonomie ; enfin, montrer que les conceptions de Parsons empêchent de soulever les grands problèmes de toute analyse de structure sociale.

Ceux qui détiennent l'*autorité* tentent de justifier leur emprise sur les institutions en la présentant comme une sorte de conséquence nécessaire de symboles moraux, d'emblèmes sacrés, de formules juridiques, en qui tout le monde croit. On se réclame d'un dieu, des dieux, du « vote majoritaire », de la « volonté du peuple », de l'« aristocratie du talent », de celle de « l'argent », de la « Monarchie de droit divin », ou de la personnalité exceptionnelle du Guide lui-même. Les sociologues, à la suite de Max Weber, appellent cela des « légitimations », ou encore des « symboles de justification ».

Les auteurs les désignent de plusieurs manières. Mosca parle de « formule politique » ou de « grandes superstitions » ; Locke, du « principe de souveraineté » ; Sorel, du « mythe de la violence » ; Thurman Arnold, du « folklore » ; Weber, des « légitimations », Durkheim, « des représentations collectives », Marx, « d'idéologies » ; Rousseau, de « volonté générale » ; Lasswell, de « symboles d'autorité » ; Mannheim, d' « idéologie » ; Herbert Spencer, de « sentiments collectifs ». Voilà qui prouve l'importance que revêtent les maîtres-symboles dans l'analyse sociale.

De même dans l'analyse psychologique : les maîtres-symboles, pertinents lorsqu'ils agissent dans la vie privée, deviennent souvent les raisons, sinon les mobiles, qui installent les personnes dans leurs rôles, et qui sanctionnent la manière dont elles les remplissent. Si, par exemple, on leur demande de justifier publiquement les institutions économiques, alors

---

10. H. H. Gerth et C. Wright Mills, *Character and social Structure,* New York, Harcourt Brace, 1953, pp. 274-277, que je reprends largement ici, et dans la section 5 du présent chapitre.

l'individu a toute liberté pour justifier ses conduites au nom des calculs d'intérêt. Mais si l'on éprouve le besoin de justifier publiquement ces institutions au nom de la « confiance et du service public », les raisons et les mobiles d'intérêt qui avaient cours hier donneront aux capitalistes un sentiment de mauvaise conscience. Les légitimations qui ont force de loi dans la collectivité finissent souvent par prendre effet comme mobiles personnels.

Or, ce que Parsons et les autres suprêmes-théoriciens appellent « orientations de valeurs » et « structure normative », concerne essentiellement les maîtres-symboles de légitimation. Les rapports de ces symboles à la structure des institutions comptent parmi les problèmes les plus importants de toute la sociologie. Mais ces symboles ne constituent pas une enclave de la société ; ils relèvent du social dans la mesure où on peut faire appel à eux pour justifier ou pour mettre en question la distribution du pouvoir et la position au sein de la distribution du pouvoir. Ils relèvent du psychologique dans la mesure où ils servent d'assises à la défense de la structure du pouvoir, ou à sa mise en question.

On ne peut pas se contenter de dire que ces ensembles de valeurs, de légitimations, n'ont qu'à s'imposer pour éviter qu'une structure sociale se défasse, et on ne peut pas dire non plus qu'une telle « structure normative » doive donner cohérence et unité à une structure sociale. En tout cas, une « structure normative » en activité n'est rien moins qu'autonome. En réalité, dans les sociétés occidentales, et aux Etats-Unis en particulier, tout concourt à prouver que, dans les trois cas, c'est le contraire qui se passe. Souvent (mais justement pas aux Etats-Unis depuis la dernière guerre) il existe des symboles d'opposition hautement organisés dont on se réclame pour justifier les mouvements de rébellion et pour saper les autorités dirigeantes. Le système politique américain a fait preuve d'une stabilité inégalée, puisqu'il n'a été menacé qu'une seule fois par la violence intestine au cours de son histoire ; c'est peut-être ce qui a faussé l'image que se fait Parsons de la structure normative et de l'orientation de valeur.

« Les régimes politiques, disait Emerson, ont pour origine la personnalité morale des hommes. » Ce n'est pas toujours vrai, et penser comme Emerson, c'est confondre les légitimations d'un régime avec ses causes. Le plus souvent, la personnalité morale des hommes repose sur le fait que les maîtres des institutions accaparent, et, souvent, imposent leurs maîtres-symboles.

Il y a cent ans, on a agité la question dans les termes mêmes où la posent ceux qui croient en l'autonomie des orbes de symboles, et professent que ces « valeurs » sont à même de dicter leur loi à l'histoire : les symboles qui justifient une autorité sont dissociés des personnes ou des couches sociales qui l'assument. On s'imagine alors que ce sont les « idées » qui gouvernent, et non pas les couches sociales ou les personnes utilisant ces idées. Afin de prêter une certaine continuité à cette séquence de symboles, on les présente comme s'ils entretenaient des liens les uns avec les autres. Les symboles passent donc pour « indépendants ». Afin de rendre cette curieuse notion plus vraisemblable, on leur donne souvent une « personnalité » et parfois une « conscience ». On les traite alors comme des concepts de l'Histoire ou comme une lignée de « philosophes », dont la pensée règle la dynamique des institutions. Ou encore, on fétichise le concept d' « ordre normatif »... Je viens de pasticher Marx et Engels lorsqu'ils parlent de Hegel[11].

A moins de justifier des institutions et de pousser les personnes à assumer des rôles institutionnels, les « valeurs » d'une société ont beau jouer un grand rôle dans la vie privée, elles n'ont aucune espèce d'importance pour l'histoire ni pour la sociologie. Il y a évidemment action et réaction entre les symboles justificatifs, les autorités institutionnelles, et ceux qui obéissent. De temps en temps, il faut accorder un pouvoir causatif aux maîtres-symboles, mais cette idée ne constitue pas la théorie qui rendrait compte de l'ordre social ou de l'unité de la société. Il y a d'autres moyens de construire une « unité », et nous allons voir qu'ils permettent de formuler beaucoup mieux les grands problèmes de structure sociale et de coller davantage aux observations concrètes.

Dans la mesure où les « valeurs communes » nous intéressent, il vaut mieux élaborer notre conception à partir de l'examen des légitimations propres à chaque ordre d'institu-

---

11. Voir K. Marx et F. Engels, *L'idéologie allemande.*

tions dans une structure sociale donnée, au lieu de chercher à les saisir au départ et d' « expliquer » en fonction d'elles la composition et l'unité sociales[12]. On peut parler de « valeurs communes », je pense, lorsque les membres d'un ordre institutionnel ont massivement adopté ses légitimations ; lorsqu'au nom de ces légitimations, on peut prétendre se faire obéir, ou tout au moins s'assurer les complaisances. Ces symboles sont alors utilisés pour « éclaircir les situations » qui surviennent dans les rôles divers, et servent aussi d'unités de mesure pour les chefs et pour leurs partisans. Les structures sociales où l'on trouve ces symboles universels et centraux représentent évidemment des types extrêmes et « purs ».

A l'autre bout de la chaîne, il existe des sociétés qu'une gerbe d'institutions coiffe tout entière et à qui elle impose ses valeurs en pratiquant et en brandissant la violence. Cela n'implique pas nécessairement un effondrement de structure, car la discipline formelle peut suffire à conditionner les hommes ; et il arrive qu'en refusant la discipline exigée par les institutions, ils s'exposent à perdre leurs moyens d'existence.

> « Un typo qui travaille pour une feuille réactionnaire peut très bien s'incliner devant la discipline exigée par l'employeur, pour gagner sa vie et conserver sa place. *In petto*, et une fois qu'il a quitté l'atelier, ce sera peut-être un radical militant. Bien des socialistes allemands se sont montrés d'excellents soldats du kaiser, en dépit des valeurs subjectives qu'ils révéraient, celles du Marxisme révolutionnaire. Il y a loin des symboles aux conduites, et des conduites aux symboles ; l'intégration n'est pas toujours fondée sur les symboles[13]. »

Ce n'est pas parce qu'on évoque ce conflit de valeurs qu'on nie la « force des compatibilités rationnelles ». Le décalage entre ce qu'on fait et ce qu'on dit est souvent significatif, mais la poursuite de la logique de l'action ne l'est pas moins. On ne peut pas dire *a priori*, en se réclamant de la « nature humaine », des « principes de la sociologie », ou du *fiat* des

---

12. Si l'on veut une liste empirique exhaustive des « valeurs » que les hommes d'affaires américains cherchent à promouvoir, cf. Sutton, Harris, Kaysen et Tobin, *The American Business Creed*, Cambridge, Mass., Harvard University Press, 1956.

13. Gerth et Mills, *op. cit.*, p. 300.

suprêmes-théoriciens, qu'une société obéit à l'un ou à l'autre de ces principes. On pourrait imaginer un type de société « pur », une structure sociale parfaitement disciplinée, où les hommes tenus en servitude, sans se départir de leurs rôles pour toutes sortes de raisons, refusent de partager les valeurs de l'oppresseur et, ce faisant, de reconnaître la légitimité de l'ordre social. Ce serait une sorte de navire servi par des galériens, où la cadence des avirons condamnerait les rameurs à n'être que les rouages d'une machine, et où le garde-chiourme n'aurait jamais besoin de brandir le fouet. Les galériens n'ont même pas à connaître la direction du navire, bien que chaque virement de bord rappelle la colère du maître, le seul être qui puisse voir venir. Mais me voilà en train de décrire et non plus d'imaginer.

Entre ces deux types extrêmes (le « système des valeurs communes », et la discipline imposée de l'extérieur), l' « intégration sociale » prend toutes sortes de formes. Les sociétés occidentales se sont donné de nombreuses « valeurs d'orientation », toutes divergentes, dont l'unité ressort d'un mélange variable de légitimation et de coercition. Et cela est vrai de tout ordre institutionnel, pas uniquement du politique et de l'économique. Le père de famille peut imposer sa volonté en menaçant de déshériter les mauvaises têtes ; il peut recourir à toutes les violences que l'ordre politique met à sa disposition. Même dans ces petits groupes sacrés que sont les familles, l'unité des « valeurs communes » n'est rien moins que nécessaire ; la méfiance et la haine sont souvent le ciment d'une famille aimante. Les sociétés aussi peuvent s'épanouir en l'absence de ces « structures normatives » que les suprêmes-théoriciens tiennent pour universelles.

Mon propos n'est pas de donner une solution au problème de l'ordre, mais simplement de soulever des questions. Car si nous ne sommes pas en mesure de le faire, il faut nécessairement, au nom du *fiat* qu'énonce une définition arbitraire, *poser en principe* l'existence de la « structure normative », que Parsons installe au cœur du « système social ».

4

Le « *pouvoir* », au sens où l'emploie la sociologie, concerne toute décision que les hommes prennent au sujet des aménagements qui règlent leur vie comme au sujet des événements qui constituent l'histoire de leur période. Il arrive bien que des événements échappent à la volonté humaine ; que des dispositifs de la machine sociale soient modifiés sans profit, ou sans volonté manifeste. Mais dans la mesure où l'on prend de telles décisions (et dans la mesure aussi où on pourrait les prendre, mais où on ne le fait pas), le problème fondamental du pouvoir consiste à chercher *qui* les prend (ou s'abstient de les prendre).

On ne peut plus professer aujourd'hui qu'en dernier ressort les hommes doivent choisir librement leur régime politique. L'un des instruments préférés du pouvoir actuel, c'est de diriger et de manipuler le consentement des hommes. Ce n'est pas parce que nous ignorons les limites de ce pouvoir, et que nous lui en supposons, que le pouvoir n'est pas utilisé avec succès au mépris de la raison ou de la conscience morale des dirigés.

Il va de soi qu'à notre époque la coercition est *en dernier ressort* la forme « ultime » du pouvoir. Mais nous ne nous situons pas toujours à ce niveau-là, bien au contraire. Concurremment à la coercition, il faut tenir compte de l'*autorité* (pouvoir justifié par les croyances de dirigés dociles) et de la manipulation (pouvoir exercé à l'insu des sans-pouvoir). Il faut toujours distinguer ces trois types lorsqu'on examine la nature du pouvoir.

N'oublions pas que dans le monde moderne il n'en va plus comme au Moyen Age : le pouvoir ressortit beaucoup moins à l'autorité ; les dirigeants ne paraissent plus avoir besoin de justification pour exercer leur pouvoir. Les grandes décisions contemporaines — surtout sur le plan international — se sont passées de la « persuasion » des masses ; c'est la méthode du fait accompli. En outre, ceux qui détiennent le pouvoir n'adoptent ni n'utilisent les idéologies disponibles. Ces idéologies apparaissent généralement pour faire pièce à un effondrement effectif du pouvoir ; aux Etats-Unis, l'opposition ne s'est pas montrée suffisamment active, ces derniers temps, pour créer un nouveau besoin idéologique chez les dirigeants.

Aujourd'hui il arrive souvent que les gens aient renié leur profession de foi sans en acquérir de nouvelles, et c'est pourquoi ils sont absolument dépolitisés. Ils ne sont ni de gauche, ni de droite. Ce sont les apôtres de la passivité. Si les Grecs avaient raison de définir l'idiot comme la perfection de

« l'homme privé », alors l'idiotie se porte bien dans les sociétés modernes. Cette condition spirituelle (et je pèse mes mots) me paraît rendre compte du malaise qui règne aujourd'hui chez les intellectuels engagés, ainsi que de l'affolement politique qui s'empare de la société. Chez les dirigeants comme chez les dirigés, une structure de pouvoir peut se passer de « conviction » intellectuelle et de « croyance » morale pour durer, et même pour s'épanouir. Pour ce qui est du rôle des idéologies, l'absence de légitimations attachantes et l'apathie qui règne chez les masses me paraissent être deux traits saillants dans les sociétés occidentales aujourd'hui.

Au cours des recherches fondamentales, les sociologues qui entendent le pouvoir au sens que je viens d'évoquer se heurtent à bien des problèmes. Mais ce ne sont pas les affirmations contraires de Parsons qui nous aident, en posant l'existence universelle de sa « hiérarchie des valeurs ». En outre, il empêche systématiquement de formuler clairement les grands problèmes.

Pour accepter son exposé, il faut faire abstraction de toutes les données du pouvoir et même de toutes les structures d'institutions, en particulier l'économique, le politique, et le militaire. Dans cette étrange « théorie générale », ces structures de domination n'ont, paraît-il, rien à faire.

Avec ce que nous propose Parsons, il est impossible de nous demander empiriquement à quel point et comment les institutions sont légitimées dans telle ou telle société. L'idée d'ordre normatif, comme elle est avancée et utilisée par les suprêmes-théoriciens, laisse à penser que, virtuellement, tout pouvoir est légitimé ; dans le système social « la complémentarité des attentes de rôles, une fois installée, ne laisse aucun doute sur sa durabilité... On n'a besoin d'invoquer aucun mécanisme pour expliquer la durabilité de l'orientation d'interaction complémentaire »[14].

On ne peut pas non plus formuler convenablement l'idée de conflit. On ne saurait imaginer ni antagonismes de structures, ni révoltes graves, ni révolution. On pose que le système, une fois mis en place, est non seulement stable, mais

---

14. Parsons, *op. cit.*, p. 205.

intrinsèquement harmonieux ; selon les termes de Parsons, les troubles doivent « pénétrer dans le système de l'extérieur »[15]. L'idée d'ordre normatif laisse à penser que l'harmonie d'intérêts est le trait naturel de toute société ; dans son contexte, cette idée est un véritable postulat métaphysique, au même titre que l'idée très voisine d'ordre naturel, si chère aux philosophes du XVIIIe siècle[16].

L'élimination magique du conflit, et les merveilles de l'harmonie interdisent à cette théorie « systématique » et « générale » toute incursion dans le domaine des changements sociaux, c'est-à-dire de l'histoire. Ce n'est pas assez que le « comportement collectif » des masses terrorisées, et des foules en émoi, si fréquent à notre époque, ne puisse trouver place parmi les structures sociales d'origine normative qu'on trouve chez les suprêmes-théoriciens. Il y a plus : les idées générales sur la façon dont l'histoire se fait, sur sa mécanique et sur ses chemins, sont interdites aux suprêmes-théoriciens, et partant, selon Parsons, interdites à la sociologie : « lorsqu'une telle théorie sera possible, la sociologie aura célébré son premier millénaire. Elle n'est pas pour demain, si tant est qu'on puisse jamais y compter »[17]. Voilà qui est d'un vague...

Il est virtuellement impossible de formuler clairement aucun grand problème si on l'aborde selon la suprême-théorie. Pire : on l'écrasera d'évaluations et on l'obscurcira sous des mots-parasites. On aurait du mal à imaginer entreprise plus futile que cette analyse de la société américaine où Parsons applique les principes de « modèle de valeur » et d' « œuvre universaliste », sans dire un seul mot sur la signification et les formes en pleine transformation du succès qui font le capitalisme moderne, ou de la structure en transformation du capitalisme même ; n'analyse-t-il pas la stratification sociale des Etats-Unis à partir du système des « valeurs dominantes », sans faire appel aux statistiques bien connues qui

---

15. *Ibid*, p. 262.
16. Cf. Carl Becker, *The Heavenly City*, et Lewis A. Coser, *Conflict*, Glencoe, Illinois, The Free Press, 1956.
17. Parsons, dans Alvin W. Gouldner, « Some observations on Systematic theory 1945-55 », *Sociology in the U.S.A.*, Paris. Unesco, 1956, p. 40.

exprimant l'espérance de vie en fonction des revenus et de la propriété ?[18]

J'irais jusqu'à dire que, dans la mesure où les suprêmes-théoriciens traitent concrètement les problèmes, ils les traitent pour ainsi dire en dehors de la théorie, et d'une manière qui souvent la contredit. « Il est proprement inimaginable de songer, fait remarquer Gouldner, au nombre de concepts et d'affirmations marxistes que Parsons, en se livrant à l'analyse empirique et théorique de la transformation, est tout d'un coup amené à aligner. On dirait presque qu'il tient deux registres différents, un pour l'analyse de l'équilibre, et l'autre pour les recherches sur la transformation »[19]. Et Gouldner de citer pour exemple l'analyse de la défaite allemande ; Parsons recommande de mettre radicalement en question les Junkers, exemple d'un « privilège de classe exclusif », et voit dans le fonctionnariat « un mode de recrutement de classe ». Bref, nous voyons apparaître toutes les structures économiques et occupationnelles pensées selon Marx et non pas en fonction de la structure normative projetée par la Théorie. Ce qui laisse espérer que les suprêmes-théoriciens n'ont pas complètement perdu contact avec la réalité historique.

5

Je reviens au problème de l'ordre, qui, dans sa version hobbesienne, paraît être le grand problème du livre de Parsons. On peut être bref ici, parce que la sociologie l'a redéfini depuis et on peut l'appeler le problème de l'intégration sociale ; il réclame évidemment une conception valable de la structure sociale et de la transformation historique. Contrairement aux suprêmes-théoriciens, la plupart des sociologues répondraient à peu près ceci :

Tout d'abord, la question « quel est le principe de cohésion de la structure sociale ? » appelle plus d'une réponse, pour la bonne raison que les structures sociales n'ont pas toutes le même degré ni la même sorte de cohésion. C'est en fonction des différents modes d'intégration qu'on envisage conve-

---

18. Cf. Lockwood, *op. cit.*, p. 138.
19. Alvin Gouldner, *op. cit.*, p. 41.

nablement les types de structure sociale. Quand on plonge dans le concret historique, on voit tout de suite que les Concepts monolithiques ou des suprêmes-théoriciens sont inutilisables. Ils ne permettent pas de penser l'humaine diversité, l'Allemagne nazie de 1936, la Sparte du VIIᵉ siècle, les Etats-Unis de 1836, le Japon de 1866, la Grande-Bretagne de 1950, la Rome de Dioclétien. Cette énumération suffit à montrer que seul l'examen empirique peut mettre au jour les traits communs de ces civilisations. Avancer quoi que ce soit sur le registre historique des structures sociales en s'aventurant au-delà des formalités les plus creuses, c'est prendre les belles paroles pour le vrai travail de l'enquête sociologique.

On peut très bien concevoir les types de structure sociale en fonction d'ordres institutionnels comme le politique et le familial, le militaire et l'économique, le religieux. On les définit de manière à les faire apparaître dans une société donnée, puis on cherche à savoir quels rapports ils entretiennent les uns avec les autres, en somme, comment ils donnent à eux tous une structure sociale. On organise les réponses de manière à faire surgir des « modèles de travail », à qui l'on demande, au cours d'une analyse concrète, de nous livrer le secret des liens qui les unissent.

On peut imaginer que le « modèle » est un champ d'institutions animées par le même principe structurel. Prenons l'Amérique que décrit Tocqueville. Dans cette société libérale classique, chaque ordre d'institutions est autonome, et les autres ordres entendent que sa liberté soit garantie par telle ou telle forme de coordination. En économie, c'est le *laissez-faire* ; dans le domaine religieux, une multitude de sectes et de chapelles se livrent ouvertement concurrence sur le marché du salut éternel ; les institutions de parenté sont fondées sur l'offre et la demande de mariage, véritable marché matrimonial où les gens se choisissent mutuellement pour époux. Dans le domaine de la promotion sociale, ce n'est pas le fils de famille qui réussit mais « l'homme qui ne doit sa réussite qu'à soi-même ». Dans l'ordre politique, les partis s'arrachent les suffrages des individus. Même dans l'ordre militaire, grande est la liberté de recrutement de la milice de l'Etat, et en un sens, en un sens d'ailleurs fort important, on peut risquer la formule : un homme pour un fusil. Le principe d'intégration de cette société (qui est également sa principale légitimation), c'est le primat que chaque ordre d'institution accorde à la libre initiative d'hommes indépendants qui vivent sur le mode de la concurrence. La société libérale classique trouve à s'unifier dans le principe de cette correspondance même.

Mais cette « correspondance » ne constitue qu'un aspect du problème de l'ordre ; elle ne lui fournit qu'une réponse parmi d'autres. Il existe d'autres types de cohésion. Le mode d'intégration de l'Allemagne nazie fut la « coordination ». Le modèle général en est le suivant : dans l'ordre économique, les institutions sont extrêmement centralisées ; quelques grosses entreprises sont maîtresses du marché. L'ordre politique est au contraire fragmenté : de multiples partis s'arrachent la domination de l'Etat, mais aucun n'est assez puissant pour maîtriser les conséquences de la concentration économique, dont l'une se trouve être la crise. Le mouvement nazi met à profit le désespoir populaire qu'elle provoque, surtout celui de la petite bourgeoisie, et fait coïncider l'ordre politique, l'ordre économique et l'ordre militaire ; l'un des partis accapare et reconstruit l'ordre politique, en faisant disparaître ou en absorbant ses rivaux. Pour ce faire, le parti nazi doit trouver des coïncidences d'intérêt avec les monopoles de l'ordre économique et certaines élites militaires. Dans chacun de ces ordres, il y a d'abord une concentration de pouvoir homologue ; puis les ordres coïncident et coopèrent à la prise du pouvoir. L'armée du président Hindenburg ne tient ni à défendre la République de Weimar, ni à écraser les régiments du parti belliciste populaire. Les grands milieux d'affaires sont prêts à financer le parti nazi, qui leur promet d'écraser le mouvement ouvrier. Et les trois élites entrent dans une coalition souvent difficile, pour conserver le pouvoir dans leur ordre respectif, et pour coordonner le reste de la société. Les partis rivaux sont dissous ou interdits quand ils ne se sabordent pas de leur propre chef. Les institutions de parenté, les institutions religieuses, et toutes celles qui gravitent à l'intérieur et autour des différents ordres, sont noyautées ou neutralisées.

L'Etat-parti totalitaire est l'arme grâce à laquelle les meneurs de chacun des trois ordres régnants coordonnent les ordres d'institution — le leur comme les autres. Il devient « l'armature » (« *frame organization* ») qui coiffe tout, et dicte des objectifs à tous les autres ordres d'institution au lieu de garantir la « légalité constitutionnelle ». Le parti pro-

lifère ; il rôde derrière les « auxiliaires » et les « affilia-
tions ». Qu'il démembre ou qu'il s'infiltre, il s'arrange pour
attirer dans sa sphère d'influence tous les types d'organisation, y compris la famille.

Son emprise s'étend aux orbes de symboles de toutes les
institutions. A l'exception de l'ordre religieux, nul rival n'a
le droit de prétendre à une légitime autonomie. Le parti a le
monopole des communications formelles, y compris celui des
institutions pédagogiques. Il remanie les symboles de manière
à légitimer la société coordonnée. Il répand partout le principe, d'un empire absolu et magique (domination charismati-
que) sévèrement hiérarchisé, dans une structure sociale unie
essentiellement par un réseau de combines[20].

Voilà qui suffit à mettre en évidence un point important :
il n'est pas de « grande théorie », de passe-partout, qui nous
permette de comprendre ce qui fait l'unité de la structure
sociale ; il n'est pas de réponse *ne varietur* au problème éculé
de l'ordre social, pris *überhaupt*. Pour faire œuvre utile dans
ce domaine, il faut utiliser une quantité de modèles de travail
comme ceux que j'ai suggérés ici, sans jamais s'écarter des
structures sociales concrètes du passé et du présent.

Il faut comprendre que ces « modes d'intégration » peuvent aussi se penser comme modèles de transformation historique. A comparer l'Amérique de Tocqueville et celle d'aujourd'hui, on voit bien que les modes d'intégration ont changé. Demandons-nous : en quoi chaque mode d'institution a-t-il
changé ; en quoi les rapports de chacun avec les autres ont-
ils changé ? Quels ont été les rythmes et les amplitudes de
ces changements de structures ? Enfin, quelles en ont été les
causes nécessaires et suffisantes ? D'ordinaire, la recherche
de la cause demande un minimum d'enquête comparative et
historique. On peut récapituler, résumer l'analyse de la transformation sociale, et formuler plus économiquement de plus
amples problèmes, en indiquant que les transformations se
sont manifestées par la substitution d'un « mode d'intégra-

20. Franz Neumann ; *Behemoth*, New York, Oxford, 1942, admirable
exemple d'analyse structurelle d'une société historique. Pour ce qui précède, voir Gerth et Mills, *op. cit.*, pp. 363 et suivantes.

tion » à un autre. Au siècle dernier, la structure sociale des Etats-Unis est passée d'un mode d'intégration à dominante de *correspondance*, à un mode d'intégration à dominante de *coordination*.

Le problème général d'une théorie de l'histoire et celui d'une théorie de la structure sociale sont inséparables. Je pense qu'en fait les sociologues n'ont pas grand mal à les intégrer. C'est pourquoi, peut-être, la sociologie donnerait vingt *Système social* pour un seul *Behemoth*.

Je ne cherche toujours pas à donner une réponse aux problèmes de l'ordre et de la transformation, c'est-à-dire au problème de la structure sociale et à celui de l'histoire. Je ne fais que soulever les problèmes, et évoquer ce qui a été fait. Ces remarques préciseront peut-être aussi ce qu'est en partie l'espoir sociologique. J'ai voulu montrer que les suprêmes-théoriciens ont bien mal abordé un des grands problèmes de la sociologie. Dans le *Système social*, Parsons s'est montré incapable de descendre dans l'arène sociologique, parce qu'il s'entête à croire que le modèle d'ordre social par lui construit est en quelque sorte un modèle universel, parce qu'il a tout simplement fétichisé ses concepts. La suprême-théorie de Parsons est « systématique » dans la mesure où elle dépasse tous les problèmes précis et empiriques. Elle n'énonce aucun nouveau grand problème avec précision et pertinence. Elle n'est pas née du besoin de survoler de très haut le social pour y voir plus clair, pour résoudre un problème dont les termes plongent dans la réalité historique concrète des hommes et des institutions. Son problème, sa démarche, et ses solutions sont par excellence suprêmement théoriques.

Se retrancher dans la systématisation des conceptions, ce n'est là qu'un moment formel du travail sociologique. Rappelons-nous qu'en Allemagne on a tôt fait d'utiliser les résultats de ce travail formel à des fins encyclopédiques et historiques. C'est ainsi que naquit, sous les auspices de l'ethos webérien, l'âge d'or du classicisme allemand en sociologie. Grâces doivent en être rendues surtout à un riche travail sociologique qui sut exploiter ensemble les conceptions générales de la société et le commentaire historique. Le Marxisme classique a été le ferment de la sociologie moderne : Max Weber, comme tant d'autres sociologues, conçut presque toute son œuvre sous forme d'un dialogue avec Marx. Mais on ne se fera jamais à l'amnésie du chercheur américain. Les suprêmes-théoriciens ont succombé à une rechute de formalisme, et une fois encore, ce qui doit n'être qu'un moment paraît avoir pris racine. Comme disent les Espagnols, « il y a plus de bons brouilleurs de cartes que de bons joueurs »[21].

---

21. Il est clair que la vision sociale qu'on peut extraire des textes de Parsons est d'un emploi idéologique immédiat : depuis toujours une telle pensée trahit le conservateur. Les suprêmes-théoriciens ont rarement choisi l'engagement politique ; ils n'ont sûrement pas souvent situé leurs problèmes dans le contexte politique de la société moderne. Mais cela n'empêche pas que leurs ouvrages aient une signification idéologique. Je n'analyserai pas Parsons sous cet angle ; après traduction, le sens politique du *Système social* est trop clair pour que j'insiste davantage. La Suprême-Théorie ne joue actuellement aucun rôle bureaucratique, et de plus, je l'ai déjà dit, son inintelligibilité ne fait rien pour lui attirer la faveur du public. Mais la médaille a son revers : l'obscurité l'enrichit de puissantes virtualités idéologiques.

L'idéologie de la Suprême-théorie tend nettement à légitimer les formes stables de domination. Néanmoins, il faudrait que les groupes conservateurs aient grand besoin des nouvelles légitimations pour qu'elle soit amenée à jouer un rôle politique. Je veux répondre à la question que j'ai posée au début du chapitre : le *Système social* n'est-il que verbiage, ou manifeste-t-il quelque profondeur ? Je pense que pour 50 %, c'est du verbiage, et que 40 % traînent dans les manuels de sociologie ; quant aux 10 % qui restent, je les livre, comme dirait Parsons, à vos propres investigations empiriques. Les miennes me permettent d'avancer qu'on peut extraire de ces 10 % une idéologie, mais une idéologie somme toute assez vague.

3

L'empirisme abstrait

Comme la Suprême-Théorie, l'empirisme abstrait s'attache
à un moment du travail et le laisse accaparer l'esprit. Tous
deux trahissent les tâches de la sociologie. Celles-ci ne sauraient se passer des soucis de méthode et de théorie, mais ici
ils deviennent par trop encombrants : l'inhibition méthodologique n'a d'égale que le fétichisme conceptuel.

1

Je ne vais pas passer en revue tous les travaux de ces
empiristes ; je me bornerai à caractériser leur méthode et signaler quelques-unes de leurs hypothèses. Tous procèdent à
peu près de la même manière. On puise ses « éléments d'information » dans un entretien plus ou moins stéréotypé avec une
série d'individus choisis par échantillonnage. On classe les
réponses, et pour plus de commodité, on les fiche sur cartes
perforées, après quoi un traitement statistique permet de
chercher les relations. La facilité de cette méthode, qu'une
intelligence moyenne assimile sans effort, explique son succès.
Les résultats sont traduits en langage statistique ; au niveau
le plus simple, ce sont des énoncés de proportions. Aux niveaux plus complexes, on combine les réponses pour aboutir

à des recoupements qui peuvent être multiples, et qu'on réduit alors à des échelles selon diverses méthodes. L'utilisation des données n'est pas toujours simple, mais nous laisserons cela de côté, car si le degré de complication varie, on manipule toujours la même espèce de données.

Outre la publicité et les communications de masse, c'est l' « opinion publique » qui constitue le plus clair de ces recherches ; toutefois, elles n'ont jamais reformulé intelligemment les problèmes d'opinion publique et de communications. Elles se contentent de classer des questions : qui dit quoi à qui, par le canal de quels moyens de communications, et avec quels résultats ? Les définitions de base sont les suivantes :

> « Par « publique », j'entends le nombre, c'est-à-dire les réactions et les sentiments non particuliers et non individualisés d'un grand nombre de personnes. Cela nécessite un relevé d'échantillons. Par « opinion », j'entends non seulement l'opinion du public sur des questions d'actualité, et de politique — questions à l'ordre du jour, mais également les attitudes, les sentiments, les valeurs, l'information, et les actions qui leur sont associées. Pour s'en faire une idée, il faut recourir non seulement aux questionnaires et aux entretiens, mais également à des procédés projectifs, à des échelles[1]. »

Il y a là-dedans une confusion très nette entre l'objet et la méthode. L'auteur veut sans doute dire à peu près ceci : le mot « publique » va désigner tout agrégat pondérable susceptible d'échantillonnage statistique. Etant donné que les opinions sont celles des gens, il convient, pour les découvrir, de parler avec eux. Mais il arrive qu'ils refusent, ou qu'ils soient incapables de les donner ; nous pouvons alors tenter d'employer « les procédés projectifs ou les échelles ».

Ces recherches se limitent aux structures américaines, et elles ne remontent pas à plus de quinze ans. C'est pourquoi elles ne redéfinissent pas le concept d' « opinion publique », et ne reformulent pas les grands problèmes qui s'y rattachent. Elles ne le peuvent pas, même à titre préliminaire, dans les limites historiques et structurelles où on les enferme.

---

1. Bernard Berelson « The Study of Public Opinion », *The State of the Social Sciences* publié par Léonard D. White, Chicago, Illinois, University of Chicago Press, 1956, p. 299.

Le problème de la « collectivité », ou du « public », dans les sociétés occidentales, a surgi à la suite des transformations qu'a subies le consensus traditionnel et classique de la société médiévale ; il atteint aujourd'hui sa phase aiguë : ce qu'on appelait « collectivités » au XVIIIᵉ et au XIXᵉ siècle est en train de se transformer en une société de « masses ». En outre, les collectivités sont en train de perdre toute pertinence structurelle, les hommes libres devenant peu à peu des « hommes de masse », enfermés chacun dans des milieux sans pouvoir. Voilà, par exemple, qui devrait inspirer le choix et le propos des recherches sur les collectivités, l'opinion publique, et les communications de masse. Il faudrait également un historique complet des sociétés démocratiques, faisant place notamment à ce qu'on a appelé la phase du « totalitarisme démocratique » ou celle de « la démocratie totalitaire ». Bref, dans ce domaine, l'empirisme abstrait tel qu'il est pratiqué n'est pas à même de poser les problèmes de sociologie.

Un certain nombre des problèmes que ces empiristes prétendent aborder (les effets provoqués par les moyens de communication de masse, par exemple), ne peuvent se formuler en dehors d'un cadre structurel. Comment espérer comprendre ces effets (et ne parlons pas du sens qu'ils prennent les uns au contact des autres pour le développement d'une société de masse) en étudiant seulement, même avec une très grande précision, une population qui, depuis une génération, est « saturée » de ces *media* ? La publicité a peut-être tout intérêt à classer les individus selon leur degré de « contamination massmédiatique », mais on n'en sortira pas une sociologie des moyens de communication de masse.

Dans les études sur la vie politique, c'est le « comportement électoral » qui constitue le sujet favori, sans doute à cause de la facilité des recherches statistiques. La pauvreté des résultats n'a d'égale que la complication des méthodes, et le soin qu'on y apporte. Les sciences politiques doivent faire grand cas d'une étude exhaustive où l'on ne souffle mot de la cuisine électorale des grands partis, non plus que de la moindre institution politique... Et pourtant c'est bien le cas du « *People's choice* » (Le choix électoral), étude de grand renom sur l'élection de 1940 dans le comté d'Erié (Ohio). Cet ouvrage nous apprend que les riches, les ruraux et les protestants votent républicain ; que les électeurs aux coordonnées inverses votent démocrate, et ainsi de suite. Mais on ne dit mot de la dynamique politique aux Etats-Unis.

L'idée de légitimation est l'une des conceptions centrales des sciences politiques, d'autant que les problèmes de cette discipline portent sur des questions d'opinion et d'idéologie. Les recherches sur l' « opinion publique » surprennent d'autant plus qu'on soupçonne fort la politique électorale américaine d'être une politique sans opinion — à prêter au mot « opinion » un minimum de sérieux, et d'être électorale sans revêtir aucune signification politique profonde — à prendre l'expression « signification politique » au sérieux. Mais les « recherches politiques » ne sont pas à même de poser ces questions (car ces remarques, dans mon esprit, sont de simples questions). Et comment en serait-il autrement ? Il leur faudrait une érudition historique et un style de réflexion psychologique qui ne sont pas *personae gratae* auprès des empiristes abstraits et qui à vrai dire, ne sont pas non plus à leur portée.

L'événement par excellence des deux dernières décennies n'est-il pas la seconde Guerre Mondiale ? L'objet de nos études pendant les dix dernières années est encore profondément marqué par ses conséquences historiques et psychologiques. Je trouve curieux que nous n'ayons pas encore d'ouvrage définitif sur les causes de cette guerre, alors même que nous essayons toujours, et parfois avec succès, de cerner sa spécificité historique, et d'en faire le pivot de l'époque où nous vivons. Outre les histoires officielles, les recherches les plus approfondies qu'on ait menées sur ce conflit sont celles qu'a dirigées pendant plusieurs années Samuel Stouffer pour le compte de l'armée américaine. Elles prouvent abondamment que la recherche sociologique peut avoir une valeur administrative sans pour autant aborder les problèmes des sciences sociales. Qu'on ne demande pas à cette étude de faire comprendre la psychologie du comportement américain ; qu'on ne lui demande pas, entre autres, d'expliquer comment des hommes au « moral si bas » ont pu gagner tant de batailles. Pour répondre à ces questions, il faut trahir l'orthodoxie, et se laisser emporter dans le royaume inconsistant de la « spéculation ».

L'unique volume d'Alfred Vagts intitulé *History of Militarism* (Histoire du militarisme) et l'admirable technique journalistique utilisée par S. L. A. Marshall pour s'approcher au contact des combattants, dans *Men under Fire* (Sous le Feu des Canons), me paraissent infiniment plus solides et plus riches que les quatre volumes de Stouffer.

Aucune conception nouvelle non plus dans les quelques recherches de stratification que la nouvelle école a entreprises. On a pris textuellement les grandes conceptions des autres ; on a généralement subtilisé, sans les « traduire », des « indices » de « statut socio-économique ». Certains problèmes épineux (la « conscience de classe », la « fausse conscience », les rapports entre les conceptions du statut et celles de la classe, le difficile concept weberien de « classe sociale ») en sont toujours au même point. Enfin, et en un sens, surtout, on persiste à choisir les petites villes pour échantillons, en sachant bien que jamais ces études, mises bout à bout, n'exprimeront les structures de classes, de statuts et de pouvoir, à l'échelle nationale.

A propos des transformations qui modifient les recherches sur l'opinion publique, Bernard Berelson a écrit une chose qui me paraît s'appliquer tout particulièrement à la manière de l'empirisme abstrait :

> Mises côte à côte, les différences entre les recherches d'aujourd'hui [et celles qu'on pratiquait il y a 25 ans] annoncent une révolution dans les études sur l'opinion publique ; ce domaine est devenu technique, quantitatif, et a-théorique ; il s'est segmenté, particularisé, modernisé et « grouppisé » — en somme c'est une véritable science du comportement, foncièrement américaine. Il y a 25 ans et plus, d'éminents auteurs étudiaient avec force érudition l'opinion publique dans le cadre de leurs recherches sur la nature et sur le fonctionnement de la société, non pas *in se* mais à l'intérieur de l'histoire, de la théorie et de la philosophie ; puis ils écrivaient des traités. Aujourd'hui, des équipes de techniciens font des projets de recherches sur des sujets précis et rendent compte des découvertes. Il y a vingt ans, les études

d'opinion publique ressortissaient à l'érudition. Aujourd'hui elles ressortissent à la science[2].

Jusqu'ici, je me défends d'avoir voulu dire : « Ces gens-là n'ont pas étudié les problèmes de fond qui m'intéressent », ou encore « Ils ont laissé de côté les problèmes que la majorité des sociologues considèrent comme importants ». J'ai voulu dire ceci : ils ont abordé les problèmes de l'empirisme. Mais ils n'ont formulé leurs questions et leurs réponses que dans les limites qu'ils ont curieusement imposées à leur épistémologie arbitraire. Et j'ai pesé mes mots : ils sont victimes de l'Inhibition Méthodologique. Le résultat, c'est que leurs études accumulent les détails au mépris de toute espèce de forme ; bien souvent, la seule forme qu'on puisse trouver y est mise par les typographes et les relieurs. L'abondance des détails ne nous convainc de rien qui mérite conviction.

2

Style sociologique, l'empirisme abstrait ne peut rien offrir de solide en matière de théorèmes ou de théorie. Il ne peut se targuer d'aucune conception nouvelle, d'aucune donnée concrète sur la nature de la société ou sur la nature de l'homme. Il est vrai qu'on le reconnaît aux problèmes particuliers que choisissent d'étudier ses adeptes, et à leur façon bien à eux de les traiter. Mais ces études ne méritent certes pas la réputation qu'on leur fait.

Cependant ce n'est pas à ses résultats tangibles qu'il faut juger cette école. En tant qu'école, elle est toute nouvelle ; en tant que méthode, elle prend tout son temps ; en tant que style de travail, elle élargit seulement maintenant le champ de sa problématique.

Ce qui frappe avant tout en elle — et ce n'est sans doute pas l'essentiel — c'est la machine administrative qu'elle a mise en place et la catégorie de travailleurs intellectuels qu'elle a recrutés et formés. La machine est devenue gigantesque, et on s'aperçoit à maints égards qu'elle ne cesse de s'étendre et de s'implanter. L'intellectuel administrateur et le conseiller tech-

2. *Ibid*, pp. 304-305.

nique (deux catégories professionnelles d'un nouveau genre) entrent maintenant en lice avec les professeurs et les savants de la vieille école.

Il reste que cette croissance, si elle promet de modifier l'aspect de l'université future, la tradition des humanités et les qualités d'esprit qui régneront demain sur la vie universitaire, ne suffit pas non plus à juger ce style de recherche. La croissance dépasse largement ce que seraient prêts à admettre les tenants de cette école, pour justifier le succès et l'importance de leur style. N'y eût-il que cela, elle fournit du travail à des techniciens semi-spécialisés, elle offre des carrières dont la sécurité est analogue à celle qu'ils trouveraient dans l'université, mais qui réclament moins de qualifications. En somme, ce style de recherche implique un démiurge administratif qui pèse sur l'avenir de la sociologie et sur sa bureaucratisation possible.

Mais ce qu'il faut bien comprendre chez les empiristes abstraits, c'est leur philosophie des sciences, l'attachement qu'ils lui prouvent, et l'usage qu'ils en font. C'est cette philosophie qui se cache derrière leurs recherches, comme elle existe derrière la machine personnelle et administrative. Elle justifie à la fois la pauvreté des résultats et l'exigence de la machine.

Ceci est important, parce qu'on imagine que les professions de foi philosophiques n'ont rien de commun avec une entreprise si résolument scientifique. C'est important aussi, parce que les empiristes eux-mêmes semblent ignorer l'existence de ce fondement philosophique. Quand on les fréquente, force est de reconnaître qu'ils insistent presque tous sur leur statut d'hommes de science ; ils aiment par-dessus tout proclamer leur allégeance aux *sciences de la nature*. Lorsqu'ils discutent des problèmes philosophiques que pose la sociologie, ils en reviennent toujours là ; ils sont « les hommes des sciences de la nature », ou du moins leurs « porte-parole ». Lorsqu'ils s'expriment avec plus de nuances, ou bien lorsqu'ils entrevoient le sourire et le prestige d'un grand physicien, ils ne sont plus que des « hommes de science » tout court[3].

_____

3. Un exemple me tombe sous la main. A propos de divers problèmes philosophiques, dont celui de la nature des phénomènes « mentaux », et des incidences épistémologiques de son propre point de vue sur cette question, George A. Lundberg écrit : « Etant donné l'impré-

Pratiquement, les empiristes paraissent s'intéresser davantage à la philosophie de la science qu'à l'étude sociologique. En somme, ils ont embrassé une philosophie de la science parmi d'autres, et ils l'érigent à présent en méthode scientifique absolue. Ce modèle de recherche est en grande partie une construction épistémologique ; dans le cas de la sociologie, il en résulte un genre particulier d'Inhibition Méthodologique. J'entends par là que le choix de tous les problèmes ainsi que leur formulation sont sévèrement contrôlés par la Méthode Scientifique. En un mot, c'est la méthodologie qui détermine les problèmes. Et il fallait s'y attendre, après tout. La Méthode Scientifique projetée ici n'est pas issue d'une conception classique du travail sociologique ; elle n'en est pas une généralisation. On l'a extraite, avec les modifications qui s'imposaient, d'une philosophie des sciences de la nature.

Les philosophies des sciences sociales sont le fruit d'une double tentative : 1) Les philosophes tentent d'analyser le processus de l'étude sociologique, puis, grâce à une généralisation, rationalisent les méthodes d'enquête qui leur semblent les plus riches de promesses. Travail difficile, qui mène volontiers à des absurdités, mais qui devient beaucoup plus facile si tous les sociologues y mettent du leur, et en un sens ils doivent tous le faire. On n'est pas allé bien loin dans ce domaine, et seulement dans certaines catégories de méthodes ; 2) La sociologie que j'appelle l'empirisme abstrait consiste souvent à reformuler et à adopter des *philosophies* des sciences de la *nature*, de manière à pourvoir la sociologie d'un programme et d'un code de travail.

_____

cision de cette définition de notre « école », et vu que le terme de « positivisme » ne va pas sans évoquer de curieux rapprochements dans l'esprit des gens, j'ai toujours préféré définir mon point de vue comme celui des *sciences de la nature*, au lieu de le rattacher à une école philosophique traditionnelle, comme le positivisme, qui en est bien une, du moins depuis Auguste Comte ». Il écrit encore : « Dodd et moi, comme tous les autres chercheurs des sciences de la nature, nous adoptons comme postulat que toutes les données de la science empirique sont des réactions symbolisées transmises par les sens (c'est-à-dire toutes nos réponses, y compris celles des « organes des sens »). Enfin, comme tous les spécialistes des sciences de la nature, nous refusons l'idée selon laquelle... »

« The Natural Science Trend in Sociology », *The American Journal of Sociology*, Vol. LXI, N° 3, novembre 1955, pp. 191 et 192.

Les méthodes sont les voies qu'empruntent les hommes lorsqu'ils tentent d'expliquer quelque chose. La méthodologie est l'étude des méthodes ; elle élabore des théories sur la façon dont travaillent les chercheurs penchés sur leurs spécialités. Les méthodes sont multiples ; la méthodologie se présente donc comme une science générale et n'indique pas habituellement aux chercheurs la façon de s'y prendre dans tel ou tel cas. L'épistémologie est encore plus générale que la méthodologie, car elle cherche ce qui fonde, ce qui limite, et en un mot, ce qui *fait* le « savoir ». Les épistémologues d'aujourd'hui s'inspirent de ce qu'ils croient être les méthodes de la physique moderne. A force de poser et de résoudre les problèmes du savoir à travers la connaissance qu'ils ont de cette science, ils sont devenus de véritables philosophes de la physique. Certains spécialistes des sciences de la nature paraissent prendre de l'intérêt à ce travail de philosophes, d'autres s'en amusent ; certains acceptent le modèle dont la plupart des philosophes se contentent, d'autres pas — et gageons que plus d'un homme de science l'ignore totalement.

On nous annonce que la physique en est arrivée au point où les problèmes posés en termes d'expérimentation exacte et rigoureuse peuvent provenir d'une théorie mathématique non moins rigoureuse. Ce n'est pas parce que les épistémologues ont avancé cette interaction dans un modèle de recherche de leur invention que la physique en est arrivée là. Ce serait plutôt l'inverse ; l'épistémologie des sciences vit en parasite sur les méthodes que découvrent les physiciens, en physique théorique aussi bien qu'en physique expérimentale.

Le Prix Nobel de physique Polykarp Kusch a dit qu'il n'existe pas de « méthode scientifique » ; ce qu'on appelle ainsi ne vaut pas pour les problèmes simples. Percy Bridgman, qui est également Prix Nobel, va plus loin : « Il n'existe pas de méthode scientifique en tant que telle ; le savant n'obéit qu'à un seul principe de méthode : utiliser au mieux les ressources de son cerveau, sans aucune réserve ». « La mécanique de la découverte, écrit William S. Beck, reste une inconnue... Selon moi, le processus de la création est si intimement lié à l'affectivité de l'individu... qu'il ne se prête à aucune espèce de généralisation[4]. »

---

4. William S. Beck, *Modern Science and the Nature of Life*, New York, Harcourt Brace, 1957.

Les spécialistes des méthodes sont en même temps les spécialistes d'une branche de philosophie sociale. Ce qui compte, en sociologie, ce n'est pas qu'ils soient spécialisés, mais que leur spécialité les conduise irrémédiablement à étendre à l'ensemble des sciences sociales le processus de la spécialisation. En outre, ils l'étendent conformément à l'Inhibition Méthodologique, et au nom de l'institut de recherches qui l'incarne. Ils n'iront pas offrir une spécialisation en harmonie avec l'actualité, et inscrite dans des « champs d'étude intelligibles », non plus qu'une façon de se prendre aux problèmes de structure sociale. Ils proposent une spécialisation fondée en tout et pour tout sur la mise en œuvre de La Méthode, au mépris du fond, des problèmes ou des aires de recherches. Je ne livre pas ici des impressions cueillies au hasard ; les documents sont là pour les étayer.

L'exposé le plus explicite et le plus direct qu'on puisse trouver sur le style de l'empirisme abstrait, et sur le rôle qu'est appelé à jouer l'empiriste abstrait en sociologie, est celui d'un des plus raffinés sociologues de cette école, Paul F. Lazarsfeld[5].

Pour Lazarsfeld, la « sociologie » ne se définit pas par des méthodes qui lui seraient propres, mais bel et bien comme *la* spécialité méthodologique. Le sociologue apparaît comme le méthodologiste de toutes les sciences sociales.

> Voici donc comment nous pourrions définir la fonction essentielle du sociologue. Il est *l'éclaireur* des légions en marche des sciences sociales, dépêché toutes les fois que se dessine à l'horizon un nouveau secteur de recherche scientifique empirique sur le phénomène humain. Il constitue le maillon qui unit le philosophe de la société, l'observateur

---

5. *What is Sociology ?*, Universitets Studentkontor Skrivemaskinstua, Oslo, septembre 1948 (polycopié). Cette étude a été écrite et prononcée à l'intention d'un groupe de personnes qui voulaient monter un institut de recherches et demandaient des conseils. Elle convient parfaitement à ce que je me propose, étant brève, claire et autorisée. On peut évidemment consulter des ouvrages plus travaillés, comme *The Language of Social Research*, par Lazarsfeld et Rosenberg, Glencoe, Illinois, The Free Press, 1955.

isolé et le commentateur d'une part, aux équipes de chercheurs et d'analystes empiriques... Historiquement, il y a donc trois façons de se prendre à l'objet sociologique : l'analyse de la société que peut pratiquer l'observateur isolé ; les sciences empiriques à part entière, organisées et dûment accréditées ; et une intermédiaire, qu'on appelle sociologie de ceci ou de cela... Il ne serait pas mauvais d'ajouter quelques précisions sur les phénomènes qui accompagnent le passage de la philosophie de la société à cette sociologie empirique[6]. »

Remarquez que « l'observateur isolé » est curieusement assimilé au « philosophe de la société ». Remarquez en outre que ce n'est pas seulement un programme intellectuel, mais un projet administratif : « Certaines conduites sociales ont leurs sciences sociales attitrées, avec de grands noms, des instituts, des budgets, des sources d'information, du personnel, etc. D'autres sont de véritables terres en friche ». On peut mettre en valeur ou « sociologiser » n'importe quel secteur. Par exemple : « On n'a même pas de nom à donner à ce que serait une sociologie du bonheur. Et pourtant c'est une sociologie possible. Il serait aussi facile de calculer des « taux de bonheur » que de rassembler des éléments d'information sur le revenu, l'épargne et les prix, et ça ne coûterait pas plus cher ».

Cette sociologie promotrice d'une volée de « sciences sociales » spécialisées se situe à mi-chemin entre les terres en friches épargnées par La Méthode, et les « sciences sociales à part entière ». On ne nous dit pas expressément ce qu'on désigne par cette expression, mais on laisse entendre que seules l'économie et la démographie répondent à de tels canons : « Nul doute qu'on puisse mener scientifiquement l'étude du phénomène humain. Depuis plus d'un siècle, nous disposons de sciences confirmées, comme l'économie et la démographie, qui étudient divers secteurs de conduite humaine ». Je n'ai trouvé aucun autre exemple de « science confirmée » dans les vingt pages de l'essai.

Quand on demande à la sociologie de métamorphoser la philosophie en science, on affirme ou on sous-entend qu'il

_____

6. *Ibid.*, pp. 4-5.

serait contraire au génie de La Méthode de s'embarrasser d'un savoir traditionnel et scolaire sur le secteur à convertir. Ne doutons point qu'à acquérir ce savoir on passerait plus de temps qu'on n'en a accordé à ce jugement. Peut-être entrevoit-on de quoi il s'agit au détour d'une remarque sur les sciences politiques : « Les Grecs avaient la Politique ; les Allemands parlent de *Staatslehr* et les Anglo-Saxons de *Political Science*. Personne n'a encore analysé convenablement la teneur des ouvrages de cette science, et on ne sait pas très bien de quoi ils traitent... »[7]

Telles sont donc les équipes structurées des sciences sociales empiriques confirmées ; il y a aussi les inorganisés, les isolés que sont les philosophes de la société. Au nom de la méthodologie, le sociologue convertit les philosophes en empiristes. En somme, c'est une sorte de machine à science qui tient de l'intellectuel (ou plutôt du scientifique) et de l'administrateur.

« *La transition* (entre les « philosophies de la société » et « l'observation isolée » d'une part, et la « science empirique organisée à part entière ») *se traduit par quatre reconversions dans le travail des chercheurs.* »

1) « *Tout d'abord un changement d'orientation. On n'étudie plus l'histoire des institutions et des idées, mais les conduites concrètes* ». Ce n'est pas si simple ; l'empirisme abstrait n'est pas l'empirisme du quotidien. Les « conduites concrètes » ne constituent pas sa cellule de recherche. Je montrerai sous peu que, dans la pratique, son choix trahit une nette tendance envers ce qu'on appelle le « psychologisme », et qu'il délaisse les problèmes de structures au profit des problèmes de milieu.

2) « *On évite également*, poursuit Lazarsfeld, *d'étudier un secteur humain isolément, et on essaye toujours de le rapporter à d'autres secteurs* ». C'est une contre-vérité ; comparez les écrits de Marx, de Spencer ou de Weber avec ceux des

---

7. *Ibid.*, p. 5 : « L'analyse qualitative d'une documentation donnée consiste à classer les micro-unités (mots, phrases, thèmes) selon un jeu de catégories *a priori* », Peter H. Rossi, « Methods of Social Research », 1945-55, *Sociology in the United States of America*, par Hans L. Zettersberg, Paris, France, Unesco, 1956, p. 33.

empiristes abstraits. Il faut entendre la proposition en donnant à « rapporter » un sens exclusivement statistique.

3) « *On étudie les situations et les problèmes de la société qui se répètent de préférence à ceux qui ne se produisent ou ne se posent qu'une fois* ». On pourrait voir là un souci de nature structurelle, car les « répétitions » ou les « régularités » de la vie sociale sont évidemment ancrées au cœur des structures établies. Pour comprendre les campagnes électorales américaines, il faut comprendre la structure des partis, leur rôle dans l'économie du pays, et ainsi de suite. Mais ce n'est pas cela que veut dire Lazarsfeld ; il entend que les élections obligent une multitude de gens à accomplir ensemble le même acte social, et qu'elles reviennent régulièrement ; partant, le comportement électoral des individus peut s'étudier indéfiniment par la méthode statistique.

4) « *Enfin, on étudie les événements sociaux contemporains de préférence aux événements historiques* ». Cette orientation a-historique est due à une préférence épistémologique. « *Le sociologue a donc tendance à étudier essentiellement les événements contemporains, sur lesquels il a toutes les chances de trouver les éléments d'information dont il a besoin...* » Ce parti pris épistémologique contredit la proposition selon laquelle le travail sociologique est centré sur la formulation des grands problèmes[8].

Avant d'aller plus loin, je veux ajouter quelque chose au compte rendu de cette sociologie, à laquelle Lazarsfeld attribue deux tâches supplémentaires :

> « La recherche sociologique consiste à mettre des méthodes scientifiques au service de nouveaux secteurs. [Les observations de Lazarsfeld] ont pour but de caractériser grossièrement l'atmosphère qu'on peut s'attendre à trouver au cours de la transition entre la philosophie sociale et la recherche sociologique empirique. Comme le sociologue défriche des terres nouvelles, il ne doit compter que sur lui-même pour rassembler ses éléments d'information. C'est à la faveur de cela que se développe la seconde grande fonction à laquelle est promis le sociologue. Il apparaît alors comme l'*outilleur* des autres sciences sociales. Permettez-moi de vous rappeler

---

8. Toutes les citations utilisées dans ces quatre paragraphes sont tirées de Lazarsfeld, *op. cit.*, pp. 5-6.

quelques-uns des nombreux problèmes auxquels le sociologue doit faire face en rassemblant ses éléments d'information. Il lui faut plus d'une fois interroger directement les gens sur ce qu'ils ont fait, vu, ou désiré. Cela, les gens ne s'en souviennent pas toujours ; parfois ils se font tirer l'oreille ; ou bien encore ils ne voient pas ce qu'on veut leur faire dire. C'est ainsi que s'est perfectionné l'art difficile et néanmoins indispensable de l'entretien...

Mais (le sociologue) est investi historiquement d'une troisième fonction ; celle d'*interprète*... Il est bon de faire le départ entre la description des rapports sociaux et leur interprétation. Au niveau de l'interprétation, on pose un type de question que le langage ordinaire traduit par le « pourquoi ». Pourquoi a-t-on moins d'enfants qu'autrefois ? Pourquoi émigre-t-on vers les villes ? Pourquoi perd-on une élection ?

Les techniques qui permettent de formuler les réponses sont essentiellement statistiques. Il s'agit d'opposer les familles nombreuses et les familles de peu d'enfants ; les ouvriers absentéistes et les ouvriers assidus. Mais sur quel terrain exactement faut-il les opposer ?[9]

Le sociologue paraît tout à coup acquérir une dimension encyclopédique : chaque secteur de la science sociale cumule d'ordinaire interprétations et théories, mais on nous apprend ici que l' « interprétation » et la « théorie » sont l'apanage du sociologue. On voit de quoi il retourne, quand on comprend que ces interprétations ne sont pas encore des interprétations scientifiques. Le sociologue, lorsqu'il s'emploie à transformer les philosophies en sciences, travaille sur des « interprétations » qui sont en fait des « variables d'interprétations », utilisables dans les enquêtes statistiques. Remarquez en outre qu'on réduit le réel sociologique à des variables psychologiques, comme le prouve la suite de la citation précédente :

« Il faut supposer qu'il doit y avoir quelque chose dans la personnalité, l'expérience et l'attitude des gens qui les fait agir différemment dans des situations qui, de l'extérieur, nous apparaissent similaires. Nous réclamons des idées, des conceptions, dont la valeur explicative soit mise à l'épreuve de la recherche empirique... »

9. *Ibid.*, pp. 7-8, 12-13.

La « théorie sociale », prise dans son ensemble, apparaît comme l'assemblage systématique de tels concepts, autrement dit de variables, à utiliser dans l'interprétation des statistiques :

> « C'est bien *parce que* ces concepts rendent compte d'une multitude de conduites sociales que nous les qualifions de sociologiques... Au sociologue, nous assignons la tâche de les rassembler et de les analyser, car ils permettent d'interpréter les résultats empiriques obtenus dans des secteurs déterminés, comme l'analyse statistique des prix, de la criminalité, des suicides, ou de la pratique électorale. Quand on présente ces concepts et leur interrelation de façon systématique, on parle quelquefois de théorie sociale[10] ».

Soit dit en passant, on ne voit pas très bien s'il s'agit de commenter le rôle historique qu'auraient joué les sociologues (et en ce cas le commentaire est à coup sûr erroné) ; ou bien si l'on veut insinuer simplement que les sociologues devraient se faire les promoteurs et les gardiens de l'interprétation de tout et de n'importe quoi, auquel cas tout sociologue se réserve le droit de décliner l'invitation, dans l'intérêt de ses propres problèmes de fond. Mais qui dira si 'c'est fait historique ou précepte, affirmation ou programme ?

Il s'agit peut-être d'une propagande en faveur d'une philosophie de la technique et d'un témoignage d'admiration envers l'énergie administrative, qui se cacheraient tous deux sous le prétexte de l'histoire naturelle de la science.

Ce sociologue qu'on nous représente douillettement abrité dans un institut de recherches, où il cumule les fonctions de créateur de science, d'outilleur, et de préposé aux interprétations, aussi bien que le style même de cette sociologie (dont l'exposé de Lazarsfeld est le plus clair que je connaisse) soulèvent l'un et l'autre plusieurs problèmes que je me propose maintenant d'envisager plus systématiquement.

4

Je connais deux apologies classiques de l'empirisme abstrait qui tendent à prouver que la pauvreté de ses résultats n'est

---

10. *Ibid.*, p. 17.

pas imputable à un défaut inhérent à La Méthode, mais à des causes « accidentelles », parmi lesquelles le manque de temps et le manque d'argent.

Première justification : ces recherches étant coûteuses, il a fallu qu'elles épousent les problèmes de qui les a financées ; et les problèmes de ces conglomérats d'intérêt souffrent d'une regrettable dispersion. Aussi les chercheurs n'ont-ils pas été en mesure de les choisir de manière à obtenir véritablement une série de résultats, c'est-à-dire une série significative. Ils ont fait pour le mieux ; n'ayant pas eu de problèmes de fond à résoudre, il leur a fallu occuper leur temps à mettre au point des méthodes de travail, sans le moindre souci des problèmes de fond.

En somme, il paraît y avoir un conflit entre l'économie de la vérité (c'est-à-dire le prix de revient de la recherche) et la politique de la vérité (qui consiste à utiliser la recherche pour élucider les grands problèmes et pour faire descendre la controverse politique au niveau des réalités). On en conclut que si les instituts de recherche pouvaient prétendre au quart du budget scientifique national et l'utiliser comme ils l'entendent, les choses n'en iraient que mieux. Pour ma part, je ne sais si l'on est en droit de l'espérer. Et personne ne se croit en mesure de l'affirmer, hormis les intellectuels administrateurs qui, dans nos rangs, ont abandonné le travail sociologique pour des activités plus propices à l'avancement. Mais voir là *le* problème par excellence reviendrait à nier la pertinence de la critique intellectuelle. En tout cas, une chose est claire : le prix de revient de La Méthode a souvent contraint ses utilisateurs à la compromission commerciale et bureaucratique, et leur style s'en ressent.

Deuxième justification : les critiques montrent trop d'impatience ; j'entends d'ici les docteurs rappeler du haut de leur chaire que les progrès de la science demandent des siècles et non des décennies. « Tôt ou tard, nous dit-on, l'abondance de ces études permettra de généraliser et d'obtenir des résultats intéressants ». C'est assimiler la croissance de la sociologie à un jeu de meccano, chaque étude constituant un « élément de construction » que l'avenir permettrait de superposer ou d'assembler, de manière à « échafauder » l'image de tel ensemble. Ce n'est pas une simple hypothèse ; c'est une ligne de conduite avouée. « Les sciences empiriques, affirme Lazarsfeld, ont des problèmes précis à traiter et un savoir étendu à bâtir en groupant les résultats de multiples enquêtes, menues, longues et minutieuses. Il faudrait naturellement davantage de sociologues. Non que la face du monde en serait changée sur-le-champ ; mais parce qu'on aboutirait plus vite à une sociologie intégrée qui nous aiderait à comprendre les phénomènes sociaux et à nous en rendre maîtres »[11].

Abstraction faite de son ambiguïté politique, le programme proposé consiste à restreindre les recherches, à se limiter aux « enquêtes menues », en partant du principe qu'on peut « grouper » les résultats, et aboutir ainsi à une « sociologie intégrée ». Pour montrer que c'est un leurre, cessons de chercher à la pauvreté de ces études des causes extrinsèques, et examinons les causes qui tiennent au style et au programme mêmes de l'empirisme abstrait.

Tout d'abord je parlerai des rapports entre la théorie et la recherche, de la ligne de conduite que les sociologues devraient suivre en ce qui concerne la place qu'il convient d'accorder respectivement aux conceptions générales et aux exposés de détail.

Certes, les écoles de sociologie ne tarissent pas de belles paroles sur la stupidité de l'information empirique sans théorie et sur l'inanité des théories sans information. Mais mieux vaut examiner les résultats pratiques, que se complaire dans les ronds-de-jambes philosophiques. Dans les exposés plus directs de Lazarsfeld, les idées de « théorie » et d' « éléments d'information empiriques » sont très claires : est « théorie » l'ensemble des variables utilisables pour l'interprétation des statistiques ; ne sont « éléments d'information empiriques » (on nous le dit très nettement, et la pratique le prouve) que les faits ou les relations statistiques abondants, mesurables, et sujets à répétition. Lorsque la théorie et l'information se réduisent à si peu de chose, le commentaire des interrelations est condamné à n'être qu'une maigre constatation... quand il n'est pas purement et simplement escamoté.

Pour vérifier et pour remanier une conception générale, il faut des exposés de détail, mais il ne s'ensuit pas qu'en

---

11. *Op. cit.*, p. 20.

mettant bout à bout de tels exposés, on obtienne une conception générale. Que retenir pour l'exposé de détails ? Quels critères adopter ? Et qu'entend-on par « mettre bout à bout » ? Ce n'est pas une simple opération mécanique. Nous parlons de l'interaction des conceptions générales et de l'information de détail (théorie et recherche), mais il faut aussi parler des problèmes. En sociologie, ils sont généralement énoncés sous forme de conceptions liées aux structures socio-historiques. Si ces problèmes sont fondés, il paraît bien vain de les étudier à petite échelle avant de s'assurer que, quels que soient les résultats, ils nous permettront de résoudre ou d'élucider des problèmes structurels. On ne « traduit » pas ces problèmes, lorsqu'on se contente de choisir un point de vue où tout se passe comme s'il s'agissait d'une demande sporadique d'éléments d'information sporadiques, statistiques ou pas, portant sur des individus éparpillés dans des milieux sporadiques.

Pour ce qui est des idées, on ne trouve dans une bonne recherche de détail que ce qu'on y apporte. La recherche empirique ne fournit que des éléments d'information ; et vous ne pouvez monnayer cette information que si, au cours du travail, vous avez conçu vos études empiriques comme le relais de contrôle d'échafaudages plus ambitieux. A mesure que le faiseur de sciences transforme les philosophies sociales en sciences empiriques, et leur érige des instituts de recherches, les études prolifèrent. Aucun principe, aucune théorie n'est là pour orienter le choix de leurs sujets. Ce peut être le « bonheur » aussi bien que le « comportement commercial ». On pose simplement en principe qu'à condition d'utiliser La Méthode, les études qui en résulteront, — d'Elmira à Zagreb ou bien Shangaï, aboutiront finalement à une science de l'homme et de la société qui sera « une science organisée à part entière ». En attendant, on passe à l'étude suivante.

En avançant que les études ne peuvent pas « s'ajouter », je fais la part de la théorie de la société vers laquelle tend effectivement l'empirisme abstrait. Tout empirisme suppose une option métaphysique (option sur la réalité de l'objet) et nous allons voir qu'on peut accuser ces études de céder à ce qu'on appelle le « psychologisme »[12]. On se fonde pour cela sur le fait que leur source d'information est essentiellement

_____

12. Relève du « psychologisme » toute tentative qui cherche à expliquer les phénomènes sociaux en fonction de faits ou de théories sur la

un échantillonnage individuel. Les questions posées sont destinées à provoquer des réactions psychologiques. Il faut donc admettre que, dans la mesure où l'on doit étudier de cette façon la structure institutionnelle de la société, on peut la comprendre en vertu de ces éléments d'information sur les individus.

Il faut pratiquer un empirisme beaucoup plus large pour prendre conscience des problèmes de structure et de leur valeur explicative pour la conduite individuelle. Ainsi, dans la structure de la société américaine (et en particulier dans la structure d'une ville américaine à un moment donné, l' « échantillon » habituel) il y a tant de communs dénominateurs sociaux et psychologiques que les sociologues ne peuvent faire entrer en ligne de compte toutes les conduites, faute d'information. On ne peut saisir cette variété, et partant, la formulation même des problèmes, que si l'on accueille de surcroît les structures sociales historiques et comparées. Or un dogme épistémologique veut que les empiristes abstraits soient systématiquement a-historiques et s'abstiennent de faire du comparatisme ; ils ne veulent étudier qu'à petite échelle et ils tendent vers le psychologisme. A aucun moment ils ne font usage de l'idée fondamentale de structure sociale historique, ni lorsqu'ils définissent leurs problèmes, ni lorsqu'ils commentent leurs découvertes microscopiques.

Ils ne se montrent pas plus perspicaces dans l'étude des milieux. Par définition, et de par notre expérience sociologique, nous savons que les gens (ceux qu'on interroge) ignorent souvent les causes des transformations du milieu, et que nous ne pouvons les comprendre qu'en fonction de transformations structurelles. C'est le contre-pied du psychologisme. La leçon à tirer est toute simple : il faut choisir les milieux à étudier

---

constitution des individus. Historiquement, la doctrine s'appuie sur le refus métaphysique explicite de reconnaître l'existence de la structure sociale. A d'autres moments, ses adeptes avanceront une conception de la structure qui la réduit (au niveau de l'explication) à un ensemble de milieux. Plus généralement, et du point de vue qui nous occupe, celui des lignes de recherches sociologiques, le psychologisme nourrit l'idée que si nous étudions une série d'individus et leurs milieux, nous pouvons connaître la structure sociale en rassemblant les résultats de nos études de façon ou d'autre.

en fonction des problèmes de structure. Les « variables » à isoler et à observer dans les milieux sont précisément celles dont notre analyse de structure a démontré l'importance. Il y a, bien entendu, action et réaction entre les études du milieu et les études de structure. La sociologie, sachons-le, n'est pas une grande tapisserie aux quatre coins de laquelle les ouvrières travailleraient pour leur propre compte ; les petits morceaux de tapisserie, quelle que soit leur finesse, ne sauraient se raccorder mécaniquement, pièce à pièce, et donner un ensemble.

Mais il n'est pas rare de voir des empiristes abstraits « aller chercher les éléments d'information » et « les soumettre » à une analyse statistique plus ou moins passe-partout, confiée à des techniciens semi-qualifiés. Ensuite on achète les services d'un sociologue, ou d'une équipe de sociologues, pour « la vraie analyse ». Et me voici arrivé à mon second point.

Nos empiristes ont récemment pris le pli de faire précéder leurs études d'un ou deux chapitres, pour faire le point sur la « littérature » du problème. C'est bon signe, car ils font pièce aux critiques que leur adressent les disciplines sociales confirmées. Malheureusement, ils font cela après coup, une fois que l'information est rassemblée et classée. Et pour comble, comme cela demande du temps et de la patience, il est courant, dans les instituts, de confier le travail à l'assistant de service. Le papier qu'il rédige est remanié de façon à prêter à l'étude empirique un air de « théorie » et à lui « donner du sens », ou, selon l'expression consacrée, à la « faire mousser ». Peut-être est-ce mieux que rien. Mais on risque d'induire en erreur celui qui n'est pas averti, en lui faisant croire qu'on a choisi, concocté et entrepris une étude bien précise à seule fin de mettre à l'épreuve de l'empirisme des conceptions ou des hypothèses générales.

Je ne crois pas qu'on le fasse couramment. Cela ne pourrait devenir une habitude qu'entre les mains des gens qui prendraient au sérieux la « littérature » de la sociologie, qui l'envisageraient en soi et avec assez de persévérance pour faire le tour de ses conceptions, de ses théories et de ses problèmes. C'est ensuite seulement qu'on pourrait songer, sans lâcher pour autant les problèmes et les conceptions, à les traduire à petite échelle, au niveau des problèmes spécifiques qui ressortissent de plein droit à La Méthode. C'est la « traduction », à laquelle tous les sociologues se livrent, sans limiter forcément le mot « empirique » à une information statistique coupée des individus contemporains, et le mot « théorie » à une somme de « variables d'interprétation ».

Les études dont je parle en ce moment laissent entrevoir des choses bien curieuses. Lorsqu'on les analyse d'un point de vue logique, on s'aperçoit que les « concepts intéressants » utilisés pour interpréter et expliquer « les éléments d'information » désignent presque toujours, a) des « coefficients » structurels et historiques qui transcendent le niveau auquel se situe l'entretien ; b) des « coefficients » psychologiques qui se situent à une profondeur plus grande que celle dont pouvait se réclamer l'enquêteur. Mais surtout, ni les conceptions de structure, ni celles des niveaux psychologiques ne figurent à proprement parler parmi les unités de recherche et de collationnement d'information. Peut-être sont-elles plus ou moins orientées dans l'une de ces directions, mais elles ne figurent pas expressément au nombre des variables spécifiques et « franches » qui sont dûment reconnues par ce style de recherche.

On voit assez bien pourquoi. Pratiquement, l'entretien normalisé, source principale d'information, réclame une sorte de behaviorisme social. Etant donné les éléments financiers et administratifs qui entrent dans la recherche, c'est presque inévitable. Doit-on s'étonner que des enquêteurs, semi-spécialisés dans le meilleur des cas, ne puissent obtenir en vingt minutes ou même en une journée (qui le pourrait ?) les données de profondeur qu'on pourrait obtenir, nous le savons, à la faveur d'entretiens plus longs et plus adroits ?[13] On ne peut espérer obtenir non plus, par la méthode d'échantillonnages habituelle, les renseignements de structure qu'on peut demander aux études orientées proprement vers l'histoire.

---

13. Je fais remarquer au passage que si ces études bourrées de détails sont si minces, si formelles, et même si creuses, c'est parce qu'elles ne laissent place à aucune observation personnelle de la part des auteurs. Les « faits empiriques » sont des faits accumulés par des équipes de bureaucrates. d'individus semi-qualifiés. On a oublié que l'observation sociologique demande beaucoup d'adresse et de sensibilité ; on s'en aperçoit précisément lorsqu'un esprit imaginatif se plonge au beau milieu des réalités de la société.

Pourtant, les études de l'empirisme abstrait s'efforcent de faire place à des conceptions de structure, et de psychologie des profondeurs. On explique des observations particulières en faisant appel à des conceptions générales appropriées. On utilise des conceptions générales pour formuler des problèmes psychologiques ou structurels destinés aux « prières d'insérer » des études.

Dans certaines boîtes de recherche, on parle de « brillant » lorsqu'on « explique » de manière convaincante des relations ou des faits détaillés, en faisant appel à des suppositions générales. Lorsqu'on explique des questions générales à l'aide de variables microscopiques dont on force le sens, on dit qu'on est arrivé à quelque chose d' « astucieux ». Si je parle de cela, c'est pour montrer qu'un jargon d'école est en train de se créer, qui conceptualise les procédés que j'analyse en ce moment.

Tout revient à illustrer des points de détail par des statistiques et à illustrer des statistiques par des points de détail. Les points généraux ne sont ni contrôlés ni précisés. On les adapte aux chiffres, comme on leur adapte l'économie des chiffres. Les points généraux et les explications peuvent s'accommoder d'autres chiffres ; et les chiffres d'autres points généraux. Ces tours de passe-passe de logique ont pour but de donner un semblant de signification structurelle, historique et psychologique, à des études qui, de par leur style d'abstraction même, ont renoncé à de telles significations. Grâce aux moyens indiqués ici, et à d'autres encore, il devient possible de s'obstiner à servir La Méthode, tout en s'efforçant de cacher la banalité de ses résultats.

On trouvera ces procédés au début de certains chapitres, dans les « introductions générales » et parfois dans des chapitres ou dans des sections « d'interprétation », qu'on « glisse » par-ci par-là. Je n'ai pas l'intention de faire ici une étude de détail ; je veux simplement mettre le lecteur sur ses gardes, pour qu'il exerce son esprit critique en feuilletant les ouvrages des empiristes abstraits.

Que doit-on retenir de cela ? Ce sont les idées qui font progresser la recherche sociologique, quelle qu'elle soit ; les faits ne lui apportent que la discipline. Cela est vrai aussi bien des études de l'empiriste abstrait sur les motivations électorales, que des exposés d'historien sur la position et la mentalité de l'intelligentsia russe au XIXe siècle. Le cérémonial est plus compliqué et certainement plus prétentieux chez le premier. Le statut logique du résultat est rigoureusement le même.

Il est enfin à la pauvreté des résultats de l'empirisme une explication qu'on peut exprimer sous forme d'une question : y a-t-il nécessairement conflit entre ce qui est vrai mais dénué d'importance, et ce qui est important mais pas forcément vrai ? Ou encore, pour poser la question sous une meilleure forme : à quel niveau de vérification les chercheurs devraient-ils s'arrêter ? On pourrait évidemment pousser l'exigence jusqu'à n'avoir que des exposés extrêmement détaillés ; inversement, on pourrait pousser l'indulgence jusqu'à n'avoir que des suprêmes conceptions.

Les victimes de l'inhibition méthodologique refusent souvent tout exposé sur la société moderne qui n'a pas été broyé sous la fine meule de cérémonial statistique. On dit généralement que, fussent-ils dénués d'importance, leurs résultats sont vrais. Je ne suis pas de cet avis ; je doute de plus en plus de leur vérité. Je voudrais savoir dans quelle mesure on ne confond pas l'exactitude, ou la pseudo-précision, avec la « vérité », et jusqu'à quel point on ne prend pas l'empirisme abstrait pour l'empirisme tout court. Si vous étudiez sérieusement, pendant un an ou deux, un millier de ces entretiens d'une heure, dûment codés et poinçonnés, vous commencerez à vous rendre compte à quel point le domaine des « faits » est élastique. Quant à l' « importance », elle est là, à coup sûr, lorsque les meilleurs d'entre nous consomment toute leur énergie à étudier des points de détail, sous prétexte que La Méthode dont ils respectent le dogme leur interdit d'étudier autre chose. Ce travail est en grande partie, j'en suis persuadé, un cérémonial, qui a connu une bonne fortune financière et commerciale, et non pas, comme se plaisent à le dire ses champions, « un tribut versé aux dures exigences de la science ».

On ne choisit pas une méthode d'après le seul critère de la précision ; en tout cas, il ne faudrait pas confondre, comme on le fait si souvent, « précis » avec « empirique », ou « vrai ». Dans les problèmes qui nous échoient, il faut nous montrer aussi précis que possible. Mais on ne doit recourir à aucune méthode en tant que telle pour délimiter les problèmes à aborder, ne serait-ce que parce que les problèmes de *méthode* les plus intéressants et les plus difficiles commencent généralement là où échouent les techniques éprouvées.

Si nous sentons les vrais problèmes, tels qu'ils émanent de l'histoire, la question de la vérité et de l'importance se résout d'elle-même : il faut apporter à ces problèmes tout le soin et toute la précision possibles. L'important en sociologie a toujours consisté, et consiste encore à formuler soigneusement ses hypothèses et à les appuyer, aux moments critiques, sur une information détaillée. Jusqu'à présent, il n'y a pas d'autre moyen d'aborder les sujets et les thèmes qu'on s'accorde à qualifier d'importants.

Que veux-je dire lorsque je demande à nos études d'aborder des problèmes importants, ou, comme on dit plus volontiers, des problèmes valables ? Valables au nom de quoi ? Je n'entends pas simplement qu'ils doivent revêtir un sens politique, un sens pratique, ou un sens moral, dans l'acception ordinaire de ces termes. Il faut qu'ils relèvent authentiquement de notre conception de la structure sociale et de ce qui s'y passe effectivement. Pour qu'elles en « relèvent authentiquement », il faut et il suffit que nos études entretiennent un rapport logique avec ces conceptions. Enfin, elles entretiennent un « rapport logique », si l'on passe franchement et sans effort, tant au cours de l'énoncé qu'au cours de la phase explicative, des exposés généraux à l'information de détail, et de l'information de détail aux exposés généraux. La dimension politique du mot « valable », je m'en occuperai plus tard. Il est déjà clair pour le moment qu'un empirisme tout de pusillanimité et de raideur comme l'est l'empirisme abstrait frappe d'anathème les grands problèmes sociaux et humains de notre temps. Ceux qui auraient à cœur de comprendre ces problèmes auront recours à d'autres credos.

5

Les méthodes spécifiques de l'empirisme (je ne parle pas de sa philosophie) se prêtent évidemment à une quantité de problèmes, et je ne vois pas ce qu'on pourrait leur reprocher.

On peut toujours, au prix d'une abstraction convenable, faire preuve d'exactitude. Tout se mesure.

Si les problèmes qui nous échoient se prêtent naturellement à l'analyse statistique, il ne faut pas hésiter à l'employer. Si nous avons besoin, pour une théorie des élites, de connaître l'origine sociale d'un groupe de généraux, il est naturel de chercher dans quelle proportion les diverses couches sociales y sont représentées. S'il s'agit de savoir dans quelles proportions le salaire réel des cols-blancs a augmenté ou diminué depuis 1900, on établit un tableau chronologique des salaires par catégorie professionnelle, corrigé par un indice des prix. Toutefois, il ne faut jamais faire de ces procédés, une fois généralisés, les seuls possibles. Personne n'est censé prendre ce modèle à la lettre, comme un dogme. Ce n'est pas le seul style d'empirisme.

Il convient de soumettre les menues données particulières à une étude exacte et intensive en rapport avec notre vision imprécise des ensembles, et à seule fin de résoudre des problèmes d'ensembles structurels. C'est un choix, que déterminent nos problèmes, et non pas une « nécessité », entraînée par un dogme épistémologique.

Nul n'a le droit de désapprouver les études de détail sur les problèmes mineurs. Leur étroitesse même peut s'inscrire dans une admirable recherche vers plus de précision et de certitude ; elle peut aussi illustrer une division du travail intellectuel, une spécialisation, qu'une fois de plus, nul n'a le droit de contester. Par contre, nous sommes fondés à demander, si l'on nous représente que ces études s'inscrivent dans une division du travail dont toutes les spécialisations réunies constituent l'entreprise sociologique : alors où sont les autres ? Et où se cache celle qui a pour fonction d'agrandir le champ où s'enferment ces études ?

Presque toutes les écoles utilisent les mêmes slogans. On sait que toute tentative systématique de compréhension implique une sorte de jeu de bascule entre l'admission (empirique) et l'assimilation (théorique) ; que concepts et idées doivent guider la recherche des faits et que les recherches de détail doivent permettre de vérifier et de remanier les idées.

Dans l'inhibition méthodologique, les hommes s'enlisent non pas au stade de l'admission empirique, mais bel et bien dans les problèmes épistémologiques de méthodes. Ces gens-là, surtout les jeunes, ne connaissent pas grand-chose à l'épistémologie, et ils font preuve d'un grand dogmatisme à l'égard du seul code qu'ils respectent.

Dans le fétichisme conceptuel, les hommes s'enlisent dans la recherche d'un très haut niveau de généralisation, d'ordinaire syntaxique, sans pouvoir renouer avec les faits. Ces deux tendances, ces deux écoles, s'installent et croissent dans ce qui devrait être de simples paliers du travail sociologique. Ce qui devait n'être ici qu'une courte pause a ouvert, si j'ose dire, les portes du désert.

Ces deux écoles trahissent la sociologie classique. Elles incarnent une abdication intellectuelle, dont l'instrument est une recherche outrancière et prétentieuse de « méthode » et de « théorie » ; c'est qu'elles perdent contact avec les problèmes de fond. Si la grandeur et la décadence des doctrines et des méthodes n'étaient dues qu'à la seule concurrence intellectuelle (victoire pour la plus adéquate et la plus fructueuse, défaite pour l'autre), la Suprême-théorie et l'empirisme abstrait n'auraient pas connu la faveur dont ils jouissent. La Suprême-théorie ne serait qu'une microtendance philosophique, et sans doute une sorte de péché de jeunesse universitaire ; l'empirisme abstrait ne serait qu'une théorie de la philosophie des sciences parmi d'autres, en même temps qu'un accessoire dans la panoplie méthodologique de l'enquête sociologique.

Si elles étaient les seules à régner, dans la symétrie de leur gloire, il n'y aurait pas de quoi se réjouir ; toutes deux ne promettent-elles pas de nous livrer le moins de renseignements possible sur l'homme et sur la société — l'une par son obscurantisme formel et nébuleux, la seconde par son ingéniosité formelle et creuse ?

4

Plusieurs types d'empiricité

La confusion sociologique n'est pas moins morale que « scientifique » ; elle n'est pas moins politique qu'intellectuelle. Ignorer cette vérité, c'est entretenir la confusion. Pour juger les problèmes et les méthodes des diverses écoles sociologiques, il faut envisager d'innombrables valeurs politiques et d'innombrables problèmes intellectuels ; car on pose mal les problèmes quand on ne sait pas à qui ils se posent. Ce qui fait problème pour l'un ne fait pas problème pour l'autre : cela dépend des préoccupations de chacun et de la conscience qu'il en a. De surcroît, un problème éthique vient tout compliquer : les hommes ne s'intéressent pas toujours à ce qui va dans le sens de leur intérêt. Tout le monde n'est pas aussi rationnel que se voudraient les sociologues. Ceci veut dire qu'en travaillant, tous les sociologues prennent des options morales et politiques, ou s'y réfèrent implicitement.

1

Le travail sociologique n'est jamais allé sans problèmes d'évaluation. C'est une longue liste de résolutions souvent dogmatiques, de compromis boiteux, et aussi d'opinions justes et bien pensées. Fréquemment, on n'a pas abordé le problème de face, on a lancé des hypothèses au hasard, on s'y est quelquefois accroché ; c'est ce que fait le technicien à gages de la sociologie appliquée, sous le couvert de sa prétendue neutralité. Il n'escamote pas le problème, certes ; il laisse à d'autres le soin de le résoudre. Mais l'intellectuel de métier s'efforcera, lui, d'avoir à l'esprit les hypothèses et les implications inhérentes à son travail, dont les moindres ne sont pas les significations morales et politiques qu'il revêt pour la société où il s'exerce, et pour le rôle que lui-même y joue.

On s'accorde à penser aujourd'hui qu'on ne peut pas extraire de jugements de valeur d'énoncés de faits ou de définitions de concepts. Mais cela ne veut pas dire qu'ils n'aient rien à voir dans la formulation des jugements. Il est facile de montrer que les problèmes de sociologie sont bourrés d'erreurs de documentation et d'obscurités conceptuelles, et qu'en outre ils sont faussés par les évaluations. C'est après avoir débrouillé tous les fils qu'on peut seulement savoir si les problèmes s'accompagnent d'un conflit de valeurs.

Déterminer l'existence du conflit et, le cas échéant, isoler les valeurs des faits où elles s'immiscent, constitue l'essentiel du travail. Démêler, c'est parfois être amené à reformuler le problème pour en faciliter la solution, car il arrive d'y découvrir une incompatibilité entre les valeurs saluées par le même intérêt : on ne prend conscience d'une valeur naissante qu'en sacrifiant une valeur ancienne, de telle sorte que, pour agir, les intéressés doivent aller tout droit à ce qu'ils valorisent le plus.

Mais lorsque les valeurs sont nourries par des intérêts authentiquement opposés, avec une fermeté et une logique telles que ni l'analyse logique ni la recherche des faits ne suffisent à résoudre le conflit, alors c'en est fait du rôle de la raison dans cette affaire. On peut éclairer le sens et les conséquences des valeurs, on peut les rendre compatibles les unes avec les autres et leur assigner un ordre de priorité relative, on peut les envelopper de données concrètes, et se trouver finalement acculé à l'affirmation pure et simple, ou à la contre-affirmation ; ensuite, on ne peut plus que plaider ou persuader. Et en fin de compte (si on en arrive là), les problèmes moraux deviennent des problèmes de pouvoir ; et en dernier ressort (si on en vient là), la forme ultime du pouvoir est la coercition.

Selon le mot de Hume, on ne peut pas tirer sa ligne de

conduite de ce que l'on croit qui est. On ne peut pas davantage tirer la ligne de conduite des autres de la sienne propre. A la fin, si tant est que la fin arrive, il ne reste plus qu'à assommer nos contradicteurs ; espérons que la fin arrive rarement. En attendant, raisonnables comme nous savons l'être, il convient de s'expliquer avec des mots.

Les valeurs se glissent dans le choix des problèmes ; elles se glissent aussi dans les conceptions angulaires que nous employons dans leur formulation ; enfin, elles en fléchissent les solutions. Pour ce qui est des conceptions, il convient d'utiliser le plus grand nombre possible de termes à « coefficient de valeur zéro », de savoir où se cachent celles qui peuvent échapper, et de les expliciter. Pour ce qui est des problèmes, il convient là aussi de désigner clairement les valeurs qui en guident le choix, et ensuite, autant que faire se peut, d'éliminer des solutions le facteur de distorsion qu'elles entraînent, sans préjudice de l'issue finale, ni des implications morales ou politiques.

A ce propos, certains critiques jugent le travail sociologique d'après la couleur des résultats, et selon qu'ils sont constructifs ou négateurs. Ces apôtres de la vie en rose goûtent l'envolée lyrique, surtout vers la conclusion : ils font leur bonheur d'une de ces solides bouffées d'optimisme bien senti, dont on ressort tout ragaillardi. Mais le monde que nous essayons de comprendre ne nous inspire pas à tous l'optimisme politique et le confort moral, et les sociologues ne trouvent pas toujours bon de jouer les imbéciles heureux. Personnellement, je suis de nature optimiste, mais j'avoue n'avoir jamais fait de la bonne humeur la pierre de touche des situations optimistes. D'abord on essaie de viser juste, de faire un compte rendu fidèle ; si ce n'est pas drôle, tant pis ; tant mieux si c'est souriant. Du reste, en appeler au « programme constructif » et à la « note de gaieté », c'est dire que l'on a peur de regarder les choses en face, même quand elles n'ont rien de réjouissant, et cela n'a rien à voir avec la vérité ni l'erreur, ou les jugements sur la qualité du travail sociologique.

Le sociologue qui met toute son énergie intellectuelle au service des études de détail à petit point n'isole pas son œuvre au-dessus des forces et des conflits politiques de son époque. Indirectement au moins, et en réalité, il « accepte » l'ossature de sa société. Mais pour peu qu'on assume sans exception les tâches intellectuelles de la sociologie, on ne peut pas se contenter de formuler l'existence de cette structure. Il faut l'expliciter et l'étudier comme totalité. Ce travail est *à lui seul* le meilleur des jugements. La société américaine a été si souvent dénaturée que sa description objective passe pour du « naturalisme féroce ». Il n'est que trop facile, évidemment, de dissimuler les valeurs que le sociologue est amené à postuler, à accepter, à sous-entendre. Nous savons tous qu'on dispose à cette fin d'une lourde machine ; le jargon des sciences sociales, et celui de la sociologie en particulier, tient à la curieuse passion du maniérisme où conduit le refus de s'engager.

Bon gré mal gré, consciemment ou non, tout homme qui passe sa vie à étudier la société et à publier les résultats qu'il obtient *accomplit un acte moral*, et généralement aussi un acte politique. Reste à savoir s'il assume cette condition et en prend son parti, ou bien s'il se la dissimule, à lui comme aux autres, et se laisse aller. Beaucoup, pour ne pas dire la totalité des sociologues américains d'aujourd'hui (et parfois non sans mauvaise conscience) sont facilement libéraux. Ils cèdent à la grande peur de l'engagement passionné. C'est *cela* que veulent ces hommes, lorsqu'ils se plaignent de formuler « des jugements de valeur », et non pas « l'objectivité scientifique ».

L'enseignement oral me paraît d'un autre ordre que l'écriture. Quand on écrit, le livre tombe dans le domaine public ; l'auteur n'est responsable que d'une seule chose devant ses lecteurs : faire le meilleur livre possible ; et de cela il est seul juge. Le professeur a d'autres responsabilités. Dans une certaine mesure, les étudiants sont un public captif, et dépendent de leur professeur, qui est une sorte de modèle pour eux. Il a pour mission essentielle de leur montrer le plus précisément possible comment fonctionne un esprit qui a théoriquement la maîtrise de soi-même. L'art du professeur consiste principalement à penser tout haut, mais intelligiblement. Dans un livre, on cherche plutôt à persuader le lecteur du résultat d'une pensée ; dans un amphi, on doit chercher à montrer comment un homme pense, et en même temps quelle joie il éprouve à bien penser. Le professeur, il me semble, doit donc expliciter nettement les hypothèses, les faits, les méthodes, les jugements. Il ne doit rien retenir par-devers lui, aller très lentement, et toujours exposer à plusieurs reprises les alternatives morales avant de formuler son option. On ne peut pas écrire selon ces principes-là ; ce serait beaucoup trop ennuyeux et terriblement emprunté. C'est pourquoi les meilleurs cours supportent si mal d'être imprimés.

On peut difficilement se rendre à l'optimisme de Kenneth Boulding, qui écrit : « En dépit de toutes les tentatives positivistes pour déshumaniser les sciences de l'homme, c'est toujours une science morale ». Mais il est encore plus difficile de ne pas se rendre au jugement de Lionel Robbins, qui écrit de son côté : « Il n'est pas exagéré d'affirmer qu'aujourd'hui, l'un des plus grands dangers de la civilisation réside dans l'incapacité dont font preuve les esprits rompus aux sciences de la nature de percevoir la différence entre l'économique et le technique. »[1]

2

Il n'y a pas là de quoi s'effrayer. Tout le monde le sait, ne serait-ce que dans l'abstrait. Aujourd'hui, la recherche sociologique est directement au service des généraux et des assistantes sociales, des chefs d'entreprise et des directeurs de pénitenciers. Cette *exploitation bureaucratique* n'a cessé de croître, et nul doute qu'elle continuera dans cette voie. Les études font aussi l'objet d'une exploitation *idéologique* de la part des sociologues et autres. En fait, la pertinence idéologique de la sociologie est inhérente à sa nature même de fait social. Toute société se projette, en particulier sous forme d'images et de slogans, destinés à justifier son système de pouvoir et les méthodes de ceux qui le détiennent. Les idées et les images obtenues par les sociologues ne sont pas forcément compatibles avec ces images directrices, mais elles débouchent toujours sur elles. Dans la mesure où l'on vient à connaître ces implications, on en tire argument et on les exploite généralement comme suit :

— en justifiant l'organisation du pouvoir et l'ascendant de

---

1. J'emprunte ces citations à Barzun et Graff ; *The modern Researcher*, New York, Harcourt Brace, 1957, p. 217.

ceux qui le détiennent, idées et images transforment le pouvoir en autorité ;

— en mettant en question ou en détrônant les organisations du pouvoir et les dirigeants, elles leur ravissent l'autorité ;

— en détournant l'attention des problèmes du pouvoir et de l'autorité, elles font oublier les réalités structurelles de la société elle-même.

Ces mises à contribution n'entrent pas forcément dans les intentions des sociologues. Ce n'est pas une règle absolue, mais les sociologues ont souvent pris conscience de la portée politique de leur travail, et si l'un d'eux fait exception, en ce siècle d'idéologie, un autre ne manquera pas de se conformer à la règle.

On assiste à une demande sans cesse croissante de justifications idéologiques, ne serait-ce que parce que de nouvelles institutions, douées d'un pouvoir considérable, sont apparues et n'ont pas encore été légitimées, et aussi parce que les pouvoirs installés de longue date ont épuisé les vertus de leur consécration originelle. Ainsi, le pouvoir de l'entreprise moderne ne trouve pas automatiquement sa justification dans les doctrines libérales léguées par le XVIIIe siècle, sur qui s'appuie l'autorité légitime aux Etats-Unis. Intérêts et pouvoirs, passions et penchants, haines et espoirs cherchent tous à s'approprier un appareil idéologique grâce auquel entrer en lice avec les slogans, les symboles, les doctrines et les charmes des intérêts rivaux. A mesure que les communications publiques se répandent et s'accélèrent, leur effet s'émousse ; aussi a-t-on sans cesse besoin de nouveaux slogans, de nouvelles croyances, de nouvelles idéologies. Compte tenu des communications de masse et des « relations publiques », comment les études sociologiques seraient-elles épargnées par la demande de matériel idéologique, et comment les chercheurs refuseraient-ils d'y accéder ?

Mais que le sociologue le sache ou non, son travail même lui fait revêtir un rôle qui est, dans une certaine mesure, bureaucratique ou idéologique. En outre, on passe facilement d'un rôle à l'autre. En mettant au service de la bureaucratie les techniques de recherche les plus formelles, on arrive à justifier des décisions qu'on a prises en se fondant sur ces recherches mêmes. Inversement, les utilisations idéologiques des résultats sociologiques entrent facilement dans le circuit bureaucratique ; aujourd'hui, les tentatives qui ont pour but de légitimer le pouvoir et de dorer les pilules que sont les lignes de conduite, relèvent souvent de « l'administration du personnel » et des « relations publiques ».

Au cours de l'histoire, on a mis davantage la sociologie au service des idéologies qu'au service de la bureaucratie ; il en va toujours de même aujourd'hui, bien que l'équilibre paraisse se renverser. Si la balance a penché du côté de l'idéologie, c'est surtout parce que la sociologie moderne a souvent mené sans le dire une sorte de discussion contradictoire avec l'œuvre de Marx, et qu'elle a voulu relever le défi lancé par les mouvements socialistes et les partis communistes.

L'économie classique a été l'idéologie de choc du système de pouvoir que représente le capitalisme. Aussi, comme l'œuvre de Marx aux mains des apologistes soviétiques d'aujourd'hui, a-t-elle souvent donné lieu à de « fructueux contresens ». Comme l'ont bien montré les écoles historiques et institutionnelles à la faveur des critiques lancées contre les doctrines classiques et néo-classiques, les économistes se sont accrochés obstinément à la métaphysique du droit naturel et à la morale de l'utilitarisme. Mais ces mêmes écoles ne peuvent se comprendre que par rapport aux « philosophies sociales » conservatrices, libérales, ou radicales. Depuis les années trente en particulier, devenus experts auprès du gouvernement et des entreprises, les économistes ont lancé des techniques administratives, ont tracé des lignes de conduite, et installé des routines de comptes rendus économiques détaillés. Cela ne va jamais sans d'actives exploitations idéologiques et bureaucratiques, qui ne sont pas toujours explicites.

La confusion qui règne aujourd'hui dans l'économie a trait aux lignes de conduite, aux méthodes et aux points de vue. Des économistes également distingués professent des opinions radicalement opposées. Gardiner C. Means reproche à ses collègues d'en rester à une conception anachronique de l'entreprise parcellaire, « bonne pour le dix-huitième siècle », et réclame un nouveau modèle d'économie, où de gigantesques entreprises imposent et réglementent les prix. Wassily Leontiev, de son côté, s'en prend à la rupture entre purs-théoriciens et collecteurs-de-faits, réclamant des combinaisons intriquées de consommation et de rendement. Cependant Colin Clark s'en prend à ces analyses, qui « demandent trop de temps et accumulent les détails inutiles » ; il exhorte les économistes à chercher à améliorer le « bien-être matériel de l'humanité » et exige qu'on réduise la fiscalité. John K. Galbraith, inversement, trouve que les économistes ont maintenant autre chose à faire qu'à chercher les moyens d'accroître le bien-être matériel ; que l'Amérique est déjà trop riche comme cela, et qu'il est stupide de continuer à augmenter la production. Il conseille à ses collègues d'exiger un accroissement des services publics et de la fiscalité (en l'espèce, des taxes à la vente)[2].

Même la démographie, toute statistique qu'elle est, a subi les contrecoups des conflits théoriques et des querelles de fait soulevés à l'origine par Thomas Malthus. La plupart de ces problèmes concernent les anciens domaines coloniaux, où l'anthropologie culturelle s'est penchée à plus d'un titre sur l'histoire et sur l'ethos du colonialisme. Pour la pensée libérale ou radicale, les problèmes politiques et économiques de ces pays s'expriment dans la nécessité d'une croissance économique rapide, surtout de l'industrialisation, et de tout ce qu'elle comporte ; les anthropologues ont généralement mis dans le débat des précautions qui, tout comme celles des anciennes puissances coloniales, paraissaient vouloir éviter des convulsions et des tensions qui, de nos jours, accompagnent inévitablement les transformations des pays sous-développés. La matière et l'histoire de l'anthropologie culturelle ne « s'expliquent » pas par le colonialisme, bien qu'il ait certainement quelque chose à y voir. C'est une discipline qui a également servi la cause de la pensée libérale, et même de la pensée radicale, en insistant sur l'intégrité des sociétés plus simples, sur la relativité du caractère humain, et en combattant l'esprit de clocher occidental.

Certains historiens éprouvent le besoin de récrire le passé, à seule fin de servir ce qui apparaît nettement comme les idéologies du présent. C'est ainsi qu'on « reconsidère » l'histoire des affaires en général et des entreprises en particulier, telles qu'elles se présentaient au lendemain de la Guerre de Sécession. À examiner l'histoire américaine des dernières décennies, il faut bien dire que, quelle que soit l'histoire, de

---

2. Voir l'article sur les économistes paru dans le *Business Week* du 2 août 1958, p. 48.

quelque manière qu'on la souhaite, elle donne facilement lieu à une laborieuse réfection des mythes nationaux et des mythes de classe. Depuis l'apparition des exploitations bureau-cratiques de la sociologie, on s'est mis à célébrer, surtout après la Deuxième Guerre Mondiale, la « portée historique de l'Amérique », et, à cette occasion, certains historiens ont mis leur spécialité au service de l'esprit conservateur et de ses ayants droit spirituels et matériels.

Enfin, on ne peut pas accuser les politistes d'avoir lancé l'anathème contre la politique américaine, en particulier lors-qu'ils traitent des relations internationales après la Deuxième Guerre Mondiale. Peut-être le Professeur Neal Houghton va-t-il un peu loin lorsqu'il affirme qu'on a un peu trop « fait passer pour de la science politique, à coups de notes au bas des pages, ce qui n'est que rationalisation et colportage d'une politique, celle des Etats-Unis »[3] ; mais son chef d'accusation ne saurait être rejeté qu'après un examen approfondi. Quant à la question posée par le Professeur Arnold Rogow : « Qu'est-il donc advenu des Grands Problèmes ? »[4], on ne peut y répondre sans se souvenir que, si la science politique se montre depuis quelque temps incapable de rendre compte des grandes réalités politiques, elle paraît remarquablement apte à applau-dir scientifiquement les carences et la politique des dirigeants.

Si je mentionne ces quelques mises à contribution et ces implications, ce n'est pas pour critiquer ou pour mettre en évidence le manque d'objectivité. J'ai pour seule ambition de rappeler au lecteur que la science sociale se prête inévitable-ment aux routines de la bureaucratie et aux jeux de l'idéolo-gie, que la diversité et la confusion actuelles des sciences so-ciales en sont causes, et qu'il vaudrait mieux étaler au grand jour leurs implications politiques au lieu de les dissimuler.

3

Dans la seconde moitié du XIXe siècle, la science sociale américaine était directement liée aux mouvements de réfor-me et aux activités philanthropiques. Ce qu'on a appelé le

_____

3. Communication à la *Western Political Science Association*, 12 avril 1958.
4. *American Political Science Review* de septembre 1957.

« mouvement pour la science sociale », devenu en 1865 l' « *American Social Science Association* » avait pour ambition d' « appliquer les méthodes de la science » aux problèmes sociaux sans recourir à une tactique politique explicite. En somme, ses tenants cherchaient à transformer les *épreuves* individuelles des classes inférieures en *enjeux* de collectivités bourgeoises. Au cours des premières décennies du xxᵉ siècle, le mouvement s'éteignit. Il n'incarnait plus l'idéologie réformiste des classes moyennes radicales ; ses ambitieuses aspirations philanthropiques trouvèrent à se satisfaire dans l'assistance sociale, les œuvres de bienfaisance, le secours à l'enfance, et les réformes du régime pénitencier. Mais c'est de « l'*American Social Science Association* » que naquirent aussi les diverses associations professionnelles, et plus tard les diverses disciplines universitaires des sciences sociales.

Il s'est donc produit une scission au sein de la sociologie réformiste bourgeoise du début, qui a engendré d'une part les spécialités universitaires, et de l'autre les activités différenciées des institutions philanthropiques. Cette coupure n'eut toutefois pas pour effet de rendre les spécialités universitaires neutres sur le plan moral et antiseptiques sur le plan scientifique.

Aux Etats-Unis, le libéralisme a été le commun dénominateur politique de presque toute la sociologie, et pratiquement la seule source d'inspiration de la rhétorique et de l'idéologie collectives. On attribue cette particularité à des conditions historiques bien connues, notamment à l'absence de féodalité, et partant, d'une souche aristocratique où auraient pu germer intellectuels et élites anticapitalistes. Le libéralisme de l'économie classique, qui inspire encore d'importantes fractions de l'élite des affaires, a été sans arrêt exploité par la politique ; même dans les descriptions économiques les plus subtiles, on s'accroche à l'idée d'équilibre ou de stabilité.

De manière plus diffuse, le libéralisme a également inspiré la sociologie et la science politique. Contrairement à leurs prédécesseurs européens, les sociologues américains se sont toujours efforcés d'aborder un seul détail empirique à la fois, ou un seul problème de milieu. Autrement dit ils éparpillent volontiers leur attention. Fidèles à la « théorie démocratique du savoir » ils ont postulé que tous les faits sont égaux en principe. Ils ont en outre dit et répété qu'un seul phénomène social a nécessairement une poussière de causes infimes. Ce principe de « causalité multiple », comme on dit, se prête merveilleusement à la politique libérale du réformisme « à la petite semaine ». Et de fait, l'idée que les causes des phénomènes sociaux sont nécessairement infimes, émiettées et multiples, cadre parfaitement avec ce qu'on peut appeler l'empiricité libérale[5].

S'il est une orientation implicite dans l'histoire de la science sociale américaine, c'est sûrement le goût des recherches parcellaires, des résumés descriptifs, et l'attachement au dogme qui va de pair avec eux, la confusion pluraliste des causes. Ce sont les traits essentiels de l'empiricité libérale, en tant que style de recherche sociologique. En effet, si les « facteurs » de causalité sont innombrables, il faut montrer une grande prudence lorsqu'on se lance dans l'action concrète. On doit compter avec une multitude de détails ; aussi doit-on y aller doucement, réformer un tout petit domaine, et voir venir avant d'en réformer un autre. Mieux vaut ne pas pécher par dogmatisme et ne pas voir trop grand : il faut aborder le courant d'interactions avec l'humble conviction qu'on ne connaît pas encore, et qu'on ne connaîtra peut-être jamais, les multiples causes agissantes. En tant que sociologues des milieux, il faut prendre conscience d'une myriade de petites causes ; en tant qu'hommes pratiques, il faut faire un réformisme de milieux à la petite semaine, tantôt ici et tantôt ailleurs.

Allez-y doucement, a-t-on dit certainement, car rien n'est simple. Si nous fragmentons la société en tout petits « facteurs », il nous en faudra une bonne quantité pour rendre compte d'un phénomène, et nous ne serons jamais sûrs de ne pas en laisser échapper quelques-uns. Une reconnaissance de pure forme de la « totalité organique », plus une inaptitude à examiner les causes véritables (qui sont généralement structurelles), plus l'obligation d'analyser une seule situation à la fois, en voilà trop (ou trop peu) pour espérer comprendre la structure du *statu quo*. Par souci d'équilibre, rappelons-nous ceci :

Tout d'abord, n'est-il pas clair que le « pluralisme par principe » peut être aussi dogmatique que le « monisme par

5. Voir Mills, « The Professional Ideology of Social Pathologists », *American Journal of Sociology*, septembre 1943.

principe » » ? Ensuite, ne peut-on étudier les causes sans s'y noyer ? Et de fait, n'est-ce pas là justement ce que devraient faire les sociologues en examinant la structure sociale ? En nous consacrant à ces études, nul doute que nous nous efforcions de découvrir les causes véritables d'un phénomène, et après les avoir trouvées, de laisser entrevoir les facteurs stratégiques qui, livrés à l'action politique et administrative, donnent à l'homme une chance de faire contribuer la raison au développement des affaires humaines.

Mais dans la métaphysique « organique » de l'empiricité libérale, on mettra l'accent sur tout ce qui tend vers un équilibre harmonieux. A force de voir partout un « continuum » on passe à côté des brusques affolements et des tumultes révolutionnaires si fréquents aujourd'hui, ou du moins les considère-t-on comme des symptômes « pathologiques », comme le signe d'un « mésajustement ». Le caractère formel d'expressions innocentes comme « les mœurs » ou « la société », l'unité qu'on y sous-entend *a priori*, empêchent de voir ce qu'il y a en définitive dans une structure sociale moderne.

Comment expliquer ce caractère fragmentaire de l'empiricité libérale ? Pourquoi cette sociologie des milieux parcellaires ? La *diaspora* des départements universitaires a peut-être aidé les sciences sociales à fragmenter leurs problèmes. C'est aussi que les sociologues ont l'impression que les maîtres des anciennes sciences sociales ne voient pas la sociologie d'un très bon œil. Peut-être, à l'instar d'Auguste Comte et de certains suprêmes-théoriciens comme Talcott Parsons, les sociologues se sont-ils montrés jaloux de leur indépendance et ont-ils voulu défendre leur spécialité contre l'hégémonie des sciences économiques et des sciences politiques. Mais je ne crois pas que la mauvaise volonté des départements dans les querelles universitaires (ou bien encore l'incapacité générale) explique le bas niveau d'abstraction où se situe l'empiricité libérale, ni l'aveuglement aux problèmes de structure sociale, qui s'ensuit directement.

Or, songez donc à qui s'adressent tant d'ouvrages de sociologie ; presque tous les écrits « systématiques » ou « théoriques » sont des manuels de morceaux choisis, composés par des professeurs pour leurs élèves. Les manuels ont peut-être été particulièrement nécessaires du fait que la sociologie a conquis de haute lutte son droit de cité universitaire, comme nous le disions à l'instant. Seulement les manuels se préoccupent avant tout de présenter les faits à de jeunes intelligences, et non de les centrer autour des recherches et des découvertes du moment. Aussi rassemblent-ils mécaniquement les faits, à seule fin d'illustrer des conceptions plus ou moins académiques. Cherchant à faire entrer tant bien que mal le plus de détails possible dans leurs manuels, les auteurs n'accordent guère d'importance aux recherches qu'on pourrait exploiter à partir des idées nouvelles, ni aux effets d'osmose qui lient sans cesse les faits et les idées. Les idées anciennes et les faits nouveaux tiennent souvent plus de place que les idées nouvelles, et on sent que ces dernières restreignent dangereusement le nombre des « nouveaux classiques scolaires ». Quand des professeurs adoptent pour classique un texte nouveau, ou le rejettent, ils le jugent et formulent une estimation sur son succès.

Mais pour quels étudiants écrit-on ces livres ? Pour des jeunes gens des classes moyennes ; beaucoup d'entre eux, surtout dans le Middle-West, sortent de milieux agricoles ou du petit commerce ; demain, ce seront des cadres subalternes ou des membres des professions libérales[6]. Ecrire pour eux, c'est écrire pour un public de classes moyennes bien précis, un public sur le chemin de la promotion sociale. L'auteur et son public, le professeur et l'étudiant ont vécu la même expérience sociale. Le point de départ est le même, l'objectif est le même, et les obstacles qu'ils rencontrent en chemin sont les mêmes.

Dans la vieille sociologie empirique des milieux, les problèmes de la politique sont rarement traités d'un point de vue radical. L'empiricité libérale est volontiers apolitique et aspire à une sorte d'opportunisme démocratique. Quand ses champions abordent un domaine politique, c'est du « pathologique », et l'on parle généralement d' « antisocial » et de « corruption ». Dans d'autres contextes, le « politique » se confond avec le bon fonctionnement du *statu quo* politique, avec la justice et l'administration. On touche rarement à l'ordre politique ; on se contente d'en postuler l'existence, immobile et lointaine.

6. Sur les « professions libérales », voir *Les cols blancs*, p. 123 et note. (N.D.T.).

L'empiricité libérale convient très bien aux gens qui, à la faveur de leur position sociale, sont arrivés à connaître, non sans quelque autorité, des « cas d'espèce ». Les juges, les assistantes sociales, les aliénistes, les enseignants et les réformateurs au petit pied pensent toujours les « situations ». Ils vivent avec des œillères, et leur profession les rend inaptes à voir autre chose que des « cas d'espèce ». Leur expérience, et les points de vue d'où ils jugent la société, sont par trop identiques, par trop homogènes, pour laisser place à une émulation intellectuelle et à un esprit de polémique qui permettraient de construire la totalité. L'empiricité libérale est une sociologie des milieux à tendance moralisante.

La notion de « retard culturel » (« lag ») entre tout à fait dans le style de cette pensée « utopique » et amie du progrès. Elle laisse entendre qu'il faut changer quelque chose pour lui faire « rattraper » l'avance de la technologie. L'élément « en retard » existe dans le présent, mais ses raisons d'être appartiendraient au passé. On fait donc passer des jugements pour des affirmations sur des séquences chronologiques. Sous sa forme d'énoncé de valeur sur l'inégalité du progrès, le retard culturel se prête excellemment aux desseins des hommes du libéralisme et de l'optatif ; il leur apprend que les changements « s'imposent », et quels changements « auraient dû » se produire. Ils apprennent de lui où ils ont progressé et où ils ont manqué. La découverte du « retard » pathologique se complique du déguisement historique sous lequel on le présente, et des véritables petits programmes qu'on glisse impudemment sous des expressions faussement objectives comme le verbe « s'imposer ».

Formuler les problèmes en fonction du retard culturel, c'est dissimuler les évaluations, mais une question plus cruciale se pose : quelles ont été les évaluations auxquelles ont eu recours les gens de l'empiricité libérale ? On aime beaucoup nourrir l'idée que les « institutions » en général sont en retard sur la « technologie et la science » en général. C'est penser de manière positive la Science et le changement progressif régulier ; en somme, c'est continuer dans le style libéral le rationalisme du Siècle des Lumières ; son culte messianique, et aujourd'hui politiquement naïf, de la physique, modèle de pensée *et* d'action ; sa conception du temps-progrès. Cette notion de progrès fut introduite dans les Collèges américains par la morale écossaise, souveraine autrefois. Il y a une génération environ, et depuis la fin de la Guerre de Sécession, les classes moyennes des villes américaines se composaient d'hommes d'affaires prospères, qui s'emparaient des moyens de production *tout en acquérant* pouvoir politique et prestige social. Les premières générations de sociologues universitaires, ou bien étaient directement issues de ces couches sociales en pleine expansion, ou bien avaient partie liée avec elles. Leurs étudiants, les gens parmi lesquels ils répandaient leurs idées, ont été les produits de ces couches sociales. C'est dans les rangs de ceux qui gravissent l'échelle sociale et les degrés de la fortune que fleurit naturellement l'idée de progrès.

Les gens qui utilisent la notion de retard culturel se gardent d'examiner ce qu'il en est des groupes d'intérêts et des décisionnaires qui pourraient être en dessous des différentes « vitesses de transformation », dans les multiples secteurs de la société. On aurait lieu de dire que, par comparaison avec les vitesses de transformation dont *pourraient* être animés certains secteurs de la culture, c'est plutôt la technologie qui est « à la traîne ». C'est bel et bien ce qui se passait autour des années trente, et c'est encore ce qui se passe dans les domaines de l'équipement ménager et des transports en commun.

Contrairement aux autres sociologues, Thorstein Veblen a fait usage du mot « retard » dans un sens qui l'a conduit à une analyse structurelle, l'analyse du conflit entre « l'industrie et les affaires »[7]. Sa question était : où le « retard » se fait-il sentir ? Et il s'attachait à montrer que l'incapacité bien exercée des hommes d'affaires, réglés sur les canons des entrepreneurs[8], avait pour résultat de saboter proprement production et productivité. Il n'ignorait pas non plus le rôle du profit dans un système de propriété privée, et se souciait fort peu de l' « ouvrage mal faite ». Mais l'important, c'est qu'il mettait au jour la mécanique structurelle du « retard ». Toutefois, de nombreux sociologues utilisent encore la notion de « retard culturel », qui a perdu toute résonance politique, et

---

7. « *Lag, leak and friction* » (retard, fuite et friction).
8. Sur le sens du mot *entrepreneur*, voir *Les cols blancs*, appendice.

toute attache précise, structurelle ; ils ont généralisé cette
idée pour l'utiliser à tout propos, et toujours de manière parcellaire.

4

Soulever des problèmes pratiques, c'est se livrer à des évaluations. Très souvent, pour l'empiricité libérale, « fait problème » ce qui :

1) ne se conforme pas aux modes de vie des classes moyennes des petites villes ;

2) n'obéit pas aux principes d'ordre et de stabilité en vigueur dans les campagnes ;

3) contredit les slogans optimistes et progressistes du « retard culturel » ;

4) s'écarte des causes du « progrès social ». Mais le plus
souvent, le fin fond de l'empiricité libérale se trahit dans :

5) la notion d' « ajustement » et dans son contraire, le
« mésajustement ».

C'est une notion qui est souvent dévitalisée ; mais, non
moins souvent, elle recouvre une propagande en faveur de
la conformité aux normes et aux traits qu'on attribue à la
classe moyenne idéale des petites villes. Seulement, ces connotations morales et sociales sont étouffées par la métaphore
biologique que recèle le mot d' « adaptation » ; et de fait,
l'expression est accompagnée par des mots dénués de toute
connotation sociale, comme « existence » et « survivance ».
Grâce à une métaphore biologique, on donne au concept
d' « ajustement » un contenu explicite et universel. Mais
d'après l'usage qu'on en fait, on voit clairement qu'il donne
agrément aux moyens et aux fins qui sont ceux des petites
communautés.

L'idée d'ajustement semble convenir à un contexte social
où l'on a d'une part « la société », et de l'autre « l'immigrant
isolé ». L'immigrant doit alors « s'ajuster » à la société. Le
sociologue a eu très tôt affaire au « problème de l'immigrant », et les notions utilisées pour le formuler ont fini par
entrer dans le modèle général de formulation de tous les
« problèmes ».

D'après les cas de mésajustement il est facile de deviner qui illustre l' « ajustement parfait ».

L'homme idéal de la première génération de sociologues, et de l'empiricité libérale d'une façon générale, est un être « socialisé ». Cela signifie qu'il se situe aux antipodes éthiques de « l'égoïste ». Socialisé, il pense aux autres et se montre bienfaisant envers eux ; il ne connaît ni l'ennui ni la mélancolie ; au contraire, c'est un homme ouvert, qui « participe » avec entrain aux routines de la communauté, et l'aide à « progresser » à une vitesse réglable. Il appartient sur tous les modes à pas mal d'organismes de la communauté. Sans avoir vraiment ses entrées partout, il est tout de même très répandu ici et là. Il se plie de bonne humeur à la morale et aux mobiles traditionnels ; toujours de bonne humeur, il apporte son concours aux progrès graduels des institutions respectables. Ses pères et mère n'ont jamais divorcé ; son foyer n'a jamais été cruellement brisé. C'est un homme qui « a réussi », modestement du moins, car il a des ambitions modestes ; mais jamais il ne s'embarrasse de problèmes qui le dépassent, de crainte de donner dans le « chimérique ». En brave homme qu'il est, il n'essaie pas de décrocher la grosse galette. Certaines de ses vertus sont très générales, et nous ne savons pas au juste à quoi elles ont trait. Mais les autres sont extrêmement précises, et nous apprenons que les vertus de cet homme si bien ajusté à son petit milieu répondent aux normes qu'on attend de la classe moyenne inférieure indépendante qui, du bout des lèvres, vit en conformité avec les idéaux protestants dans les petites villes américaines.

Ce charmant univers de l'empiricité libérale a bien dû exister quelque part, sinon il aurait fallu l'inventer. Nulle équipe n'était plus apte à l'inventer que la piétaille des sociologues américains de la génération précédente, nulles conceptions ne se prêtaient mieux à cette tâche que celles de l'empiricité libérale.

Ces dernières décennies, l'ancienne empiricité s'est doublée d'une nouvelle, et même de plusieurs. Le libéralisme a cessé d'être un mouvement réformiste pour administrer les grands services d'un Etat social ; la sociologie a laissé en route ses initiatives réformistes ; son goût pour les problèmes parcellaires et pour la causalité dispersée s'est rangé au service des entreprises, de l'armée et de l'Etat. A mesure que grandissait l'importance de ces bureaucraties dans l'ordre économique, politique et militaire, le sens du mot « empirique » a changé : est « empirique » ce qui se prête aux desseins de ces grandes institutions[9].

On prendra pour exemple de la nouvelle empiricité libérale l'école des « rapports humains du travail »[10]. La « littérature » de ce style d'empiricité n'emploie pas les mêmes termes pour parler des directeurs et pour parler des ouvriers : les directeurs entrent dans les catégories « intelligents-inintelligents », « rationnels-irrationnels », « savoir-ignorance » ; au contraire, les ouvriers entrent dans les catégories « heureux-malheureux », « efficaces-inefficaces », « bon moral-mauvais moral ».

La leçon explicite et tacite à tirer de ces analyses se résume à peu près à ceci : pour que l'ouvrier soit heureux, efficace, et pour qu'il apporte tout son concours à la bonne marche de l'entreprise, il faut et il suffit que le directeur devienne intelligent, rationnel et instruit. Tient-on la formule politique des rapports humains du travail ? Si non de quoi s'agit-il ? Si oui, pratiquement parlant, cette formule n'opère-t-elle pas un transfert psychologique des problèmes que posent les rapports de production ? Elle me paraît s'inspirer de la classique « communauté d'intérêts naturelle », que menacerait aujourd'hui la précarité des rapports humains, dont témoignent également l'inintelligence des directeurs et la funeste irrationalité des ouvriers. Dans quelle mesure ne cherche-t-on pas à persuader le chef du personnel de relâcher son autorité et d'accroître la manipulation qu'il exerce sur les ouvriers, en les comprenant mieux et en sapant les mouvements spontanés de solidarité qui les dressent contre la direction, afin de

---

9. Même l'enseignement des « problèmes sociaux », l'un des grands bastions universitaires de l'empiricité libérale, a accusé la transition entre l'ancienne et la nouvelle empiricité. Les cours de « désorganisation sociale » ne sont plus ce qu'ils étaient. Les intéressés ont pris une conscience plus nette des valeurs dont ils traitent. Sur le plan politique, c'est un domaine qui est venu s'inscrire dans l'idéologie générale de l'État social et constitue l'un de ses groupes de pression critiques et l'un de ses auxiliaires administratifs.

10. Pour de plus amples détails sur la « Mayo School », voir Mills, « The Contributions of Sociology to Studies of Industrial Relations », in *Proceedings of First Annual Meeting of Industrial Relations Research Association*, Cleveland, Ohio, 1948.

lui ménager une action sans histoires et sans heurts ? Tout cela s'éclaire brutalement si l'on examine le concept de « moral ».

Dans les industries modernes, le travail s'inscrit dans une hiérarchie : il y a une norme d'autorité, et, vue d'en bas, une norme d'obéissance. Le travail est essentiellement un travail de semi-routine ; cela veut dire que, pour obtenir une meilleure productivité, on fractionne et on uniformise les gestes de l'ouvrier. Si l'on combine ces deux traits distinctifs — division hiérarchique de la structure industrielle et activité semi-routinière, il apparaît clairement que le travail industriel moderne implique une discipline : elle consiste à obéir, immédiatement et comme un seul homme, à l'autorité. On ne peut donc comprendre les problèmes du « moral » sans faire appel au *pouvoir*, ce facteur que manient si timidement les experts en rapports humains.

Puisque les usines, après tout, sont des lieux où l'on travaille et où l'on noue également des rapports humains, nous définirons le « moral », et selon des critères subjectifs, et selon des critères objectifs. *Subjectivement*, il signifierait qu'on est prêt à faire le travail que l'on vous demande, et qu'on est prêt à le faire avec bonne humeur, voire avec plaisir. *Objectivement*, il signifierait que le travail est effectivement accompli ; qu'un maximum de besogne est abattu dans le minimum de temps, avec le minimum de tracas et au prix minimum. Par conséquent, dans une usine américaine moderne, le moral implique l'obéissance joyeuse de l'ouvrier, et, du point de vue de la direction, une besogne rondement menée.

Pour bien penser ce qu'on entend par le « moral », il faut nécessairement énoncer les valeurs qu'on prend pour critères. Il y a d'abord la bonne humeur ou la satisfaction de l'ouvrier, et le pouvoir qu'on lui accorde de disposer de sa vie de labeur. Si l'on va un peu plus loin, on se souviendra d'une espèce particulière de « moral », celui de l'artisan indépendant, qui est son maître, et se sent heureux de l'être. C'est l'homme inaliéné d'Adam Smith et de Thomas Jefferson, celui que Walt Whitman appelait « l'homme en plein vent ». On n'oubliera pas non plus que l'organisation du travail, immense, hiérarchisée, a réduit à l'absurde les hypothèses qui avaient permis d'imaginer pareil homme. De fait, on peut déduire logiquement le socialisme classique du libéralisme classique en se contentant de lui ajouter ce seul facteur, le concept de moral. Il est un second type de « moral », celui qu'utilisent les notions classiques de « contrôle des ouvriers ». C'est la forme imaginée pour l'homme inaliéné dans les conditions objectives du travail collectif de grande envergure.

Par opposition à ces deux types, le « moral » de la science des rapports humains est le moral d'un ouvrier qui est sans pouvoir et néanmoins content. Certes, toutes sortes de gens appartiennent effectivement à cette catégorie, mais le fait est que, si l'on ne change pas la structure du pouvoir, aucun artisanat collectif, aucune libre disposition de soi-même ne sont possibles. Le moral que projettent les experts en rapports humains est le moral d'hommes qui sont aliénés mais se sont néanmoins conformés à des modèles de « moral » traditionnels ou télécommandés. Posant en principe que la structure existante de l'industrie est inaltérable et que les objectifs des patrons sont ceux de tout le monde, les experts en « rapports humains » n'examinent pas la structure d'autorité de l'industrie moderne ni le rôle qu'y joue l'ouvrier. Ils enferment le problème du moral dans des limites trop étroites, et cherchent par leur technique à montrer aux patrons, leurs clients, comment améliorer le moral des employés dans la structure existante du pouvoir. Leur tentative s'inspire de la manipulation. Ils voudraient laisser l'employé « se défouler », sans toucher à la structure où il est destiné à vivre sa vie d'ouvrier. Ce qu'ils ont « découvert » se résume à ceci : (1) la structure d'autorité de l'industrie moderne (« l'organisation formelle ») abrite des formations statutaires (« les organisations non formelles ») ; (2) celles-ci tiennent souvent tête à l'autorité et cherchent à protéger les travailleurs contre l'exercice de l'autorité ; (3) aussi, par souci d'efficacité, et pour prévenir les tendances qui visent à détruire « l'esprit de collaboration » (syndicats, et esprit de solidarité des travailleurs), les patrons sont invités à ne pas détruire lesdites formations, mais à s'efforcer de les exploiter à leurs propres fins (« dans le sens des objectifs collectifs de l'organisation totale ») ; et (4) pour ce faire, il faudrait les reconnaître et les étudier, afin de manipuler les ouvriers qui s'y regroupent, au lieu de les commander selon les méthodes de l'autorité. Bref, les experts en relations humaines ont exploité la tendance générale de la société moderne : la rationalisation intelligente au service de l'élite patronale[11].

6

La nouvelle empiricité modifie le visage de la sociologie — et celui des sociologues. De nouvelles institutions abritent cette empiricité illibérale : centres de relations du travail, bureaux d'études à l'université, nouvelles branches de recherche dans les entreprises, l'armée de l'air et le gouvernement. Ils ne s'occupent pas des épaves de la société, main-d'œuvre saisonnière, mauvais garçons, femmes perdues, immigrants non assimilés. Bien au contraire, ils se veulent, et ils sont effectivement les alliés des hautes couches sociales ; ils ont partie liée notamment avec les milieux éclairés de directeurs d'entreprises et de généraux aux budgets confortables. Pour la première fois dans leur histoire, les sociologues ont lié des

---

11. Il ne faudrait pas croire que les sociologues n'ont fait que du mauvais travail dans ce domaine de recherches, et que cette seule école des rapports humains du travail est représentative. Au contraire, d'excellentes choses ont été faites et d'autres sont actuellement en chantier. Citons parmi bien d'autres les travaux de Charles E. Lindblom, John T. Dunlap, William Form, Delbert Miller, Wibert Moore, V. L. Allen, Seymour Lipset, Ross Stagner, Arthur Kornhauser, William F. Whyte, Robert Dubin, Arthur M. Ross, etc.

L'une des grandes thèses sociologiques du XIXᵉ siècle, c'est qu'au cours de l'évolution du capitalisme moderne, les transformations de structure précipitent les gens dans une condition d'impuissance ; devenus des sans-pouvoir, ils projettent leur rébellion et leur esprit revendicatif sur le plan psychologique. D'où le grand mouvement du développement historique : la raison et le savoir aidant, l'ouvrier, dans un nouveau mouvement de synthèse collective, franchira le saut qui sépare l'aliénation, du moral d'un prolétariat triomphant. Karl Marx a parfaitement vu ce qu'il en était des transformations structurelles ; il s'est trompé sur leurs conséquences psychologiques, et ses conclusions tombent à côté.

Le problème théorique de la sociologie du travail, sous la forme que revêt politiquement et intellectuellement le concept de moral, est un problème d'exploration : il consiste à examiner les divers types d'aliénation et de moral que nous rencontrons au cours d'une analyse systématique de la structure du pouvoir et de ses retentissements sur la vie des travailleurs. Le problème réclame que nous déterminions dans quelle mesure les mutations psychologiques ont suivi des mutations structurelles ; et, dans chaque cas, pour quelle raison. C'est à ce prix qu'on obtiendra une sociologie du travail adaptée à notre temps.

contacts professionnels avec des pouvoirs, tant privés que publics, qui se situent bien au-dessus de l'œuvre sociale et du conseiller agricole.

Leur situation n'est plus la même : d'universitaire, elle devient bureaucratique. Leur public n'est plus le même : les mouvements réformistes laissent place aux décisionnaires. Leurs problèmes ne sont plus les mêmes : ce ne sont plus eux qui les choisissent, mais leurs nouveaux clients. Même les hommes de cabinet quittent leur révolte intellectuelle et adoptent volontiers le point de vue empirique des administrateurs. Acceptant de bon gré le *statu quo*, ils ont tendance à formuler les questions en fonction des épreuves et des enjeux auxquels les administrateurs croient se heurter. Ils étudient, nous l'avons vu, des ouvriers turbulents et sans moral, des patrons qui « n'entendent rien » à l'art de diriger les rapports humains. Ils servent également avec beaucoup de diligence les objectifs commerciaux et corporatifs de l'industrie des communications et ceux des entreprises publicitaires.

Si l'université a sécrété cette nouvelle empiricité, c'est pour faire face aux besoins accrus en techniciens d'administration, spécialisés dans les « rapports humains », et en justifications nouvelles du système de pouvoir que représentent les grandes entreprises. Cette demande de personnel et d'idéologie résulte d'un certain nombre de transformations dans la société américaine, notamment la concurrence des syndicats qui se sont mis à disputer la fidélité ouvrière, et le courant d'hostilité auquel se sont heurtées les affaires pendant la crise ; elle est due également à l'ampleur monstrueuse, à l'énorme concentration de pouvoir dont peuvent se prévaloir les entreprises modernes ; elle s'explique enfin par le développement de l'Etat social, la faveur dont il jouit dans la collectivité, et sa politique d'intervention économique. Ces transformations reflètent la mutation qui s'est produite au sein des milieux d'affaires, où le conservatisme est passé, pour ainsi dire, de « l'empiricité économique » au « savoir-faire politique ».

Les conservateurs empiriques, dont le capitalisme utopique tenait tout entier dans le *laissez-faire*, n'ont jamais convenu de la nécessité ou de l'utilité des syndicats ouvriers dans l'économie politique. A la moindre occasion, ils ont exigé leur suppression ou leur asservissement. L'objectif que faisaient valoir publiquement les conservateurs empiriques tenait dans la liberté des profits, ici et maintenant. Cette opinion brutale prévaut encore dans maints petits milieux d'affaires, surtout chez les commerçants détaillants, et parfois même dans le grand commerce. La General Motors et l'U.S. Steel, deux parmi les plus « grands », se signalent par l' « empiricité » du conservatisme qu'ils professent. Historiquement, le conservatisme empirique s'explique par le fait que les hommes d'affaires n'ont pas éprouvé le besoin d'une idéologie nouvelle ou plus savante : ce qu'ils y mettaient ressemblait par trop aux lieux communs de consommation courante et aux grandes vérités premières.

C'est seulement lorsque s'allument de nouveaux foyers de pouvoir, pas encore légitimés, incapables de se draper dans des symboles d'autorité consacrés, que le besoin d'idéologies et de justifications se fait sentir. Les conservateurs éclairés, qui ont pour trait distinctif d'utiliser des symboles libéraux à des fins conservatrices, sont apparus au début de ce siècle, à l'époque où les milieux d'affaires étaient la proie des *muckrakers* et des campagnes de presse. Ils reparurent au cœur de la Grande Dépression, et à la promulgation de la loi Wagner ; ils devinrent prépondérants pendant et après la Deuxième Guerre Mondiale.

Contrairement au commun des empiriques de la droite, les conservateurs éclairés n'ignorent rien des conditions politiques du profit, au sein d'une économie dominée par l'affrontement qui se joue entre de puissants syndicats ouvriers et de non moins puissantes coalitions d'affaires, encadrés les uns et les autres par les structures administratives de l'Etat libéral élargi. Ils savent pertinemment qu'ils ont besoin de nouveaux symboles pour justifier leur pouvoir à une époque où syndicats et gouvernement s'arrachent la fidélité des ouvriers et des citoyens.

L'intérêt qu'offre la nouvelle empiricité aux hommes d'affaires paraît suffisamment clair. Mais qu'en est-il des professeurs ? Contrairement aux hommes d'affaires, les professeurs ne s'intéressent ni à l'aspect pécuniaire ni à l'aspect administratif, ni à l'aspect politique de l'empiricité. Ces résultats représentent des moyens destinés à d'autres fins, qui ont trait, il me semble, à leurs « carrières ». Il est certain que les professeurs ne sont pas fâchés de se faire un peu d'argent grâce aux nouvelles recherches et aux consultations. Peut-être sont-ils flattés d'aider les patrons à administrer leurs entreprises avec plus de profit et moins de tracas ; peut-être cela les inspire-t-il d'élaborer de nouvelles et de meilleures' idéologies pour le compte de solides puissances d'affaires. Je n'en sais rien. Mais dans la mesure où ils restent des hommes de cabinet, leurs objectifs extra-intellectuels ne tournent pas autour de ce genre de satisfactions.

Il faut en chercher la cause dans le développement de l'emploi, qui est dû à son tour à l'extension et à la bureaucratisation des affaires et du gouvernement, comme aux nouveaux rapports institutionnels qui s'établissent entre les entreprises, les syndicats et le gouvernement. On a besoin de nouveaux experts, et les débouchés s'ouvrent au-dedans comme au-dehors de l'université. Pour répondre à ces demandes qui lui viennent de l'extérieur, les pépinières des hautes études tendent de plus en plus à former des techniciens apparemment apolitiques.

Pour ceux qui restent fidèles à l'Alma Mater, une nouvelle espèce de carrière s'offre, qui n'a rien à voir avec le professorat d'antan ; on peut l'appeler la carrière du « nouvel entrepreneur ». Cet ambitieux consultant est à même de faciliter sa carrière *dans* l'université en recherchant « extra-muros » prestige et même petits pouvoirs. Et surtout il peut installer dans l'enceinte de l'université un respectable institut de recherche et d'enseignement qui permet aux universitaires d'approcher d'authentiques hommes d'affaires. Parmi ses collègues moins aventureux, ce nouvel entrepreneur se taille souvent une place de meneur de jeu au sein des affaires de l'université.

Aux Etats-Unis, il faut avouer que les ambitions trouvent rarement à se satisfaire dans l'exercice de la profession universitaire. Son prestige n'a pas été en rapport avec le sacrifice économique qu'elle réclame fréquemment ; les salaires et le mode de vie ont souvent été misérables, et beaucoup d'intellectuels sont d'autant plus amers qu'ils se sentent bien supérieurs à ceux qui ont acquis du pouvoir et du prestige dans d'autres domaines. A ces aigris, les nouveaux horizons administratifs des sciences sociales permettent pour ainsi dire de devenir des cadres sans passer par le Doyennat.

Et pourtant on voit bien, çà et là, que, même parmi les jeunes ambitieux pressés, ces nouvelles carrières ont beau arracher les professeurs à l'ornière universitaire, elles les ont jetés dans une nouvelle insatisfaction qui ne le cède en rien à la première. En tout cas, cet état de choses les préoccupe, et les nouveaux entrepreneurs universitaires ne paraissent pas toujours bien savoir au juste quels sont leurs nouveaux objectifs ; à telle enseigne qu'ils ne sauraient dire à quoi ils reconnaissent l'avoir atteint. N'est-ce pas là le secret de leur inquiétude et de leur fébrilité ?

La communauté universitaire américaine s'est laissé gagner par la morale de l'empiricité avec laquelle elle a partie liée. Au-dedans comme au-dehors, les hommes formés par les écoles de hautes études entrent comme experts au service de machines administratives. Cela rétrécit le champ de leur attention et celui de la maigre pensée politique qu'ils pourraient nourrir. En tant que groupe, les sociologues américains se sont rarement engagés dans la politique, pour ne pas dire jamais ; le rôle de technicien n'a fait qu'encourager leur vision apolitique, réduire leur engagement (si c'est possible), et, à force de la laisser en friche, leur intelligence des problèmes politiques. C'est ce qui explique pourquoi on rencontre souvent des journalistes dont la conscience et le savoir politiques sont plus profonds que ceux des sociologues, des économistes, et même, qu'ils me pardonnent, des politistes. Le système universitaire américain ne dispense aucune éducation politique ; il enseigne rarement à juger ce qui se passe dans la lutte universelle pour le pouvoir qui se livre dans la société moderne. Les sociologues n'ont jamais entretenu de rapports avec la révolte ; il n'y a pas de presse de gauche dont la fréquentation serait riche d'enseignements pour le professeur du supérieur, et qu'il pourrait à son tour faire profiter de son expérience. Il n'y a aucun mouvement, sinon aucun métier, capable de seconder l'intellectuel engagé ou de lui apporter du prestige, et l'université de son côté n'a aucun contact avec les syndicats.

Il s'ensuit que la situation de l'intellectuel américain lui permet d'embrasser la nouvelle empiricité sans entorse idéologique et sans mauvaise conscience politique. Il serait donc ingénu et inexact de parler de « veste retournée », puisque aussi bien, pour qu'on puisse employer cette expression brutale, il faut nécessairement qu'il y ait une veste.

5

L'éthos bureaucratique

Depuis vingt-cinq ans, les mises à contribution administratives et les significations politiques de la sociologie ont changé du tout au tout. L'ancienne empiricité libérale des « problèmes sociaux » a encore cours, mais elle a été éclipsée par une exploitation néo-conservatrice, qui est inspirée par le patronat et qui relève de la manipulation. Cette nouvelle empiricité illibérale revêt toutes sortes de formes, mais c'est un courant général qui affecte l'ensemble des disciplines humaines. J'introduirai l'étude de cet ethos en citant sa rationalisation la plus haute. « Ajoutons un mot d'avertissement à l'adresse de qui se destine à la sociologie », écrit Paul Lazarsfeld.

> « ... Sans doute nourrit-il des inquiétudes au sujet des affaires de ce monde. La menace de guerre, le conflit des systèmes sociaux, la rapidité des transformations sociales qu'il a observées dans son pays — tout lui donne le sentiment que les études sociologiques sont une urgente nécessité. Il risque de croire qu'il suffira de quelques années de pratique sociologique pour résoudre tous les problèmes pendants. Il se trompe, malheureusement. Il gagnera à ses études de mieux comprendre ce qui se passe autour de lui. D'aventure il pourra trouver quelques voies d'accès vers une action sociale fructueuse. Mais la sociologie n'en est pas encore au point d'offrir *un fondement solide à la socionomie* (*social enginee-*

ring)... Les sciences de la nature durent attendre 250 ans, entre Galilée et le début de la révolution industrielle, avant d'exercer une influence appréciable sur l'histoire du monde. La recherche sociologique empirique n'a que trente ou quarante ans d'âge. Si nous attendons qu'elle résolve instantanément les grands problèmes mondiaux, si nous ne lui demandons que des résultats d'utilité immédiate, nous ne ferons que troubler le cours naturel de son évolution[1]. »

Ce qu'on a appelé ces dernières années la « nouvelle science sociale » ne désigne pas seulement l'empirisme abstrait, mais aussi l'empiricité illibérale. L'expression qualifie leur méthode et leur exploitation, et fort proprement, car la technique de l'empirisme abstrait et sa mise à contribution bureaucratique vont maintenant de pair. Or je veux montrer qu'ainsi associées, elles donnent naissance à une science sociale bureaucratique.

Dans les moindres aspects de son existence et de son influence, l'empirisme abstrait tel qu'on le pratique représente une activité « bureaucratique ». 1) A s'efforcer de normaliser et de rationaliser toutes les phases de l'enquête, les processus intellectuels de cet empirisme se bureaucratisent. 2) Ces processus sont destinés à donner aux études sur l'homme un caractère foncièrement collectif, et systématique : dans les instituts de recherche, les agences et les bureaux qui sont les fiefs de l'empirisme abstrait, par souci d'efficacité, on met sur pied des routines aussi rationalisées que celles des comptabilités d'entreprise. 3) Ces deux tendances à leur tour influent profondément sur le choix du personnel de l'école, et sur la formation d'esprit, au point de vue intellectuel comme au point de vue politique. 4) Dans les affaires (principalement dans les services auxiliaires de la publicité), dans l'armée, et de plus en plus dans les universités, la « nouvelle science sociale » sert à présent toutes les fins que sa clientèle bureaucratique peut être amenée à se proposer. Ceux qui favorisent et qui pratiquent ce style de recherche entrent promptement dans les vues de leurs clients et maîtres. Entrer dans leurs vues, c'est souvent finir par les accepter. 5) Dans la mesure où ces tentatives aboutissent aux fins qu'elles se

---

1. Paul Lazarsfeld, *op. cit.*, pp. 19-20. C'est moi qui souligne.

proposent ouvertement, elles ont pour effet d'accroître l'efficacité et la réputation (c'est-à-dire la prépondérance) des formes de domination bureaucratiques dans les sociétés modernes. Mais qu'elles réussissent ou qu'elles échouent dans le domaine des fins explicites (la preuve n'est pas faite), il reste que de toute manière, elles répandent l'ethos de la bureaucratie dans d'autres domaines de la vie culturelle, intellectuelle et morale.

1

Par une curieuse ironie, les gens les plus ardents à mettre au point des méthodes moralement antiseptiques sont précisément parmi ceux qui prennent la part la plus active à la « science sociale appliquée » et à l' « ergonomie » (*human engineering*). Etant donné que le travail de l'empirisme abstrait est dispendieux, seules de grandes institutions peuvent le pratiquer : entreprises, armée, Etat, et leurs auxiliaires, notamment la publicité, les instituts de lancement et de « relations publiques ». Il y a aussi les fondations, mais leur personnel a tendance à se plier aux nouveaux canons de l'empirisme, c'est-à-dire aux exigences de la pertinence bureaucratique. Par suite, le style s'est trouvé représenté dans des foyers institutionnels précis : depuis les années vingt, dans les agences de publicité et les agences commerciales ; depuis les années trente, dans les entreprises et les chaînes d'instituts de sondage ; depuis les années quarante, dans plusieurs instituts de recherche universitaires ; pendant la Deuxième Guerre enfin, dans les bureaux d'études du Gouvernement Fédéral. Le mouvement est en train de s'étendre à d'autres institutions, mais ce sont là ses fiefs.

Le formalisme de ces dispendieuses recherches les rend à même de fournir le genre de renseignements que réclament les clients prêts à y mettre le prix. Elles sont centrées sur des problèmes précis, permettant d'élucider les dilemmes de l'action pratique, c'est-à-dire les domaines financiers et administratifs. Il est faux de croire que c'est seulement quand on découvre des « principes généraux » que la sociologie peut se montrer « bonne conseillère pratique ». Très souvent l'administrateur a besoin de connaître certains faits ou certaines relations en détail, et il ne cherche pas à en savoir davantage. Comme les sociologues de l'empirisme abstrait n'ont cure de formuler leurs propres problèmes de fond, ils sont d'autant plus enclins à laisser les autres choisir pour eux leurs problèmes.

Le sociologue de la sociologie appliquée ne s'adresse pas au « public ». Il a ses clients attitrés, qui ont leurs intérêts et leurs problèmes. Ce remplacement du public par la clientèle mine progressivement l'idée d'objectivité-distance, qu'entretenait probablement une sensibilité à des pressions imprécises et excentriques — et que nourrissaient donc plus précisément les intérêts particuliers du chercheur, libre, à son niveau, de fragmenter, et partant, de refuser les directives.

Toutes les « écoles » peuvent influencer la carrière de l'universitaire ; « le bon travail » se définit selon les normes des différentes écoles, et le succès universitaire réclame qu'on embrasse avec ferveur les credos d'une école dominante. Tant que les écoles sont nombreuses, ou du moins multiples, notamment quand le marché de l'emploi est en pleine expansion, ce n'est pas difficile.

Rien n'interdit au praticien isolé d'entreprendre les travaux sociologiques les plus ambitieux, si ce ne sont ses propres limites. Mais ces francs-tireurs ne peuvent s'adonner à l'empirisme abstrait comme ils le voudraient, car c'est un travail qui, pour donner ses fruits, réclame un bureau d'études assez important pour fournir les matériaux nécessaires, ou plutôt, si j'ose dire, un « roulement » suffisant. Il faut un institut de recherches et beaucoup d'argent (universitairement parlant, s'entend). A mesure que le coût de la recherche s'accroît, à mesure que se constitue l'équipe de recherche, à mesure que le style de travail lui-même devient dispendieux, la division du travail est soumise à un empire collectif. L'université est en train de se métamorphoser : ce n'est plus une pairie où chacun a ses apprentis et un métier à soi ; c'est une batterie de bureaucraties de recherche, qui se répartissent le travail, et du même coup les techniciens intellectuels. Ne serait-ce que pour utiliser ces techniques avec profit, il faut codifier davantage les procédures pour les enseigner rapidement.

L'institut de recherche est aussi un centre de formation. Comme les autres instituts, il sélectionne certaines catégories d'esprit, et par le jeu des primes, il favorise l'épanouissement de certaines qualités. **Deux nouveaux venus sur la scène uni-**versitaire sont les créatures de ces instituts, conjointement avec des intellectuels et des chercheurs plus académiques.

Il y a d'abord les intellectuels administrateurs et les directeurs d'études, que tous les milieux universitaires connaissent bien. Leur réputation universitaire repose sur leur pouvoir ; ils sont membres du bureau et du conseil d'administration ; ce sont eux qui vous obtiennent une place, un voyage, une bourse d'études. C'est une nouvelle espèce de bureaucrate, des cadres supérieurs de l'intellect, des « relations publiques » spécialistes des fondations. Chez eux, comme chez les promoteurs et les cadres de tout poil, la circulaire remplace le livre. Ils vous dressent fort proprement un nouveau projet de recherches ou d'institut, et administrent la publication des « livres ». Ils déclarent travailler en « milliards d'heures-hommes de travail technique ». Pour le moment, il ne faut pas s'attendre à un savoir bien solide ; il faut d'abord toutes sortes d'enquêtes méthodologiques (enquêtes sur les méthodes et enquêtes sur les enquêtes), et ensuite toutes sortes d' « études-pilotes ». Les fondations aiment bien répandre la manne sur des projets de grande envergure, plus faciles à « administrer » que des volées de projets artisanaux, comme elles aiment à favoriser les projets Scientifiques avec un grand S (ce qui revient à dire qu'à force de les banaliser on les a rendus « inoffensifs »), car elles ne veulent pas se signaler à l'attention de la politique. Les grandes fondations encouragent donc les recherches bureaucratiques à grand déploiement sur les problèmes de petit calibre, et recrutent à cette fin des intellectuels administrateurs.

En second lieu, on a les jeunes recrues, qui seraient plutôt des conseillers techniques que des sociologues. C'est une affirmation un peu générale, mais je mesure mes mots. Pour évaluer l'importance d'une pensée sociologique, il faut toujours faire la part des guides et de la cordée, des inventeurs et des fonctionnaires, de la première génération, qui innove, et de la seconde, de la troisième, qui exécutent. Toute école, si elle réussit, a sa troupe et ses éclaireurs ; c'est même là le critère de sa « réussite ». C'est aussi la clé des conséquences intellectuelles de la réussite.

Il y a souvent une différence d'esprit entre le *servum pecus* et les pionniers. Ici, les écoles diffèrent profondément. Dans une très large mesure, les différences dépendent du type d'organisation sociale que chaque style de travail autorise ou encourage. Plusieurs des inventeurs et des administrateurs du style que nous examinons en ce moment sont des esprits profondément cultivés. Dans leur jeunesse, ils ont assimilé les grands modèles de pensée de la société occidentale ; leur expérience intellectuelle et culturelle s'est étendue sur de longues années. Ce sont des hommes cultivés, conscients de leur sensibilité et capables de continuer à se cultiver.

Mais la seconde génération, ces jeunes gens issus du pauvre milieu intellectuel des *High Schools* américaines, n'ont rien connu de tel. Généralement, ils ont mal travaillé au *College* ; du moins a-t-on lieu de penser que les instituts de recherche ne recrutent pas les plus brillants.

J'ai rarement vu l'un de ces jeunes gens buter vraiment sur une question d'ordre intellectuel. Je n'en ai jamais vu faire montre d'une curiosité passionnée pour un grand problème, de cette curiosité qui fouette l'esprit et le ferait aller n'importe où, à n'importe quel prix, qui le forcerait, s'il le fallait, à se renier pour *trouver*. Ces jeunes gens sont moins insatisfaits que méthodiques ; ils ont moins d'imagination que de patience ; ils sont avant tout dogmatiques — dans toute l'acception historique et théologique du terme. Ce n'est qu'un aspect parmi d'autres de la misère intellectuelle où croupissent d'innombrables étudiants américains, tant au *college* qu'à l'université, mais je crois qu'elle est particulièrement évidente chez les conseillers techniques de l'empirisme abstrait.

Ils veulent faire carrière dans la recherche sociologique ; ils se sont spécialisés très tôt et très étroitement, et ils n'éprouvent qu'indifférence ou mépris à l'égard de la « philosophie sociale », qui revient, d'après eux, à « écrire des livres avec d'autres livres », quand ils ne l'accusent pas de n'être que « spéculation ». A les écouter, à tenter de mesurer leur curiosité, on s'aperçoit que ce sont de tout petits esprits. Ils n'éprouvent aucun embarras devant des domaines où tant d'intellectuels avouent leur ignorance.

L'attachement envers la Méthode Scientifique dont se réclame la sociologie bureaucratique fait beaucoup pour sa propagande. La formation des chercheurs est facile ; elle leur offre une carrière d'avenir ; le recrutement est aisé. Dans un cas comme dans l'autre, des méthodes dûment codifiées, facilement accessibles aux chercheurs, assurent le succès. Chez certains pionniers, les techniques de l'empirisme favorisent une imagination qui, si elle est souvent en veilleuse, existe pourtant, on le sent bien. En parlant à ces gens-là, on s'adresse à des êtres pensants. Mais lorsqu'un jeune a passé trois ou quatre ans à faire ce genre de travail, on ne peut plus lui parler d'étudier la société moderne. Sa situation, sa carrière, son ambition et son amour-propre sont tout entiers dans cette façon de voir, dans ce vocabulaire, dans ces techniques-là. En vérité, il ne sait plus rien d'autre.

Chez certains, l'intelligence divorce d'avec la personnalité ; ce n'est plus pour eux qu'une sorte de *truc* pratique qu'ils comptent monnayer un bon prix. Ils ont perdu le sens de l'humanisme, et vivent pour des valeurs que n'inspire plus jamais le respect de la raison humaine. Voilà des techniciens ambitieux et énergiques qu'une demande avilissante et une routine pédagogique défectueuse ont rendus incapables d'acquérir l'imagination sociologique. Espérons qu'une fois un grand nombre d'entre eux parvenus au niveau correspondant à celui de professeurs adjoints, ils seront touchés par une sorte de grâce intellectuelle et ne se sentiront plus les vassaux d'empereurs sans vêtements.

Le style de l'empirisme abstrait, l'inhibition méthodologique qu'elle nourrit, le foyer de son empiricité, les qualités d'esprit que ses instituts choisissent et font fructifier — tout cela ne fait que rendre plus pressantes les questions que posent les tactiques sociales de la sociologie. Ce style bureaucratique et les institutions qui l'incarnent obéissent aux grandes tendances de la structure sociale d'aujourd'hui et aux types de pensée qui la caractérisent. Je ne pense pas qu'on puisse l'expliquer, ou même la bien comprendre, si l'on n'admet pas cette vérité. Ces mêmes courants sociaux n'affectent pas seulement les sciences sociales, mais toute la vie intellectuelle américaine, et jusqu'au rôle même que joue la raison dans les choses humaines de notre temps.

L'enjeu est clair ; si la sociologie n'est pas autonome, elle ne saurait être une entreprise à responsabilité collective. A mesure que les moyens de recherche s'accroissent et demandent davantage de crédits, ils sont peu à peu « expropriés » ; aussi cette sociologie ne peut-elle être vraiment autonome qu'à une seule condition, que les sociologues, collectivement, aient la haute main sur les moyens de recherches. Dans la mesure où le sociologue isolé laisse des bureaucraties s'immiscer dans son travail, il perd son autonomie de chercheur ; dans la mesure où la sociologie s'identifie à un travail bureaucratique, elle perd son autonomie sociale et politique. Je dis bien « dans la mesure où », car il s'agit évidemment d'une tendance, et non d'un état de fait général.

2

Si l'on veut comprendre ce qui se passe dans un secteur de recherches culturelles ou intellectuelles, il faut comprendre son contexte social immédiat. Il me faut donc dire un mot sur les coteries universitaires. Il est vrai que dans la mesure où une idée est durable et valable, une personnalité ou une coterie, quelle qu'elle soit, n'en est que le symbole provisoire. Toutefois, la question des « coteries », des « personnalités » et des « écoles » n'est pas si simple que cela ; il faut savoir qu'elles exercent une forte influence sur l'évolution des sciences sociales. Il faut en tenir compte, ne serait-ce que parce que toute activité culturelle a besoin d'être financée d'une manière ou d'une autre, et de trouver auprès d'un public, quel qu'il soit, l'adjuvant d'une critique. Ce ne sont pas seulement des jugements objectifs sur la valeur de l'activité qui appellent les crédits ou la critique, et d'ailleurs l'objectivité des jugements, comme la valeur, prêtent à discussion.

Les coteries universitaires ont pour fonction de réglementer la concurrence, mais aussi d'en fixer les normes, et de récompenser les travaux qui y répondent, à tel ou tel moment. Ce qui fait la coterie, ce sont les critères d'après lesquels on juge les hommes et on critique les œuvres. J'ai déjà montré ce qu'était « l'ethos des techniciens » de la sociologie bureaucratique, quel était leur esprit, comment ils faisaient la réputation, lançaient les modes sociologiques, et fabriquaient les critères du jugement ; je citerai simplement les moyens qu'utilise la coterie pour mener à bien ses tâches internes ; conseils d'amis aux jeunes, offres de situations et notes favorisant l'avancement ; envois de livres à des critiques favorables ; facilités de publication ; allocations de recherches ; recommandations ou intrigues destinées à assurer des situations honorifiques au sein des associations professionnelles et des comités de lecture des revues spécialisées. Dans la mesure où ces moyens sont des attributions de prestige, décisives pour une carrière universitaire, elles intéressent les espoirs économiques de l'intellectuel isolé ainsi que sa réputation professionnelle.

Il y avait un temps où la réputation universitaire était bâtie sur la publication d'ouvrages, d'études, de monographies — en somme, sur la production d'idées et de travaux savants, et sur l'opinion que s'en faisaient collègues et amateurs éclairés. S'il en a été ainsi en sociologie et dans les humanités, c'est que la compétence et l'incompétence pouvaient se contrôler, puisque dans l'université ancienne formule, il n'y avait pas de privilège de compétence. On ne sait jamais très bien si la compétence qu'on prête au président-directeur général d'une entreprise est due à ses talents personnels, ou bien aux pouvoirs et aux facilités qu'il tire de sa situation. Mais la question ne se posait pas lorsque les intellectuels, comme les professeurs de la vieille école, étaient vraiment des artisans.

Quoi qu'il en soit, le nouveau politique de l'enseignement supérieur, comme le cadre supérieur et le responsable militaire, a acquis des instruments de compétence qu'il faut soigneusement distinguer de sa vraie compétence personnelle — mais que sa réputation ne distingue nullement. Une secrétaire diplômée à plein temps, un garçon de bibliothèque, une machine à écrire électrique, un dictaphone, une ronéo, éventuellement un modeste budget de trois ou quatre mille dollars par an pour acheter des livres et des revues — voilà un petit équipement et un petit personnel qui donnent un bel air de compétence au premier intellectuel venu. Le cadre supérieur peut s'esclaffer devant ces moyens misérables ; les professeurs de *College* ne rient pas : il n'y en a pas beaucoup, même parmi les plus actifs, qui puissent compter sur de si grandes facilités. Et pourtant cet équipement est bien un instrument de compétence et de carrière, et ici le libre savoir ne vaut pas une bonne coterie. Son prestige est un atout pour obtenir les instruments, et les instruments à leur tour sont les clés de la réputation.

On comprend donc qu'on puisse se faire une réputation magnifique sans produire presque rien. D'un de ces habiles hommes, un collègue, songeant aux caprices de la postérité, disait un jour aimablement : « Vivant, ce sera le plus éminent spécialiste de sa discipline ; quinze jours après sa mort, personne ne saura plus son nom ». La cruauté du mot témoigne des affres que doivent bien souvent traverser ces politiques, en louvoyant dans les coteries universitaires.

Si plusieurs coteries sont en concurrence dans un domaine de recherche, ce sont les positions relatives des rivales qui décident de la stratégie à adopter. Les petites coteries, celles qui passent pour insignifiantes, laissent dire aux grandes que tôt ou tard, elles se retireront des affaires. Leurs membres seront ignorés, circonvenus ou éliminés, et ils disparaîtront sans postérité. Il ne faut pas oublier que la fonction essentielle des coteries consiste à former une nouvelle génération d'universitaires. Sont insignifiantes celles qui meurent sans laisser de traces. Mais s'il y a deux grandes écoles, dirigées par des hommes de pouvoir et de prestige, il s'agit alors de fusionner, de fonder un cartel. Et si une école est en butte au harcèlement (lancé par des isolés ou par des rivales) la stratégie fondamentale consiste à nier l'existence de la coterie, ou même de l'école ; c'est ici que les politiques récoltent les fruits de leurs activités.

On confond souvent à dessein ce qui profite à la coterie et ce qui entre dans le vrai travail de l'école. Chez les jeunes, cela favorise la carrière ; chez les anciens, la coterie instaure une prime à l'administration, à l'avancement, à la politique et à l'amitié. C'est chez les anciens notamment que les réputations sont ambiguës ; cette réputation, demanderont les curieux, est-elle due à la qualité intellectuelle de l'œuvre accomplie, ou à la situation de l'intéressé au sein de la coterie ?

En considérant les rapports entre coteries, on se heurte immédiatement à ceux qui parlent, non pas au nom d'une coterie, mais au nom de tout un « domaine ». Ce ne sont pas les agents exécutifs d'une firme, mais les représentants de toute une industrie. Qui aspire à jouer le rôle de politique pour tout un domaine, doit effectivement soutenir par exemple qu'il n'y a aucune réelle différence intellectuelle entre les deux grandes coteries. De fait, ménageant la chèvre et le chou, son premier souci intellectuel est de montrer qu'elles « veulent toutes les deux la même chose ». Il se fait le symbole de prestige de ce que l'une et l'autre se donnent pour spécialité, dans le temps même où il se fait le symbole de leur unité « réelle » ou virtuelle. Tirant prestige de l'une et de l'autre, il leur en confère à toutes les deux. C'est une sorte de courtier en prestige, qui distribue sa marchandise aux deux parties en présence.

Imaginez que deux écoles s'affrontent dans un certain domaine, l'une ayant nom Théorie et l'autre Recherche. Le bon politique se livre à une incessante navette entre les deux ; on le voit ici comme là, ce qui ne l'empêche pas d'être aussi entre les deux. Son prestige laisse espérer non seulement que Théorie et Recherche ne sont pas incompatibles, mais qu'elles sont « bel et bien » parties intégrantes d'un même modèle de travail sociologique. Il symbolise cet espoir mais l'espoir n'est pas fondé sur des ouvrages ou des études qu'il aurait écrits. Il se passe ceci : dans tous les ouvrages prometteurs publiés par Recherche, le politique cherche Théorie et, à l'optatif, il la trouve sans coup férir. Dans tous les ouvrages renommés de Théorie, le politique cherche Recherche, et sur un mode non moins optatif, il la découvre. Ces « trouvailles » sont de l'ordre de l'article critique étendu, où l'attribution du prestige personnel tient autant de place que l'examen des œuvres proprement dites. Quant à l'étude achevée où seraient véritablement réconciliées Recherche et Théorie, c'est seulement, comme je l'ai dit, un espoir, un symbole. En attendant, le prestige du politique ne repose sur aucune étude de ce genre, et pour tout dire, ne repose souvent sur aucune étude du tout.

Il y a quelque chose de tragique dans le rôle du politique. Ceux qui l'assument sont souvent de grands esprits ; les médiocres ne sont pas faits pour lui, quoique souvent ils l'imitent de façon purement verbale. Or le rôle que joue le politique le détourne du travail concret. Le prestige dont il s'entoure est tellement disproportionné avec ce qu'il accomplit effectivement, l'espoir qu'il fait miroiter est si magnifique, que le chemin de l' « Étude » lui est interdit, et lorsqu'il a contribué activement à la rédaction d'une étude ou d'un livre, il n'est jamais pressé de les terminer ou de les publier, même quand les autres croient qu'il a fini. Il se plaint des réunions et autres obligations dues à son rôle de politique, et en même temps il en accepte d'autres, voire il les recherche. Son rôle est à la fois cause et prétexte de son inaction. Il est lié, et ne cesse de le répéter ; mais il faut qu'il se lie toujours davantage, faute de quoi, devant lui comme devant les autres, son rôle de politique ne sera plus qu'un prétexte.

L'université n'est pas faite seulement de coteries. Il y a aussi les francs-tireurs, qui sont fort divers, et dont le travail est divers lui aussi. Aux yeux d'une coterie qui tient le haut du pavé, les francs-tireurs passent pour des alliés ou des neutres ; peut-être sont-ils « éclectiques » dans leur travail ou d'une nature « un peu sauvage ». Mais s'ils font parler d'eux, s'ils passent pour des gens méritants, utiles, estimables, les membres de la coterie cherchent à les attirer, à les guider, éventuellement à les recruter. Les simples louanges réciproques, entre membres de la coterie, ne suffisent pas.

Mais parmi les francs-tireurs, il en est qui refusent de jouer le jeu et de faire main basse sur les concessions de prestige. Les uns sont simplement des indifférents, absorbés dans leurs travaux ; d'autres manifestent une hostilité ouverte. Ce sont des esprits critiques, qui s'en prennent au travail de l'école. Si c'est possible, la coterie les enveloppera, eux et leurs travaux, dans le même mépris. Mais ce n'est une stratégie sûre et efficace que si la coterie tient vraiment le haut du pavé. En outre, pour que le geste ait grande allure, il faut que la coterie coïncide intégralement avec le champ d'études et exerce sur lui un empire sans partage. C'est rarement le cas ; un champ d'études est généralement exploité par une foule de neutres et de petits chercheurs éclectiques, ainsi que par d'autres coteries. Il y a aussi des champs d'études confédérés ; au-delà de tout cela, il existe enfin des quantités de publics et de collectivités extra-universitaires dont la curiosité ou les applaudissements disputent aux coteries la souveraineté exclusive sur le prestige, les carrières et les réputations.

Si l'on ne peut ignorer les mauvais esprits, il faut donc recourir à d'autres stratégies. Tous les moyens de pression utilisés au sein de l'école sont propres à rembarrer les ennemis extérieurs ; je n'en citerai qu'un, le compte rendu critique, instrument par excellence de l'attribution de prestige. Imaginons qu'un franc-tireur publie un livre qui fait trop de bruit pour qu'on puisse se permettre de le traiter par prétérition. Le « sale coup » à faire, c'est de confier le compte rendu à un membre éminent de la coterie, notamment à un rival intellectuel, voire à un ennemi déclaré des idées du savant, ou du moins à quelqu'un ayant partie liée avec les thèses contraires. La machination peut être plus subtile ; on confiera le compte rendu à un jeune espoir de la coterie, personnage mineur qui n'a guère publié, et dont les idées sont encore peu connues. Le procédé offre de nombreux avantages. Le jeune espoir donne ainsi un gage de loyauté, et c'est l'occasion, grâce à sa critique, de se gagner la considération d'un aîné dont l'audience est plus grande. Implicitement, on déprécie l'ouvrage en ne le confiant pas à une célébrité. Le critique, de son côté, joue sur le velours ; l'aîné, par une sorte de snobisme, ne voudra pas user du droit de réponse ; l'auteur d'un ouvrage ne répond pas aux critiques spécialisés ; cela ne se fait pas ; certaines revues savantes dissuadent systématiquement de le faire, et parfois l'interdisent. Mais même si l'auteur répond, cela ne tire pas à conséquence. Pour peu qu'on ait fait non seulement de la critique, mais des livres, on sait bien que la plus facile de toutes les activités intellectuelles est l' « éreintement » sur trois colonnes ; quel que soit le livre, il est virtuellement impossible d'y répondre dans les mêmes limites. Ce ne serait pas le cas si tous ceux qui suivent la controverse lisaient l'ouvrage soigneusement ; comme il n'en est rien, le critique peut en prendre à son aise.

Si toutefois le livre en question fait couler beaucoup d'encre tant à l'intérieur du champ d'études qu'à l'extérieur, alors il n'y a plus qu'une chose à faire : le confier à un ponte de la coterie, de préférence à un politique, qui répandra les louanges sans s'occuper de la teneur de l'ouvrage, et montrera qu'il va dans le sens des grandes lignes d'avenir que le champ d'études dans son ensemble laisse apparaître. La seule chose à éviter à tout prix, c'est de confier le compte rendu à un autre franc-tireur qui se mêlerait, primo de dire hautement et intelligiblement ce qu'il y a dans le livre, et secundo, de faire sa critique sans le moindre égard pour les écoles, les modes ou les coteries.

3

Parmi les slogans des écoles sociologiques, il en est un qui revient sans cesse : « Le but de la sociologie consiste à prédire et à régler la conduite humaine ». On entend beaucoup parler aussi d' « ergonomie » (*human engineering*), expression indéterminée qui tient lieu d'objectif clair et bien défini. Sa clarté illusoire repose sur une analogie indiscutée entre la « domestication de la nature » et la « domestication de la société ». Ceux qui ont ces expressions à la bouche ont généralement pour ambition de « transformer les études sociales en vraies sciences », et veulent faire un travail qui tourne le dos à la morale et soit résolument apolitique. En règle générale, le principe de base postule le « retard » de la sociologie sur la physique, et la nécessité de le combler. Ces slogans de technocrates tiennent lieu de philosophie politique parmi les hommes de science dont je parlais il y a un instant. Ils s'apprêtent à faire subir à la société, j'imagine, ce que les physiciens ont fait subir à la nature. Leur philosophie politique se résume à penser que, pour peu qu'on utilise pour « régler la conduite sociale », les méthodes de la Science, qui permettent à l'homme de domestiquer l'atome, les problèmes de l'humanité seraient bientôt résolus, et tout le monde connaîtrait la paix et l'abondance.

Derrière ces formules, se cachent de curieuses notions sur le pouvoir, la raison et l'histoire — toutes fort obscures et horriblement confuses. Ces formules présupposent un optimisme rationaliste et creux, qui ignore résolument les rôles que peut jouer la raison dans les affaires humaines, la nature du pouvoir et ses rapports avec le savoir, le sens de l'action morale et la place qu'y tient le savoir, la nature de l'histoire, et le simple fait que les hommes ne sont pas seulement ses créatures, mais éventuellement des créateurs, et parfois même les créateurs de l'histoire. Avant de m'attaquer à ces problèmes, et de voir comment ils retentissent sur les significations politiques des sciences sociales, je vais examiner la pierre angulaire de la philosophie des technocrates — le slogan sur la prédiction et la régulation des conduites humaines.

Parler si légèrement de prédiction et de régulation, c'est adopter le point de vue du bureaucrate, aux yeux de qui, selon l'observation de Marx, le monde est un objet de manipulation. Prenons un exemple extrême pour illustrer la chose : si un individu a entre les mains un appareil de commande aussi puissant qu'ingénieux sur une division armée stationnée dans une île perdue que nul ennemi ne menace, vous conviendrez qu'il occupe bien un poste de domination. S'il utilise pleinement ses pouvoirs et s'il a tiré des plans précis, il peut prédire, à très peu de chose près, ce que chacun de ses hommes fera à telle heure, tel jour, en telle année. Il connaît parfaitement tous les sentiments qu'ils éprouveront, car il les manipule comme des objets inertes ; il a le pouvoir de contrecarrer leurs projets, et il y a des moments où il peut se prendre pour un despote tout-puissant. S'il peut régler, il peut prédire. Il exerce son commandement sur des « régularités ».

Mais nous autres sociologues, nous n'avons pas affaire à des objets aisément manipulables, et nous ne sommes pas davantage des despotes éclairés. En tout cas, si nous formulions l'une de ces deux hypothèses, nous adopterions une position politique qui, chez des professeurs, serait pour le moins curieuse. Aucune société n'a jamais été enfermée dans les cadres rigides que je prête à ma division armée. Quant aux sociologues — Dieu merci, ce ne sont pas des généraux. Toutefois, parler tout d'un trait de « prédiction et de régulation », comme il est fréquent, c'est sous-entendre une contrainte unilatérale, dans le genre de celle qu'exerce mon général imaginaire, dont j'ai légèrement exagéré les pouvoirs, par souci de clarté.

Or je veux que ce soit bien clair, pour montrer la dimension politique de l'ethos bureaucratique. Il a été exploité par et dans des secteurs non démocratiques — instituts militaires, entreprises, agences de publicité, administrations gouvernementales. C'est dans et pour ces bureaucraties que de nombreux sociologues ont été conviés à travailler, et les problèmes sur lesquels ils se penchent sont ceux des grands commis de ces machines administratives.

L'analyse du Professeur Robert S. Lynd dans *The American Soldier* me paraît très juste :

> « Ces volumes montrent avec quelle habileté on met les sciences à contribution pour sélectionner et pour enrôler les hommes en vue de fins qu'ils ne se proposent pas de leur propre chef. On mesure clairement l'impuissance de la démocratie libérale au fait qu'elle n'emploie plus ses sciences sociales à résoudre directement ses problèmes, mais les exploite de plus en plus de manière indirecte et tangeante ; elle ramasse les miettes des entreprises privées qui cherchent à mesurer les réactions du public en vue de faire coïncider les programmes de radio et les programmes de cinéma ; ou encore, comme ici, elle est à la remorque des militaires qui cherchent le moyen de transformer un contingent terrorisé en soldats d'élite, prêts à livrer une guerre dont ils ne comprennent pas les raisons. Lorsque des fins aussi étrangères à sa nature régissent l'utilisation de la sociologie, chaque fois qu'on l'utilise, on tend à en faire l'instrument de l'asservis-

sement des masses, et par conséquent, on fait peser une menace supplémentaire sur la démocratie[2]. »

Les slogans des « ergonomistes » ont pour effet d'étendre l'utilisation de cette pensée et de ces méthodes au-delà de leur champ véritable. Quant on utilise les slogans comme expression de « ce qu'on fait », on accepte un rôle bureaucratique, lors même qu'on ne le remplit pas effectivement. Ce rôle, en somme, est très souvent vécu sur le mode du *comme si*. Adopter le point de vue technocratique, et, en tant que sociologue, s'en inspirer, c'est agir *comme si* l'on était effectivement un ergonomiste. C'est dans cette optique bureaucratique que le rôle public du sociologue est aujourd'hui fréquemment conçu. Agir sur le mode du « je-serais-ergonomiste » pourrait être amusant dans une société où l'humaine raison aurait partout acquis un droit de cité démocratique, mais ce n'est pas le cas aux Etats-Unis. La société américaine est peut-être beaucoup de choses, mais on peut dire à coup sûr que c'est une société où, de plus en plus souvent, des bureaucraties fonctionnelles et rationnelles s'immiscent dans les affaires humaines et les grandes décisions historiques. Il ne faut pas croire qu'à toutes les périodes de l'histoire, les transformations historiques échappent également à l'empire de la volonté, et s'accomplissent derrière notre dos. En tout cas, nous sommes à une époque où, de plus en plus, les transformations historiques sont à la merci des grandes décisions que prennent ou que ne prennent pas les élites mises en place par les bureaucraties. De surcroît, voilà une période et une société où, étendus et centralisés, les instruments de domination et les instruments de pouvoir s'adjoignent la complicité de la sociologie en vue de parvenir à toutes fins qu'il plaît aux détenteurs de ces moyens de lui assigner. Parler de « prédiction et de régulation » au mépris des questions qu'elles soulèvent, c'est faire abandon du peu d'autonomie politique et morale dont on puisse encore se prévaloir.

Peut-on parler de « régulation » dans une optique qui ne soit pas bureaucratique ? Certes oui. On a imaginé diverses espèces d' « autorégulation collective ». Pour en rendre comp-

2. « The Science of Inhuman Relations », *The New Republic*, du 27 août 1949.

te convenablement, il faut évoquer tous les problèmes de liberté et de rationalité, en tant qu'idées et en tant que valeurs, et aussi l'idée de « démocratie », comme type de structure sociale et comme faisceau d'espoirs politiques. La démocratie donne à ceux qui sont asservis à la loi, le pouvoir et la liberté de modifier la loi selon des règles arrêtées d'avance, et éventuellement de modifier ces règles ; mais surtout, elle accorde à la collectivité la haute main sur la mécanique structurelle de l'histoire même. C'est une idée complexe et difficile, que je reprendrai plus tard en détail. Pour l'instant je veux simplement montrer que si les sociologues, dans une société qui abrite des aspirations démocratiques, veulent réfléchir sérieusement à quoi mène un programme de prédiction et de régulation, il leur faut examiner ces problèmes avec soin.

Peut-on parler de « prédiction » dans une optique qui ne soit pas bureaucratique ? Certes oui. Les prédictions peuvent s'appuyer sur des « régularités fortuites », et non sur des contraintes. Sans domination, c'est dans les secteurs où personne d'autre n'exerce de domination non plus que nous serons singulièrement à même de prédire, dans les secteurs où les activités « volontaires » et non routinières tendent vers zéro. Le langage, par exemple, évolue et persiste « derrière notre dos ». Ces régularités se produisent peut-être aussi d'accord avec la mécanique structurelle de l'histoire. Si nous pouvons saisir ce que John Stuart Mill appelait les « *principia media* » d'une société, si nous pouvons saisir ses grandes lignes, en somme, si nous pouvons comprendre la transformation structurelle de notre époque, nous aurons peut-être une « assiette de prédiction ».

Toutefois, il ne faut pas oublier que, dans leurs milieux particuliers, les hommes sont souvent maîtres de leurs actes ; notre étude consiste en partie à déterminer dans quelle mesure ils le sont effectivement. Sachons qu'il n'y a pas seulement des généraux imaginaires, mais aussi des vrais ; qu'il existe des cadres d'entreprise et des chefs d'Etat. En outre, et on l'a souvent dit, les hommes n'étant pas des objets inertes, ils peuvent venir à connaître les prédictions dont ils sont l'objet, et tourner bride, ce qu'ils ne manquent pas de faire effectivement ; ils sont libres d'accomplir les prédictions ou de les faire mentir. On ne peut donc pour l'instant prédire exactement leurs actions. Dans la mesure où les hommes jouissent de quelque liberté, ce qu'ils feront n'est pas matière à prédictions.

Mais le problème est ici : prétendre que « le véritable objectif final de l'ergonomie », ou de la « sociologie » est de « prédire », c'est substituer un slogan de technocrate à ce qui devrait être une option morale dûment réfléchie. Voilà qu'apparaît encore le point de vue bureaucratique, au sein duquel, pour peu qu'on l'adopte jusqu'au bout, le choix moral est encore plus limité.

La bureaucratisation de la sociologie est un phénomène général ; elle finira peut-être par envahir toutes les sociétés livrées aux routines bureaucratiques. Elle va naturellement de pair avec une théorie ronflante et jésuitique, qui n'interfère pas avec la recherche administrative. Les recherches particulières, généralement statistiques, livrées sans espoir aux exploitations administratives, n'affectent en rien l'élaboration des concepts ; celle-ci à son tour n'est pour rien dans les résultats des recherches particulières, mais elle est pour beaucoup dans la légitimation du régime et celle de ses caprices. Pour le bureaucrate, le monde est un monde de faits avec qui il faut en user en s'appuyant sur des règles strictes. Pour le théoricien, le monde est un monde de concepts, qu'il convient de manipuler sans l'aide de règles bien précises, et à l'occasion sans règles du tout. La théorie, à bien des égards, contribue à la justification idéologique de l'autorité. La recherche à fins bureaucratiques contribue à donner de la présence et de l'efficacité à l'autorité, en livrant des renseignements qui intéressent de près les projets de l'autorité.

L'empirisme abstrait est exploité par la bureaucratie, tout en ayant d'évidentes portées idéologiques, utilisées parfois sans détour. La suprême-théorie, comme je l'ai dit, n'est d'aucune utilité bureaucratique directe ; sa portée politique est idéologique, et elle n'en a pas d'autre. Si ces deux styles de travaux — l'empirisme abstrait et la suprême-théorie, devaient former un « tandem » intellectuel, ou même se hisser à la première place, ils menaceraient singulièrement les espoirs intellectuels de la sociologie et l'espoir politique qu'on peut mettre dans le rôle de la raison auprès des affaires humaines — le rôle que lui prête traditionnellement la civilisation des sociétés occidentales.

6

Philosophie des sciences

La confusion qui règne dans les sciences sociales s'inscrit dans l'éternelle controverse sur la nature de la science. Maints sociologues conviendront que l'accueil reconnaissant dont ils entourent la « Science » n'est pas moins ambigu que formel. L' « empirisme scientifique » a plus d'un sens ; il n'y a pas d'interprétation académique, *ne varietur* ; les unes et les autres sont employées sans la moindre rigueur. Les professionnels tirent à hue et à dia, et l'intelligence du métier peut s'incarner dans de multiples modèles de recherche. C'est un peu pour cela que les modèles épistémologiques proposés par les philosophes des sciences de la nature connaissent une si grande faveur[1].

Reconnaissant l'existence de plusieurs styles de travail en sociologie, un chœur enthousiaste déclare qu'il « faut absolument les réconcilier ». Il arrive que ce généreux programme soit convaincant ; on nous dit qu'il faut s'employer, au cours des prochaines décennies, à marier les grandes problématiques et l'appareil théorique du XIXᵉ siècle, notamment ceux des Allemands, avec les grandes techniques de recherche du XXᵉ, notamment celles des Américains. On laisse entendre qu'à la faveur de cette grande dialectique, les sociologues

---

1. Cf. chapitre 3, section 1.

feront des pas de géant dans la formulation des conceptions et dans la rigueur méthodologique.

Philosophiquement, ce n'est pas un gros problème que de les « réconcilier »[2]. Mais la question à soulever est celle-ci : à supposer qu'on arrive à les « réconcilier » sous forme d'un grand modèle de recherche, à quoi servira-t-il dans la pratique sociologique ; permettra-t-il de mener à bien les grandes tâches qu'elle se propose ?

Oui, je crois que cette opération philosophique présente de l'intérêt pour les chercheurs. On y gagnera une meilleure prise de conscience de nos concepts, et de nos méthodes ; elle nous aidera à les rendre plus clairs. Le modèle nous prête un langage pour les formuler. Mais son emploi reste général ; aucun chercheur ne doit s'aviser de le suivre au pied de la lettre. Et surtout il faut demander à ce modèle de débrider notre imagination, de nous inspirer des procédures de travail, et non de limiter le champ de notre problématique. Limiter d'avance au nom des « Sciences de la Nature », les problèmes que nous allons aborder, me semble une réaction de pusillanimité. Bien entendu, que des chercheurs semi-spécialisés souhaitent s'enfermer dans de tels problèmes, c'est une preuve de sagesse ; mais en d'autres circonstances, ces restrictions ne riment strictement à rien.

1

L'analyste classique s'est toujours gardé des méthodes trop rigides : il a cherché à faire fructifier et à exploiter dans son travail l'imagination sociologique. Dédaignant le montage et le démontage des Concepts, il n'a eu recours aux subtilités que s'il était certain d'accroître à travers elles le champ de ses perceptions, la précision de ses références, la profondeur de son raisonnement. Ni la méthode ni les techniques ne l'ont entravé ; les voies qu'emprunte la sociologie classique sont celles où chemine l'artisan intellectuel.

Les problèmes de méthode et de théorie sont agités avec fruit à l'occasion des réflexions marginales formulées en che-

---

2. Voir par exemple la tentative un peu enjouée de « Two styles of Research in Current Social Studies », dans *Philosophy of Science*, vol. 20, N° 4, octobre 1953, pp. 266-275.

min, soit au cours du travail, soit au moment de l'entreprendre. Faire de la « méthode », c'est avant tout s'efforcer de soulever et de résoudre des questions, en s'assurant que les réponses ont quelque permanence. Faire de la « théorie », c'est avant tout surveiller étroitement les mots qu'on emploie, eu égard notamment à leur degré de généralité et à leurs relations logiques. On cherche par là et la clarté de l'idée, et l'économie des moyens, et enfin, et surtout, l'élan plutôt que le renfermement de l'imagination sociologique.

Dominer la « méthode » et la « théorie », c'est être un penseur réfléchi, un travailleur parfaitement conscient des tenants et des aboutissants de son matériau. Etre dominé par la « méthode » et par la « théorie », c'est être empêché de travailler, c'est-à-dire de découvrir un nouveau rouage dans la machine du monde. Quand on ne sait pas comment se pratique le métier, l'étude donne des résultats débiles ; quand on n'est pas fermement résolu à tirer de l'étude tous ses fruits, la méthode n'est jamais que poudre aux yeux.

Pour les sociologues classiques, ni la méthode, ni la théorie n'existent *in abstracto* ; toute méthode est méthode de problèmes précis ; toute théorie est théorie de phénomènes précis. C'est un peu comme la langue du pays : la *moindre des choses* est de la parler, mais qui ne la parle pas s'expose à la honte et aux mésaventures.

Au travail, le sociologue doit à tout instant avoir une conscience aiguë de son problème. Il faut d'abord qu'il sache à fond, et très solidement, où en sont les recherches dans le champ d'études où il opère. Il va sans dire aussi que le travail est d'autant plus fécond que les diverses études qu'il entreprend appartiennent à un domaine similaire. Enfin, le travail ne donne pas tous ses fruits s'il constitue l'unique spécialité d'un chercheur, et à fortiori d'un jeune sociologue, qui fait ses premières armes, ou qui a travaillé uniquement dans un style particulier.

Quand on laisse les études de côté pour un temps de réflexion théorique ou méthodologique, cela nous aide surtout à reformuler nos problèmes. C'est pourquoi, peut-être, tout praticien doit être à lui-même son propre méthodologiste et son propre théoricien, ce qui revient à dire qu'il doit être un artisan intellectuel. L'artisan a toujours quelque chose à apprendre d'une codification exhaustive des méthodes, mais cela ne peut lui donner que des lumières assez générales. Aussi les programmes de méthodologie « à-tout-casser », n'ont guère de chances de faire avancer la science sociale. On n'arrive à rien en brusquant les choses, et si les méthodes compilées n'entretiennent pas de liens très étroits avec la pratique des études, le chercheur ne peut laisser la main à l'intelligence du vrai problème, ni à la passion de résoudre, qualités actuellement en voie de disparition.

On n'a de chances de faire progresser les méthodes qu'en opérant de menues généralisations à partir de l'ouvrage actuellement sur le métier. Aussi convient-il d'entretenir, tant au niveau de la pratique individuelle qu'au niveau de l'économie de notre discipline, un état d'osmose extrêmement intime entre les méthodes et l'ouvrage en cours. Il ne faut accorder d'intérêt aux controverses générales de méthodologie que dans la stricte mesure où elles ont des retentissements immédiats sur le travail concret. Ces controverses sont monnaie courante parmi les sociologues, et je montrerai, dans l'appendice, comment en user.

Les énoncés de méthodes et les discussions auxquelles ils donnent lieu, les *distinguo* de la théorie et ses sous-*distinguo*, en dépit de leur côté excitant et parfois de leur attrait, ne sont, les uns et les autres, que de belles promesses. Les énoncés de méthodes se font forts de nous enseigner de meilleurs procédés d'étude, étude de quelque chose ou étude de n'importe quoi. Les spéculations théoriques, systématiques ou non, se targuent de nous apprendre à *distinguer* et dans ce que nous apercevrons, et dans ce que nous élaborerons à partir de là, au moment d'interpréter. Mais ni la théorie ni les méthodes ne font partie du travail concret des études sociales. Il faudrait dire qu'elles lui tournent le dos : ce sont, l'une comme l'autre, des démissions de politique devant les problèmes de la sociologie. Généralement, elles s'appuient sur un grand modèle de recherche, avec lequel on cloue le bec au voisin. Il y a peu de chose à en tirer ? Qu'importe, puisqu'on peut toujours l'exploiter sur le mode cérémoniel. Le modèle s'inspire fréquemment d'une philosophie des sciences de la nature, et presque toujours d'une glose philosophique sur le physique, passablement surannée. Ce petit jeu, et d'autres du même goût, ne mènent pas tant à des travaux complémentaires qu'à cette espèce d'agnosticisme scientifique dont Max

Horkheimer a écrit : « La phobie des conclusions hâtives et des généralisations fumeuses ne va jamais, à moins d'être dûment circonscrite, sans opposer une manière de tabou à la formulation de toute pensée. Si la moindre idée doit être mise en quarantaine en attendant d'être abondamment prouvée, les voies fondamentales nous sont à jamais interdites, et il faudrait ne jamais s'élever au-dessus du symptôme »[3].

Les jeunes sont des proies faciles, on l'a souvent remarqué, mais n'est-il pas étonnant de voir les vétérans de la sociologie se laisser ébranler par les prétentions de la philosophie des sciences ? Je citerai une conversation imaginaire entre un économiste suisse et un économiste anglais, qui illustre parfaitement la place que la perspective classique assigne à la méthode ; par la sagesse et l'enseignement qu'on peut y puiser, on est loin des proclamations fracassantes de certains sociologues américains. « Beaucoup d'auteurs prennent instinctivement ces problèmes par le bon bout. Mais à étudier la méthodologie, ils prennent conscience des pièges et des dangers qui les attendent au tournant. Total, ils perdent leur doigté, et ils s'égarent, ou se fourvoient sur de fausses pistes. Ces hommes-là sont guéris de la méthodologie »[4].

Nos mots d'ordre devraient être les suivants :

Que chacun fasse sa propre méthodologie !
Méthodologistes ! au travail !

Sans prendre ces mots d'ordre au pied de la lettre, en tant que sociologues praticiens, il faut nous défendre, et compte tenu de l'ardeur insolite (et bien peu intellectuelle) que manifestent certains collègues, on voudra bien nous passer nos propres excès de langage.

2

L'empirisme-au-jour-le-jour du bon sens est tout plein d'hypothèses et de stéréotypes sur telle ou telle société car

---

3. *Tensions That Cause Wars*, présenté par Hadley Cantril, Urbana, Illinois, University of Illinois Press, 1950, p. 297.

4. W. A. Johr et H. W. Singer, *The Role of the Economist as Official Adviser*, Londres, George Allen et Unwin, 1955, pp. 3-4. Ce livre est un modèle de discussion méthodologique en sciences sociales. Il a été écrit sous forme d'un dialogue entre deux hommes de métier chevronnés.

c'est le bon sens qui décide de ce qu'on voit et de l'explication à donner. Si vous essayez d'échapper à cet état de choses par le canal de l'empirisme abstrait, vous aboutirez au niveau microscopique ou infra-historique, et vous vous efforcerez d'amonceler lentement les détails abstraits sur lesquels vous travaillez. En revanche, si vous cherchez le salut dans la suprême-théorie, vous purgerez les concepts de travail de toute espèce d'attache empirique claire et actuelle, et, si vous n'y prenez pas garde, dans l'univers ultra-historique que vous bâtissez pierre à pierre, vous êtes voué à la solitude absolue.

Un concept est une idée à contenu empirique. Si l'idée est trop grande pour son contenu, vous menacez de tomber dans le piège de la suprême-théorie ; si le contenu phagocyte l'idée, vous glissez vers les abîmes de l'empirisme abstrait. Il s'agit ici de ce qu'on appelle volontiers « la nécessité des indices », et c'est l'une des grandes difficultés techniques auxquelles se heurte aujourd'hui le travail sociologique. Toutes les écoles le savent. L'empirisme abstrait résout fréquemment le problème des indices en éliminant le champ et les significations de ce qu'il prétend indexer. La suprême-théorie esquive le problème ; elle se contente de poursuivre imperturbablement l'élaboration des concepts à l'aide d'autres concepts d'égale pureté.

Ce que les empiristes abstraits appellent les « données » empiriques constitue une saisie très abstraite des univers sociaux de tous les jours. Ils travaillent volontiers sur un niveau d'âge chez l'un des deux sexes, au sein d'une catégorie de revenus, dans des villes de moyenne importance. Cela fait quatre variables, et c'est plus que beaucoup d'empiristes abstraits n'en mettent dans n'importe lequel de leurs instantanés. Ils en oublient une cinquième : les sujets étudiés vivent aux Etats-Unis. Mais en tant que « donnée », elle ne fait pas partie des variables microscopiques, précises, abstraites, qui constituent l'univers empirique de l'empirisme abstrait. Pour y faire entrer les « Etats-Unis », il faudrait nourrir au préalable une conception de la structure sociale, et sans doute également, se faire une idée moins rigide de l'empirisme.

L'activité classique (appelée quelquefois, dans ce contexte, *macro*scopique) se situe à mi-chemin entre l'empirisme abstrait et la suprême-théorie. Elle opère elle aussi une abstraction à partir du matériel observé dans les milieux de tous les jours, mais son abstraction aboutit aux structures sociales et aux structures historiques. C'est au niveau du réel de l'histoire que les problèmes classiques ont été formulés et résolus, c'est-à-dire en fonction de structures historiques et de structures sociales précises.

Cette activité n'est pas moins empirique que celle de l'empirisme abstrait ; elle l'est souvent davantage, et épouse de plus près l'univers des significations et des expériences de tous les jours. C'est bien simple : l'analyse de la structure sociale nazie que nous a donnée Franz Neumann est au moins aussi « empirique » et « systématique » que le compte rendu de Samuel Stouffer sur le moral du soldat matricule 10079 ; l'analyse du mandarin chinois par Max Weber, l'étude d'Eugene Staley sur les pays sous-développés, celles de Barrington Moore sur la Russie Soviétique, ne sont pas moins empiriques que les sondages d'opinions de Paul Lazarsfeld dans le comté d'Erié ou la petite ville d'Elmira.

En outre, ce sont les travaux classiques qui ont donné naissance aux *idées* utilisées au niveau infra-historique comme au niveau ultra-historique. Essayez de citer une seule idée féconde, une seule conception sur l'homme, sur la société, sur leurs rapports, qu'on puisse mettre au compte de l'empirisme abstrait ou de la suprême-théorie. Pour ce qui est des idées, l'une et l'autre sont des parasites, qui se nourrissent du suc de la tradition sociologique classique.

3

Le problème de la vérification empirique consiste à chercher les moyens d' « en venir aux faits » sans s'y noyer ; à ancrer fermement les idées au milieu des faits, sans envoyer les idées par le fond. Le problème c'est d'abord *que* vérifier, ensuite *comment* vérifier.

Dans la suprême-théorie, la vérification est tout bonnement déductive ; ni l'objet, ni la procédure de la vérification ne paraissent poser pour l'instant de problème bien clair.

Dans l'empirisme abstrait, l'objet de la vérification ne semble pas soulever de problème crucial. La procédure, elle, est directement fournie par les termes dans lesquels sont posés les problèmes ; ceux-ci se ramènent à des procédures de corrélations et de statistiques. De fait, on s'occupe exclusivement de l'exigence dogmatique de la vérification, ce qui limite, et parfois même circonscrit les concepts utilisés et les problèmes abordés par les praticiens de ce style microscopique.

Dans l'activité classique, l'objet de la vérification est important, parfois plus important que la procédure. Les idées sont élaborées en relation étroite avec une batterie de problèmes de fond ; on choisit les objets à vérifier d'après une règle de ce genre : s'efforcer de vérifier les composantes de l'idée élaborée qui paraissent receler le plus grand nombre de déductions pertinentes. Ce sont les composantes « cardinales » (*pivotal*) : si *tel élément* est de telle nature, il s'ensuit que tel autre, puis tel autre, puis tel autre, sont aussi de telle nature. Si tel élément n'est pas de telle nature, il s'ensuit une autre série de déductions. C'est l'économie du travail qui explique en partie cette procédure : la vérification empirique, les preuves, la documentation, la détermination des faits, demandent beaucoup de temps et sont souvent très ennuyeux. Par conséquent, on tire de ce travail tout ce qu'il peut donner.

L'artisan classique ne trace pas *un* grand projet d'étude empirique. La tactique consiste à laisser s'établir, et même à favoriser une circulation à double sens, entre les conceptions macroscopiques et les études de détail. Aussi conçoit-il son ouvrage comme une série de menues études empiriques (y compris, s'il le faut, du travail microscopique et statistique), dont chacune apparaît « cardinale » pour telle ou telle facette de la solution recherchée. La solution est confirmée, modifiée, ou réfutée, selon les résultats de ces études empiriques.

Aux yeux du praticien classique, le mode de vérification des propositions, des affirmations et des faits hypothétiques n'offre pas tant de difficultés que le prétendent les travailleurs du microscopique. Il vérifie une affirmation en donnant un compte rendu détaillé de tout le matériel empirique ayant quelque rapport avec elle ; et, je le répète, si nous avons pris soin de choisir et de manipuler ainsi nos conceptions en tenant compte de nos problèmes, il nous est souvent loisible de conduire notre étude de détail sous la forme abstraite et précise d'une enquête statistique. Quant aux autres problèmes et aux autres conceptions, notre vérification est identique à celle de l'historien ; c'est le problème des preuves. Certes, on n'est jamais sûr de rien ; on fait souvent de la « devinette », mais les devinettes n'ont pas toutes autant de chances d'être vraies. La science sociale classique peut se prévaloir, entre autres choses, d'avoir fait en sorte que les grandes devinettes tombent juste.

La vérification consiste à convaincre la raison, la nôtre, et aussi celle des autres. Mais pour cela il faut respecter les règles du jeu, et en particulier consentir à présenter son travail de telle manière qu'il puisse à chaque moment être contrôlé par les autres. Il y a cent façons de procéder ; mais il y faut toujours apporter le soin scrupuleux du détail, l'habitude de la limpidité, le scepticisme à l'égard des faits rapportés, l'insatiable curiosité devant leurs sens possibles, et devant les retentissements qu'ils peuvent provoquer sur les autres faits, les autres notions. Il faut de l'ordre et du système. En somme, il faut pratiquer, sans faiblesse ni répit, la morale intellectuelle. Si elle fait défaut, il ne sert de rien d'avoir la technique, ni d'avoir la méthode.

4

Tout travail, tout choix d'études et de méthodes, en sociologie, suppose une « théorie du progrès scientifique ». Tout progrès scientifique est cumulatif ; il n'est pas l'œuvre d'un homme, mais d'une quantité de gens, qui révisent, qui critiquent, qui ajoutent et qui élaguent. Pour faire date, il faut associer son travail à ce qui a été fait et à ce qui se fait. Il le faut pour dialoguer, il le faut pour l' « objectivité ». Il faut annoncer ce qu'on a obtenu, de telle sorte que les autres vérifient.

La tactique des empiristes abstraits est toute personnelle, et pleine d'optimisme : accumulons les études microscopiques ; sans hâte et minutieusement, miette à miette, comme des fourmis, nous « construirons la science ».

La tactique des suprêmes-théoriciens paraît être celle-ci : un jour, quelque part, nous viendrons au contact du datum empirique ; ce jour-là nous serons fin prêts pour le manipuler « systématiquement » ; alors nous saurons ce que c'est que soumettre logiquement une théorie systématique au contrôle scientifique de la vérification empirique.

Ceux qui s'inscrivent dans la ligne classique ne se laissent pas bercer dans l'idée que l'accumulation des études microscopiques donnera forcément une sociologie « adulte ». Ils n'entendent pas que ces travaux serviront d'autres fins que celles du moment. Ils refusent la théorie du meccano (ou des ouvrières à la tapisserie). Ils ne croient pas qu'un Newton ou un Darwin viendront un jour rassembler les morceaux. Ils ne croient pas davantage que l'œuvre de Newton ou de Darwin a consisté à « assembler » des faits microscopiques, de l'ordre de ceux qu'entasse la micro-sociologie d'aujourd'hui. Le praticien classique refuse en outre de penser, à l'instar des suprêmes-théoriciens, qu'en temps voulu, l'élaboration et la distinction judicieuses des concepts répondront systématiquement au datum expérientiel. Rien ne laisse supposer que ces constructions spéculatives seront jamais autre chose que ce qu'elles sont.

La sociologie classique ni ne se construit sur le microscopique, ni ne se « déduit » du conceptuel. Les praticiens s'efforcent, dans le même moment, de construire et de déduire, d'une seule et même démarche, et ils y parviennent au prix d'une juste formulation, d'une juste *reformulation* des problèmes et des solutions. Cette tactique n'est possible — je me répète, mais c'est là le point crucial — que si l'on attaque les problèmes de fond au niveau de la réalité historique ; que si l'on pose les problèmes dans des termes adéquats ; que si enfin, au terme de chaque étude, et si haut qu'on ait suivi la théorie, si bas qu'on se soit penché pour quérir le détail, on énonce la solution au niveau macroscopique du problème. Le praticien classique se concentre sur les problèmes de fond. La nature de ces problèmes limite et suggère méthodes et conceptions, et la manière dont on les utilise. La polémique entre « méthodologie » et « théorie » n'est à aucun moment isolée des problèmes de fond.

5

Qu'il le sache ou non, l'homme aligne ses problèmes sur les méthodes, les théories et les valeurs ; c'est en fonction d'elles qu'il les formule, et qu'il les hiérarchise.

Et pourtant il faut reconnaître que certains sociologues seraient en peine de dire sur quoi ils alignent leurs problèmes. Ils n'ont pas besoin de règle, pour la bonne raison qu'ils ne déterminent pas eux-mêmes les problèmes sur lesquels ils travaillent. Les uns se laissent guider par les épreuves immédiates que rencontrent les hommes dans leurs milieux de tous les jours ; les autres suivent les directives officielles ou officieuses des groupes d'autorité ou des groupes d'intérêt. Là-dessus, nos collègues soviétiques et européens savent à quoi s'en tenir, contrairement à nous, qui n'avons presque jamais vécu sous l'emprise d'un dirigisme culturel et intellectuel. Ce qui ne veut pas dire que l'Occident, et à fortiori l'Amérique, ignorent cet état de choses. L'orientation politique et surtout l'orientation commerciale des problèmes soumis aux sociologues peuvent résulter de leur concours volontaire, parfois empressé.

Chez les vieux sociologues de l'empiricité libérale, on ne décollait pas assez des épreuves ; les valeurs en fonction desquelles on décelait les problèmes n'étaient pas suffisamment élucidées ; et on n'a jamais établi les conditions structurelles qui eussent permis de les actualiser ; on ne les a jamais abordées de front. Les travaux s'enlisaient dans les faits crus ; les chercheurs ne disposaient pas de techniques intellectuelles qui eussent permis de les digérer et de les classer ; et ils en sont venus à nourrir l'idée échevelée du pluralisme des causes. Du moins, adoptées ou non, les valeurs postulées par l'empiricité libérale ont été accueillies à bras ouverts par le libéralisme administratif de l'Etat social.

Dans la sociologie bureaucratique, dont l'empirisme abstrait est l'instrument le plus à main, escorté de la suprême-théorie, où la théorie brille par son absence, toute l'entreprise sociologique est à la remorque des autorités régnantes. Ni la vieille empiricité libérale, ni la sociologie bureaucratique ne se saisissent des épreuves personnelles et des enjeux collectifs de manière à les faire entrer dans la problématique de la sociologie. Dans ces écoles (et d'ailleurs dans toute école de sociologie) il ne faut pas songer à dissocier la nature intellectuelle de l'exploitation politique ; c'est leur exploitation politique aussi bien que leur nature intellectuelle et leur organisation universitaire qui leur ont valu la situation qu'elles occupent aujourd'hui en sociologie.

Dans la tradition classique, on s'efforce de formuler les problèmes de telle sorte que leur énoncé enveloppe une batterie de milieux spécifiques et les épreuves personnelles qu'y traversent divers individus ; ces milieux à leur tour sont situés dans les structures sociales et historiques qui les recouvrent.

Il ne faut pas songer à poser convenablement un problème sans la claire formulation des valeurs qu'ils impliquent et des menaces apparentes qu'elles encourent. Les valeurs et le péril constituent les termes mêmes du problème. Les valeurs qui ont nourri l'analyse classique sont, je crois, la liberté et la raison ; les forces qui les menacent à l'heure actuelle paraissent coïncider avec les grandes tendances de la société contemporaine, et même constituer bel et bien les caractéristiques de la période. Les problèmes cruciaux de la sociologie actuelle ont ceci de commun qu'ils ont tous trait à des conditions, à des tendances, dont il apparaît que ces deux valeurs ont tout à redouter, et aux conséquences dont ce péril menace la nature de l'homme et la marche de l'histoire.

Mon propos n'est pas tant de m'attarder sur une problématique particulière, fût-ce la mienne, que de faire sentir aux sociologues qu'il faut à tout prix réfléchir aux problèmes concrets impliqués dans leurs travaux et dans leurs projets. C'est dans cette mesure seulement qu'ils peuvent envisager leurs problèmes et leurs alternatives de manière explicite et rigoureuse. L'objectivité est à ce prix. L'objectivité du sociologue réclame en effet qu'il s'efforce à tous les instants de prendre conscience de ce qu'il jette dans l'entreprise ; elle réclame que ces tentatives fassent l'objet de généreux dialogues critiques. Ni les modèles dogmatiques de la méthode scientifique, ni les proclamations fracassantes de la Problématique des Sciences Sociales ne permettront aux sociologues de faire progresser leur spécialité de manière féconde et cumulative.

La formulation des problèmes doit faire place aux enjeux collectifs comme aux épreuves personnelles ; et ils doivent permettre de chercher les relations de causes à effets qui unissent les milieux et la structure sociale. En formulant les problèmes, il faut faire apparaître clairement les valeurs réellement menacées à l'occasion des épreuves et des enjeux, montrer qui les vit comme valeurs, et qui, ou quoi, les menace. Tout se complique du fait que les valeurs effectivement menacées ne sont pas toujours celles qu'individus et collectivités croient en danger, ou du moins ce ne sont pas les seules. Il faut donc poser les questions suivantes : quelles sont les valeurs que les agents croient en danger ? Par qui ou par quoi estiment-ils qu'elles sont menacées ? S'ils venaient à savoir quelles sont les valeurs réellement menacées, en seraient-ils troublés ? Il faut absolument faire entrer dans nos formulations ces valeurs, ces sentiments, ces craintes et ces raisonnements, car ce sont ces croyances et ces prévisions-là, tissées d'erreurs et d'imprécisions, qui forment le vif des épreuves et des enjeux. De surcroît, dans la mesure où le problème comporte une réponse, celle-ci se vérifie en partie à l'explication qu'elle fournit aux épreuves et aux enjeux vécus.

Le « problème fondamental », ainsi que sa réponse, réclament qu'on s'intéresse à la fois au malaise qui émane des « profondeurs » de la biographie, et à l'indifférence qui émane de la structure même d'une société historique. En choisissant et en formulant les problèmes, il faut d'abord traduire l'indifférence en enjeux et le malaise en épreuves ; ensuite, il faut accueillir épreuves et enjeux dans l'énoncé de notre problème. Au cours de ces deux opérations, il faut s'efforcer d'énoncer le plus simplement et le plus clairement possible, les diverses valeurs et les diverses menaces impliquées, et de les relier entre elles.

Toute réponse « juste » devra montrer les points stratégiques d'intervention, les « clés » qui permettent de perpétuer ou de modifier la structure ; elle devra en outre inventorier les gens qui pourraient intervenir, et qui s'en abstiennent. La formulation des problèmes implique bien d'autres choses, et j'en ai simplement indiqué les grandes lignes.

7

L'humaine diversité

Après avoir abondamment critiqué plusieurs tendances dominantes de la sociologie, je me tourne vers les idées plus positives et même vers les programmes que recèle le grand espoir sociologique. Certes, la science sociale est en proie à la confusion ; mais ce n'est pas tout que de se lamenter, il faut tirer parti de cette confusion. La science sociale est mal en point : raison de plus pour émettre un diagnostic et, peut-être, pour espérer convalescence.

1

L'objet de la sociologie, c'est proprement l'humaine diversité, où entrent tous les univers sociaux au sein desquels les hommes ont vécu, vivent et pourraient vivre. On y trouve des communautés primitives qui, pour autant qu'on sache, n'ont presque pas changé depuis mille ans ; on y trouve aussi des grandes puissances, qui ont pour ainsi dire surgi comme des volcans. L'empire byzantin et l'Europe, la Chine classique et la Rome antique, la ville de Los Angeles et l'empire de l'ancien Pérou, tous les univers que l'homme a connus sont aujourd'hui devant nos yeux, livrés à notre curiosité. On y trouve des villages en rase campagne, des groupes de pression, des bandes de jeunes délinquants, et des grais-seurs Navajos ; des bombardiers prêts à s'en aller vider leurs soutes sur des agglomérations de cent kilomètres ; des agents de police aux carrefours ; des salons et des auditoires ; des mafias ; des foules qui se pressent, le soir, le long des artères et des places publiques, à travers les villes des cinq conti-nents ; des enfants Hopi et des marchands d'esclaves en Ara-bie, des partis politiques allemands, des classes sociales polo-naises, des écoles Mennonites, des fous du Thibet, et des chaî-nes de radio qui couvrent toute la surface de la terre. Souches raciales et groupes ethniques se coudoient dans les cinémas, sont soigneusement isolés par la ségrégation ; ils se marient entre eux ou se détestent ; entreprises, industries, gouverne-ments et localités abritent des milliers d'occupations, à tra-vers des nations vastes comme des continents. Des millions de petites transactions s'opèrent tous les jours, et les « petits groupes » pullulent dans tous les coins, plus nombreux que les grains de sable au bord de la mer.

L'humaine diversité, c'est aussi la diversité des créatures humaines ; elles aussi, l'imagination sociologique doit les em-brasser et les comprendre. Le Brahmine indien de 1850 y cô-toie le pionnier de l'Illinois, le gentleman anglais du XVIIIᵉ siècle, l'indigène australien, le paysan chinois d'il y a un siècle, l'homme politique bolivien contemporain, le che-valier féodal français, la suffragette qui fait la grève de la faim en 1914, la starlette de Hollywood, le patricien romain. Ecrire sur « l'homme » c'est écrire sur tous ces hommes, sur toutes ces femmes-là, sans oublier Gœthe ni la voisine du coin.

Le sociologue s'efforce de comprendre l'humaine diver-sité de manière méthodique, mais la diversité est si ample et si profonde qu'on peut se demander si c'est possible : la confusion des sciences sociales n'est-elle pas déjà dans leur objet ? Je répondrai que la diversité n'est peut-être pas aussi anarchique qu'on l'imaginerait à la lecture d'une énumé-ration fragmentaire ; pas aussi anarchique que se plaît à le montrer la sociologie des Colleges et des universités. L'ordre et le désordre sont affaire de point de vue ; la compréhension méthodique des hommes et des sociétés exige un jeu de points de vue assez simple pour laisser place à la compréhension, et en même temps assez complet pour inclure les étendues et les profondeurs de l'humaine diversité. C'est pour conquérir ces points de vue que la sociologie livre son combat le plus décisif et le plus harassant.

Tout point de vue repose sur une batterie de questions, et les grandes questions sociologiques (évoquées au chapitre 1) s'imposent facilement à l'esprit qui conçoit la sociologie comme l'étude par excellence de la biographie, de l'histoire, et des problèmes de leur croisement au sein de la structure sociale. Pour étudier ces problèmes, pour concevoir l'existence de l'humaine diversité, il faut évidemment que nos travaux ne quittent jamais le plan de la réalité historique, et de ce qu'elle représente pour les hommes et les femmes de chair et d'os. Notre objectif consiste à circonscrire cette réalité et à dégager ces significations ; c'est en fonction d'elles que la sociologie classique formule ses problèmes, et que les épreuves et les enjeux qu'ils recouvrent sont effectivement abordés. Pour ce faire, nous devons nous efforcer de saisir d'un point de vue comparatif les structures sociales qui ont émergé çà et là dans le monde, et qui ont actuellement une existence historique. Nous devons choisir et étudier les milieux restreints en fonction de structures historiques à grand point. Nous devons refuser les spécialisations arbitraires des départements universitaires, régler notre spécialisation au gré du sujet, et surtout au gré du problème ; enfin, ce faisant, puiser dans les vues et dans les idées, dans la documentation et dans les méthodes de toutes les sciences humaines qui octroient à l'homme le rôle d'acteur historique.

Les sociologues ont surtout été attirés par les institutions politico-économiques, mais les institutions militaires, familiales, religieuses et pédagogiques n'ont pas été dédaignées. La classification des fonctions objectives remplies par les institutions est généralement d'une simplicité illusoire, mais elle est commode. Si nous comprenons comment les ordres institutionnels sont liés les uns aux autres, nous comprenons du même coup la structure d'une société. Car, dans l'acception courante, la « structure sociale » n'est autre que la combinaison des institutions classées selon leurs fonctions. Ainsi conçue, c'est l'unité de travail la plus riche que puissent manipuler les sociologues. Leur objectif le plus large consiste donc à comprendre chacune des diverses structures sociales, dans leurs éléments et dans leur totalité. L'expression de « struc-

137

ture sociale » est définie de toutes sortes de manières, et d'autres mots désignent le même concept, mais si l'on se souvient de la distinction entre milieu et structure, et si l'on garde à l'esprit la notion d'institution, on ne saurait manquer de reconnaître l'idée de structure sociale quand on la rencontre.

2

A notre époque, les structures sociales sont généralement coiffées par un Etat politique. Dans le cadre du pouvoir, et à bien d'autres égards, l'unité significative de structure sociale la plus riche se trouve être l'état-nation. L'état-nation est aujourd'hui la forme par excellence de l'histoire du monde, et il pèse de tout son poids sur la vie des hommes. L'état-nation a morcelé et organisé sous toutes sortes de formes les « civilisations » et les continents du monde. Son extension et les phases de son développement sont les grandes clés de l'histoire moderne, et, actuellement, de l'histoire du monde. Au sein de l'état-nation, les instruments de décision et de pouvoir sont organisés dans le domaine politique, et dans le domaine militaire aussi bien que dans les secteurs culturel et économique ; toutes les institutions et tous les milieux spécifiques où la plupart des hommes vivent leur vie privée et leur vie publique sont organisés sous forme d'un état-nation.

Les sociologues n'étudient pas seulement les structures sociales nationales. Simplement, l'état-nation est le cadre privilégié dans les limites duquel ils éprouvent le besoin de formuler les problèmes des petites et des grandes unités. Les autres sont classées comme unités « prénationales » ou « postnationales ». Car les unités nationales peuvent très bien « appartenir » à l'une des « civilisations », ce qui revient généralement à dire que leurs institutions religieuses sont celles de l'une des « religions du monde ». Ces faits de « civilisation », ainsi que bien d'autres, peuvent servir à rapprocher les divers états-nations. Mais sous la plume d'auteurs comme Arnold Toynbee, il me semble que les « civilisations » sont beaucoup trop envahissantes, beaucoup trop imprécises pour tenir lieu d'unités premières, de « champs d'étude intelligibles » des sciences sociales.

En adoptant la structure sociale nationale comme unité

significative de travail, on se place à un bon niveau de généralité. Elle nous permet en effet de ne pas lâcher nos problèmes, et de faire place aux forces structurelles à l'œuvre dans les épreuves et les moindres aspects de la conduite humaine aujourd'hui. De surcroît, ce choix nous permet d'aborder très facilement les grands enjeux collectifs, car c'est au sein des états-nations, et entre eux, que les instruments effectifs de pouvoir, et partant les instruments de l'historiogenèse, sont aujourd'hui étroitement organisés, pour le meilleur ou pour le pire.

Il est vrai que tous les états-nations n'ont pas le même pouvoir de créativité historique. Certains sont si petits et tellement tributaires des autres, qu'il faut étudier les Grandes Puissances pour comprendre ce qui s'y passe. C'est simplement un autre problème au sein de la classification utile de nos unités, les nations, et de leur étude nécessairement comparative. Il est vrai aussi que tous les état-nations agissent les uns sur les autres, et que certains agglomérats sont issus de la même famille de traditions. Mais c'est le cas de n'importe quelle unité conséquente que nous pourrions choisir. En outre, depuis la Première Guerre, tous les états-nations qui en ont été capables sont devenus indépendants.

La plupart des économistes et des politistes prennent l'état-nation comme unité de base ; même lorsqu'ils envisagent l' « économie internationale » et les « relations internationales », ils ne perdent jamais de vue les divers états-nations particuliers. Les anthropologues étudient évidemment l' « ensemble » d'une société ou d'une culture, et lorsqu'ils abordent les sociétés modernes, ils s'efforcent, avec plus ou moins de succès, de saisir les nations comme ensembles. Mais les sociologues, ou plus précisément les conseillers techniques de la sociologie, qui n'ont pas un sens très rigoureux du concept de structure sociale, trouvent souvent que la nation est une unité démesurée. C'est leur préférence pour les « faisceaux d'éléments » qui le leur fait dire, car seules les unités restreintes permettent de les constituer à moindres frais : ils ne choisissent pas les unités significatives en fonction des exigences de leurs problèmes ; problème et unité significative sont tous deux circonscrits par le choix méthodologique.

En un sens, ce livre tout entier a pour but de dénoncer ce parti-pris. Je crois qu'il est très difficile, lorsqu'on s'attaque sérieusement à un problème important, de le formuler en fonction d'une unité plus restreinte que celle d'état-nation. C'est aussi vrai des problèmes de stratification que des problèmes de politique économique, des études d'opinion publique que des études sur la nature du pouvoir politique, sur le travail et les loisirs ; il n'est pas jusqu'aux problèmes d'administration municipale qui ne doivent se référer au contexte national. L'unité d'état-nation a donc fait ses preuves ; quiconque a l'expérience des problèmes de sociologie en a éprouvé les garanties empiriques.

3

L'idée de structure sociale, et sa promotion au rang d'unité générique des sciences sociales, sont historiquement liées à la sociologie ; les sociologues ont été ses champions. L'objet traditionnel de la sociologie et de l'anthropologie a toujours été la société totale, ou, comme disent les anthropologues, la « culture ». Est « sociologique » par excellence, l'effort incessant pour rattacher la moindre parcelle de la totalité aux autres parcelles, afin d'élaborer une conception d'ensemble. L'imagination sociologique est en grande partie le résultat de cette gymnastique. Mais, de nos jours, les sociologues et les anthropologues n'ont plus le monopole de cette notion ni de cette pratique : ce qui naguère encore poignait dans ces deux disciplines, est devenu maintenant une intention, et aussi une pratique parfois hésitante, qui s'est répandue dans toutes les sciences sociales.

Dans sa tradition classique comme dans ses directives nouvelles, l'anthropologie culturelle ne me paraît pas foncièrement différente de la recherche sociologique. A l'époque où les sociétés contemporaines étaient encore un domaine pratiquement inexploré, les anthropologues devaient, dans des lieux impossibles, aller quérir des renseignements sur les peuples sans écriture. Les autres sciences humaines, histoire, démographie, science politique, ont de tout temps eu accès à des documents conservés par des sociétés possédant l'écriture. Et c'est en quoi elles se distinguaient. Mais, de nos jours, les « exposés empiriques » sont monnaie courante dans toutes les sciences humaines, et ce sont plus précisément les psychologues et les sociologues, en cheville avec les sociétés historiques, qui ont lancé le mouvement. Depuis peu, les anthropo-

logues se sont penchés sur des communautés évoluées, et
même sur des états-nations très éloignés ; inversement, sociologues et économistes se sont intéressés aux « peuples em-
bryonnaires ». Aujourd'hui ni l'objet ni la méthode ne dis-
tinguent plus l'anthropologie des sciences économiques et de
la sociologie.

Les sciences économiques et les sciences politiques se sont
penchées sur des secteurs institutionnels particuliers de la
structure sociale. Les économistes, et pour une moindre part
les politistes, ont élaboré, sur l' « économie » et sur l' « état »,
des « théories classiques » dont se sont nourries des générations de spécialistes. En somme, ils ont construit des modèles,
avec cette réserve que politistes et sociologues, contrairement
aux économistes, construisaient sans le savoir. La spéculation
classique consiste à formuler des conceptions et des hypothèses, d'où l'on tire des déductions et des généralisations ;
celles-ci à leur tour sont confrontées à diverses propositions
empiriques. Au cours de ces opérations, les conceptions, les
procédures et même les questions sont codifiées au moins de
manière implicite.

Fort bien ; cependant deux directions se dessinent d'ores
et déjà en économie et se dessineront tôt ou tard en sociologie, qui tendent à dévaloriser les modèles formels d'Etat et
d'économie aux frontières régulières, c'est-à-dire formelles et
mutuellement incompatibles. Il s'agit (1) du développement
économico-politique des secteurs dits sous-développés, et
(2) des formes de l' « économie politique » propres au
xx° siècle : tendance totalitaire et tendance de la démocratie
formelle. Les séquelles de la Seconde Guerre Mondiale ont été
à la fois desséchantes et enrichissantes pour les bons théoriciens de l'économie politique, et en définitive, pour tous les
sociologues dignes de ce nom.

Une « théorie des prix » qui se veut exclusivement économique peut être logiquement impeccable, mais elle ne peut
pas être empiriquement vraie. Il faut tenir compte de l'administration des maisons de commerce, et du rôle qu'y jouent,
entre elles et au-dedans, les décisionnaires ; il faut tenir compte de la psychologie des prévisions du prix de revient, notamment en ce qui concerne les salaires ; il faut tenir compte de
la fixation des prix décidés par les cartels des petits commerçants, dont il faut comprendre les responsables, et ainsi de
suite. Pour recourir à un autre exemple, on ne peut compren-

dre le « taux d'intérêt » que si l'on connaît bien les transactions officielles ou personnelles entre les banquiers et les fonctionnaires du gouvernement, outre la mécanique impersonnelle de l'économie.

Pour cela, il n'y a qu'une chose à faire ; il faut que chaque spécialiste rejoigne le concert des sciences humaines et se fasse comparatiste, et de cela on peut attendre beaucoup. Le comparatisme, théorique et empirique, est aujourd'hui la grande voie d'avenir ; et c'est un travail qui ne donnera ses fruits qu'au sein d'une science sociale unifiée.

4

A mesure qu'une science sociale accomplit des progrès, elle noue des liens plus étroits avec les autres. L'objet des sciences économiques redevient ce qu'il était à l'origine : « l'économie politique », qui s'inscrit de plus en plus dans la structure sociale. Un économiste comme John Galbraith n'est pas moins politiste qu'un Robert Dahl ou un David Truman ; ses recherches sur la structure du capitalisme américain tiennent autant de la théorie sociologique et de l'économie politique que les idées de Schumpeter sur le capitalisme et la démocratie, ou que la politique de groupe d'un Earl Latham. Harold D. Lasswell, David Riesman ou Gabriel Almond sont aussi bien sociologues ou psychologues que politistes. Ils sont à cheval sur les sciences humaines, comme tous les autres ; dans la mesure où un homme s'approprie l'un des champs d'études, il est contraint de chasser sur les fiefs des voisins, c'est-à-dire dans l'orbe de tous les chercheurs classiques. Il faut avouer qu'ils se spécialisent dans un ordre institutionnel particulier, mais dans la mesure où ils en perçoivent l'essentiel, ils sont amenés à délimiter la place qu'il occupe dans l'ensemble de la structure sociale, et par conséquent à voir quels rapports il entretient avec les autres. Car on commence à voir clairement que pratiquement ces rapports déterminent tous ses niveaux de réalité.

Il ne faudrait pas croire que, mis en présence de la grande diversité de leur objet, les spécialistes se sont partagé le travail méthodiquement. Tout d'abord, les disciplines se sont développées chacune de leur côté, stimulées par des besoins et des conditions qui leur étaient propres ; aucun plan d'ensemble n'a été tracé. Ensuite, on n'est pas toujours d'accord sur les rapports qu'elles doivent entretenir, ni le degré de spécialisation qu'elles doivent se proposer. Mais heureusement, ces dissensions ne constituent plus aujourd'hui de véritables pierres d'achoppement intellectuelles ; ce sont des passes d'armes universitaires, et d'ailleurs, même à ce niveau-là, les choses sont sur le point de se tasser.

Le grand phénomène intellectuel d'aujourd'hui, c'est l'assouplissement des frontières ; les concepts passent beaucoup mieux d'une discipline à l'autre. Certains spécialistes ont fait de fulgurantes carrières en assimilant le vocabulaire de l'une et en l'utilisant adroitement dans un autre secteur. Il y aura toujours des spécialisations, mais elles ne coïncideront pas toujours avec les disciplines arbitraires que nous connaissons. Elles devront apparaître dans le sillage des problèmes dont la solution exige l'appareil intellectuel qu'elles possèdent traditionnellement à elles toutes. De plus en plus, les divers spécialistes utilisent des concepts et des méthodes similaires.

Toutes les sciences sociales ont pris forme sous l'effet d'un travail interne, de nature intellectuelle ; mais elles ont subi aussi l'influence décisive des contingences universitaires, à preuve la tournure différente que chacune a prise dans les grandes nations occidentales. La tolérance ou l'indifférence dont ont fait preuve les disciplines établies, notamment la philosophie, l'histoire et les lettres, n'ont pas été sans influencer la sociologie, les sciences économiques, l'anthropologie, la science politique et la psychologie. A tel point que dans certains établissements d'enseignement supérieur, cette tolérance ou cette intolérance ont directement provoqué l'absence ou la présence des départements de sciences sociales. A Oxford et à Cambridge, par exemple, il n'y a pas d' « Instituts de Sociologie ».

A trop respecter les cloisonnements universitaires, on risque aussi de prendre les institutions politiques, économiques et autres, pour des systèmes autonomes. Certes, j'ai montré que cette hypothèse avait permis, et permet encore de construire des « modèles analytiques » qui sont extrêmement précieux. Généralisés, et figés dans les cloisonnements scolaires, les modèles classiques de « constitution politique » et de « régime économique » collent sans doute assez bien à la structure du XIXᵉ siècle naissant, en Grande-Bretagne et surtout aux Etats-Unis. De fait, il convient d'interpréter les sciences économiques et les sciences politiques en fonction du moment de l'histoire occidentale où les ordres institutionnels passaient pour des royaumes indépendants. Mais il est clair que le modèle de société où tous les ordres institutionnels sont autonomes n'est pas le seul sur lequel on puisse travailler. Nous ne pouvons le prendre comme base de la division du travail intellectuel. Cette conviction est l'un des ferments de l'unité des sciences sociales. Dès maintenant, les plans de cours et les projets d'études s'attachent activement à amalgamer les sciences politiques et les sciences économiques, l'anthropologie culturelle et l'histoire, la sociologie et les têtes de pont de la psychologie.

Les problèmes intellectuels que pose l'unification des sciences sociales concernent essentiellement les rapports entre les ordres institutionnels, le politique et l'économique, le militaire et le religieux, le familial et le pédagogique, à des périodes et dans des sociétés données ; ce sont des problèmes importants. Les difficultés pratiques que posent les rapports de travail entre les sciences sociales concernent les programmes et les carrières universitaires, les confusions terminologiques et les débouchés qui s'offrent traditionnellement aux diplômés dans tous les champs d'études. L'un des grands obstacles à l'unité, c'est le manuel de morceaux choisis d'initiation, toujours conçu pour une seule discipline. C'est presque toujours au niveau des manuels de morceaux choisis que survient l'intégration ou le cloisonnement ; ils ne pourraient tomber plus mal. Pourtant les grossistes ont tout intérêt à les sortir, même si les auteurs et les consommateurs en font les frais. De plus, l'intégration s'accomplit davantage au niveau des conceptions et des méthodes qu'au niveau du problème et des objets. En conséquence, l'idée de « cloisonnement » se fonde moins sur de solides problématiques que sur des concepts en carton-pâte. Toutefois ces concepts offrent un sérieux obstacle et je ne sais si on en viendra jamais à bout. Il y a tout de même un petit espoir, je le crois, de voir certaines tendances structurelles forcer dans leurs retranchements, au sein même des disciplines universitaires, les obstinés qui restent prisonniers de leur spécialisation.

En attendant, beaucoup d'isolés ont compris que « dans leurs disciplines », ils donneront le meilleur d'eux-mêmes s'ils reconnaissent explicitement la convergence des sciences sociales. Le praticien isolé peut très bien, à l'heure actuelle, faire abstraction des contingences universitaires, et sans se soucier des départements, choisir sa spécialité, et lui donner la tournure qu'il lui plaît. S'il a l'intelligence des problèmes et la passion de résoudre, il devra, de gré ou de force, se familiariser avec des idées et des méthodes qui auront fleuri dans d'autres disciplines. Il ne peut, sans formuler une absurdité intellectuelle, admettre qu'au sein des sciences sociales, une spécialité constitue un univers isolé. Il finira par comprendre également qu'il n'est pas l'homme d'une science sociale, mais celui de la science sociale, et ce, quel que soit le secteur sociologique qu'il lui plaît d'étudier.

On affirme souvent qu'on ne peut faire preuve d'encyclopédisme sans tomber dans l'amateurisme. Je ne le crois pas, mais après tout, si c'est vrai, est-ce à dire qu'il n'y a rien à tirer de l'encyclopédisme ? Il est impossible en vérité d'embrasser les matériaux, les conceptions, les méthodes de toutes ces disciplines. En outre, les tentatives d'« intégration » fondées sur les « traductions conceptuelles » ou les exposés descriptifs détaillés, ne sont que pures plaisanteries ; il en va de même des cours de « science sociale générale ». Mais aussi bien cette érudition, ces traductions, ces exposés, ces cours, n'ont-ils rien à voir avec « l'unité des sciences sociales ».

Le sens de cette expression est le suivant : pour poser et pour résoudre les grands problèmes de notre temps, nous avons besoin de matériaux, de conceptions et de méthodes qu'une seule discipline ne suffit pas à nous fournir. Il est inutile de « posséder sa spécialité », de se retrouver dans ses instruments de recherche et dans ses perspectives pour les employer à élucider les problèmes. C'est à la demande de ces problèmes mêmes que la spécialisation doit se faire, et non pas en fonction de cloisonnements universitaires. Et voilà, il me semble, qui est en train de s'accomplir.

8

Le rôle de l'histoire

La science sociale examine les problèmes de biographie et d'histoire, et leurs croisements au sein des structures sociales. Toutes trois — biographie, histoire, société — constituent les points coordonnés d'une bonne étude de l'homme ; c'est au nom de ce principe que j'ai déjà contesté plusieurs écoles de sociologie actuelles, dont les tenants ont renié cette tradition classique. Il est impossible de poser convenablement les problèmes de notre temps, et notamment celui de la nature de l'homme, si l'on perd de vue que l'histoire est le nerf de la science sociale, et si l'on refuse d'honorer le principe selon lequel il faut perfectionner une psychologie de l'homme qui soit fondée sur la sociologie et en accord avec l'histoire. S'il est coupé de l'histoire, et s'il n'aborde pas les choses de la psychologie avec un esprit historique, le sociologue n'est pas en mesure de poser convenablement les problèmes qui doivent aujourd'hui orienter ses recherches.

1

L'histoire est-elle ou non une science sociale ? Vieux problème qui n'offre aucun intérêt, et dont l'importance est minime. Tout dépend, c'est bien évident, de quels historiens et de quels sociologues on parle. Certains historiens compilent les faits présumés en se défendant de les interpréter ; ils se cantonnent, d'ailleurs avec fruit, dans l'étude d'une période de temps limitée, et semblent refuser de la replacer dans un contexte. D'autres travaillent au-delà de l'histoire, s'abîment dans des visions ultra-historiques non moins fructueuses, et prédisent la gloire ou l'apocalypse. Certes, l'histoire est une discipline qui encourage la recherche du détail ; mais elle n'invite pas moins le spécialiste à élargir sa vision, pour y faire entrer certains grands événements cardinaux de l'évolution des structures sociales.

Le plus grand nombre travaillent à « authentifier les faits » qui leur sont nécessaires pour comprendre l'évolution historique des institutions sociales, ensuite à interpréter ces faits par le truchement du récit. En outre, il n'est pas rare que certains s'approprient sans hésiter tel ou tel champ de vie sociale. Ainsi donc ils marchent sur les brisées de la sociologie, tout en pouvant fort bien, comme les autres sociologues, se spécialiser dans l'histoire politique, dans l'histoire économique ou dans l'histoire des idées. Dans la mesure où les historiens étudient des types d'institutions, ils mettent facilement l'accent sur les transformations à long terme, et s'abstiennent de faire du comparatisme ; les sociologues au contraire sont plus volontiers comparatistes qu'historiens dans ce domaine-là. Mais c'est une simple différence d'orientation et de spécialisation, et il s'agit bien d'une seule et même recherche commune.

A l'heure qu'il est, beaucoup d'historiens américains subissent l'influence des conceptions, des problèmes et de méthodes qui sont à l'honneur dans les sciences sociales. Comme l'ont avancé récemment Barzun et Graff, « les spécialistes des sciences sociales ne cessent d'insister auprès des historiens pour qu'ils modernisent leur technique », parce qu'eux-mêmes « n'ont pas le temps d'étudier l'histoire », et « ne reconnaissent pas leur propre documentation lorsqu'on la présente sous une forme différente »[1].

Un travail historique, quel qu'il soit, pose plus de problèmes de méthode que bien des historiens n'en rêvent. Mais

1. Jacques Barzu et Henri Graff, *The Modern Researcher*, New York, Harcourt Brace, 1957, p. 221.

aujourd'hui, si d'aucuns rêvent, c'est moins de méthode que d'épistémologie — et ce rêve ne saurait aboutir qu'à un oubli de la réalité historique. L'influence de certaines « sciences sociales » sur l'historien est souvent désastreuse, mais encore trop limitée pour qu'on s'y attarde ici.

La tâche par excellence de l'historien consiste à veiller à la rectitude du procès-verbal humain. Mais la simplicité de cet énoncé est trompeuse... L'historien incarne la mémoire organisée de l'humanité, et cette mémoire, en tant qu'histoire écrite, est prodigieusement malléable. Elle s'altère, d'une génération d'historiens à l'autre. Si encore ces changements étaient dus seulement à de nouveaux approfondissements, à l'apport ultérieur de faits inédits et de documentation nouvelle ! Mais ce sont aussi les centres d'intérêt qui se déplacent, le cadre d'actualité, à l'intérieur duquel s'écrit le procès-verbal, qui se modifie. Ce sont là les critères qui permettent d'opérer une sélection parmi les innombrables faits dont dispose l'historien, et en même temps, leurs interprétations majeures. L'historien est forcé d'opérer une sélection bien qu'il essaie de la désavouer en observant une grande discrétion et une grande prudence d'interprétation. Ce n'est pas George Orwell qui nous a appris comme on réforme aisément l'histoire à force de la récrire, mais il reste que 1984 l'a fait comprendre de façon dramatique, et qu'il a semé une belle panique (espérons-le du moins) chez certains de nos collègues historiens.

Tous ces périls où s'aventure l'historien font de sa discipline l'une des plus théoriques qui soient, et la sereine inconscience avec laquelle beaucoup l'abordent n'en est que plus impressionnante. Impressionnante certes, mais inquiétante aussi. Il y a eu des temps, j'imagine, où les perspectives étaient rigides et monolithiques, et où les historiens pouvaient ignorer les thèmes admis. Telle n'est pas notre époque ; si les historiens n'ont pas de « théorie », ils peuvent fournir des matériaux pour écrire l'histoire, mais ils ne peuvent l'écrire de leurs propres mains. Ils peuvent alimenter le procès-verbal, mais ils ne sauraient veiller à sa rectitude. Cette tâche réclame qu'on s'attache explicitement à quelque chose de bien plus fondamental que des « faits ».

On peut considérer les travaux des historiens comme un immense dossier indispensable à toute science sociale. Je crois que c'est une opinion à la fois exacte et fructueuse. On voit aussi dans l'histoire une discipline qui coifferait toute la science sociale — c'est l'opinion de quelques « humanistes » fourvoyés. Je ne défendrai aucune de ces deux idées, mais la suivante, qui est fort simple : toutes les sciences sociales — ou mieux, toutes celles qui sont bien pensées, réclament un champ conceptuel historique et l'ample utilisation de la documentation historique.

Examinons tout de suite une objection courante : les sociologues, dit-on, ne devraient pas utiliser cette documentation. Elle est trop imprécise, trop mal connue, pour concurrencer les autres documentations disponibles aujourd'hui, plus exactes et mieux assises. C'est mettre le doigt sur un irritant problème de recherche sociologique, mais l'objection ne fait mouche qu'à condition de limiter le champ d'information. Or, je l'ai déjà dit : ce sont les exigences du problème, et non pas les restrictions d'une méthode intransigeante qui retiennent (et doivent retenir) l'attention principale du sociologue classique. En outre l'objection ne vaut que pour certains problèmes, et on peut la retourner : il arrive souvent, lorsqu'un problème se pose, qu'on ne puisse obtenir d'informations suffisantes *que sur le passé*. Quand il s'agit de mesurer la certitude des informations qui concernent le passé, et de celles qui concernent le présent, il faut bien tenir compte de certaines données contemporaines : secret officiel et privé, extension des « relations publiques ». En somme l'objection n'est qu'un aspect de l'inhibition méthodologique, et souvent aussi un aspect de l'agnosticisme professé par la passivité politique.

2

Mais voici un problème plus important, et d'ailleurs fort discuté : les sciences sociales seraient elles-mêmes des disciplines historiques. Pour remplir leur tâche, ou même les énoncer convenablement, les sociologues devraient nécessairement utiliser la documentation historique. A moins de poser en principe la nature ultra-historique de l'histoire, ou la nature de l'homme en société comme entité non historique, il n'est pas de science sociale dont on puisse dire qu'elle transcende l'histoire. Toute sociologie qui se respecte est « historique », ou, selon l'excellente formule de Paul Sweezy, une tentative d'écriture du « présent comme histoire ». Plusieurs raisons expliquent cette relation intime entre l'histoire et la sociologie :

A) Ne serait-ce que pour formuler *ce qui va être expliqué*, nous n'avons pas trop de toute la documentation que seule nous fournira la connaissance historique des différentes formes de société. Si une question donnée (soit les rapports entre les formes de nationalisme et les types de militarisme) reçoit des réponses différentes selon les lieux et les époques, c'est souvent que la question a besoin d'être posée en d'autres termes. C'est la diversité du document historique qui nous permet de poser comme il faut la question sociologique ; quant à la réponse, elle l'influence beaucoup moins. Les réponses et les explications fournies sont souvent, pour ne pas dire toujours, de forme comparative. Les comparaisons permettent de comprendre les conditions fondamentales de la moindre enquête : criminalités, familles, communautés paysannes, fermes collectives. Il faut tout observer dans des contextes très variés au risque de nous condamner à une plate description.

Pour y échapper, il faut étudier le *champ* des structures sociales dont on dispose, celles du passé comme celles du présent. Si l'on fait abstraction de ce champ (qui n'englobe pas la totalité des cas existants), nos énoncés n'auront aucune rigueur empirique. S'il existe des régularités ou des relations communes à plusieurs traits d'une société, on les distingue mal. En un mot, les types historiques jouent un très grand rôle dans notre étude, et nos explications ne peuvent s'en passer non plus. Bannir de nos recherches cette documentation — les antécédents de l'homme, ses actes et son devenir — reviendrait à étudier le phénomène de la naissance en omettant celui de la maternité.

Si on se borne à étudier une seule nation dans une seule société contemporaine (généralement une société occidentale), il ne faut pas compter mettre le doigt sur des différences fondamentales entre les types humains et entre les institutions sociales. Vérité générale qui signifie pour le travail sociologique une chose bien précise ; si l'on opère une coupe synchronique dans une société donnée, les dénominateurs communs de croyance, de valeurs, d'institutions, risquent d'être si nombreux, qu'en dépit de toute la précision et de toute la minutie de notre étude, nous serons incapables de dégager des différences notables parmi les gens et les institutions, à ce moment-là, et dans cette société-là. De fait, les études synchroniques étroitement localisées supposent ou impliquent souvent une homogénéité qui, si elle est réelle, *doit nécessairement faire problème*. Il n'est pas question de la réduire, comme le font trop souvent les chercheurs, à une simple question d'échantillonnage. Et elle ne saurait faire problème si l'on reste dans les limites de l'unité de temps et de l'unité de lieu.

Les sociétés n'ont pas toutes la même amplitude de variations phénoménales internes, ni, d'une façon plus générale, le même degré d'homogénéité sociale. Comme l'a remarqué Morris Ginsberg, « si des variations individuelles suffisantes se manifestent au sein d'une société dont nous étudions un aspect, ou bien au cours d'une même période de temps, il est possible d'établir des rapports réels sans nous aventurer hors de ladite société ou de ladite période »[2]. C'est souvent vrai, mais d'ordinaire, on ne peut pas l'affirmer à coup sûr ; pour savoir si c'est vrai ou non, il faut souvent bâtir notre étude sur une comparaison entre structures sociales. Or, si on veut le faire correctement, il faut puiser dans les richesses de l'histoire. On ne saurait poser convenablement le problème de l'homogénéité sociale (que ce soit dans la société de masse moderne ou bien dans la société traditionnelle), et *a fortiori* le résoudre, si nous ne procédons à une sociologie historique comparée.

C'est un travail indispensable à l'élucidation de certains thèmes-clés des sciences politiques, par exemple ceux de « public » et d' « opinion publique ». Si l'on n'élargit pas le champ de son étude, on risque d'aboutir à des résultats aussi erronés que superficiels. Ainsi, personne ne songerait à nier qu'au sein des sociétés occidentales, l'indifférence politique est une tendance fondamentale de la scène contemporaine. Et pourtant, dans les études de « psychologie électorale » résolument non comparatives et non historiques, on chercherait en vain, sous la rubrique « électeurs » ou « hommes politiques », une classification qui fasse un sort à cette indifférence. C'est que l'idée d'indifférence politique, avec sa spécificité historique, et *a fortiori* sa signification, sont impossi-

---

2. Morris Ginsberg, *Essays in Sociology and Social Philosophy*, vol. II, p. 39, Londres, Heinemann, 1956.

bles à formuler dans le contexte habituel de ces études. Autre chose est l'indifférence politique chez des paysans du monde préindustriel, autre chose chez l'homme contemporain, membre d'une société de masse. Pour commencer, les institutions politiques de ces deux sociétés ne modifient pas les conditions de vie et le mode de vie respectifs dans la même proportion — tant s'en faut. Secundo, les contingences formelles de l'engagement politique ne sont pas les mêmes. Enfin, si la carrière de la démocratie bourgeoise dans l'Occident moderne a pu laisser espérer l'engagement politique, il n'en a pas toujours été ainsi dans l'âge préindustriel. Pour comprendre « l'indifférence politique », pour l'expliquer, pour en saisir le sens dans les sociétés modernes, il est indispensable d'examiner les différents types d'indifférence et leurs conditions ; pour ce faire, il faut dépouiller la documentation comparative et la documentation historique.

B) Les études a-historiques sont généralement des études de milieux restreints ; elles sont statiques ou à court terme. Il faut s'y attendre, car nous n'apercevons les structures à grand point que lorsqu'elles évoluent, et nous n'apercevons ces évolutions que si nous embrassons une durée historique convenable. Pour comprendre comment les milieux restreints et les structures à grand point réagissent les uns sur les autres, et pour entrevoir les causes de grande envergure qui sont à l'œuvre dans ces milieux restreints, il nous faut travailler sur des documents historiques. Pour voir la structure, dans tous les sens de ce mot crucial, et pour formuler justement les enjeux et les épreuves des milieux restreints, il nous faut admettre que les sciences sociales sont des disciplines historiques, et agir en conséquence.

Ce n'est pas assez que de présenter les choses comme cela ; aucune société n'est compréhensible, même statiquement, sans l'apport des matériaux historiques. L'image d'une société est une image douée de spécificité historique. Ce que Marx appelle le « principe de spécificité historique » désigne d'abord un repère : toute société doit se comprendre en fonction de la période spécifique où elle s'inscrit. De quelque manière qu'on définisse la « période », les institutions, les idéologies, les types d'hommes et les types de femmes qui prédominent dans une période donnée constituent une sorte de signature. Cela ne veut pas dire que ce type historique ne peut pas être comparé à d'autres, et encore moins que cette signature ne peut s'appréhender que par intuition. Mais par contre, et c'est la seconde signification du principe, on veut dire qu'au cœur de ce type historique, divers mécanismes de transformation viennent à se croiser. Ces mécanismes, que Karl Mannheim, à la suite de John Stuart Mill, appelait les « *principia media* », sont ceux-là mêmes que le sociologue épris de structure sociale cherche à dégager.

Les premiers théoriciens de la sociologie avaient essayé de formuler des lois sociologiques immuables, des lois qui rendissent compte de toutes les sociétés, comme les abstractions de la physique avaient abouti à des lois qui, par des voies souterraines, coupaient court à la richesse qualitative de la « nature ». Il n'est pas de « loi » de sociologie qui soit ultra-historique, qui ne doive se comprendre comme l'expression d'une structure spécifique, ayant des coordonnées temporelles. Les autres « lois » se révèlent être des abstractions creuses ou de confuses tautologies. Il n'y a d'autres « lois sociologiques » ou même de « régularités sociologiques » que les « principia media » que nous sommes amenés à découvrir, ou, si l'on veut, à construire, pour une structure sociale située dans une période historique spécifique. Nous ne connaissons aucun principe universel de transformation historique ; les mécanismes évolutifs que nous connaissons varient avec la structure sociale examinée. Car la transformation historique *est* transformation des structures sociales, et transformation des rapports qui unissent leurs éléments. Autant de structures sociales, autant de principes de transformation historique.

C) L'économiste, le politiste ou le sociologue ont tôt fait de comprendre le caractère indispensable de l'histoire, s'ils laissent un instant leur grande nation industrielle pour examiner les institutions d'une structure sociale toute différente — au Moyen-Orient, en Asie, en Afrique. Jusque-là ils faisaient entrer l'histoire en fraude dans l'analyse de « leur pays » ; le savoir historique est déjà présent dans les conceptions avec lesquelles ils travaillent. Quand ils élargissent leur champ de vision, quand ils comparent, ils s'aperçoivent que l'historique est le tissu même de ce qu'ils cherchent à comprendre, et non pas un « arrière-plan général ».

A l'heure actuelle, les problèmes occidentaux sont du

même coup des problèmes mondiaux. C'est peut-être un grand trait de notre époque que, pour la première fois, les univers sociaux s'y influencent les uns les autres, profondément et rapidement, et cela sans conteste possible. L'analyse de notre période doit procéder à l'examen comparé de ces univers et de leurs réactions réciproques. N'est-ce pas pour cela que les chasses gardées de l'anthropologue d'hier sont devenues des « pays sous-développés » que les économistes, au même titre que les politistes et les sociologues, classent parmi leurs objets d'études ? Le meilleur de la sociologie actuelle, ce sont les recherches à l'échelle des grandes régions du monde.

Comparatisme et histoire sont intimement liés. Les plates comparaisons a-temporelles ne suffisent pas à vous faire comprendre l'économie politique des pays sous-développés, des pays communistes et des pays capitalistes dans leur état actuel. Il faut élargir la perspective temporelle de notre analyse. Pour comprendre les faits comparés qui sont aujourd'hui sous nos yeux, vous devez tout savoir sur les progrès et les retards du développement : les vitesses, les directions, leurs étapes et leurs causes historiques. Vous devez découvrir pourquoi les colonies fondées par les Occidentaux en Amérique du Nord au XVIe et au XVIIe siècle sont finalement devenues de grandes sociétés capitalistes industrielles, alors que les colonies de l'Inde, de l'Amérique latine, et de l'Afrique sont restées misérables, paysannes et sous-développées jusqu'au cœur du XXe siècle.

Ainsi donc l'historique conduit au comparatisme ; il ne faut pas compter comprendre ou expliquer les grands moments d'une nation occidentale moderne, ou sa forme actuelle, si l'on envisage uniquement l'histoire nationale. Je ne veux pas dire simplement qu'au cours de l'histoire elle a été mêlée au développement d'autres sociétés ; j'entends que l'esprit ne peut même pas formuler les problèmes socio-historiques de cette structure sociale particulière, sans l'opposer et sans la comparer à d'autres.

D) Même si nous ne faisons pas de la sociologie comparée, même si nous nous limitons à une parcelle de la structure sociale d'une nation, nous avons besoin de documents historiques. C'est seulement au prix d'une abstraction qui violera sans raison la réalité sociale que nous tenterons une coupe instantanée dans le vif du réel. Il n'est pas interdit de faire des ponctions statiques, ou même des tableaux, mais il n'est pas question de conclure ses travaux avec ce genre de construction. Sachant que ce que nous étudions est sujet à transformation, au niveau de la description la plus simple, il faut se demander quelles sont les grandes lignes de force. Pour répondre à cette question, il faut au moins énoncer une proportion de forme « point de départ - point d'arrivée ».

L'énoncé des lignes de force peut être formulé à court terme ou à l'échelle historique ; tout dépend de ce qu'on veut faire. Mais d'une façon générale, les travaux d'ampleur réclament des lignes de force de très longue amplitude. Les lignes de force à longue amplitude sont précieuses pour combattre le provincialisme historique, qui pose le présent comme une sorte de création spontanée.

Si l'on veut comprendre les transformations d'une structure sociale contemporaine, il faut essayer de dégager les développements à long terme et poser la question : par quelle mécanique ces lignes de force sont-elles advenues, elles à qui la structure de la société doit de se transformer ? C'est dans ces questions-là que l'importance des lignes de force devient cruciale ; car il s'agit alors de la transition historique entre une époque et une autre époque, et de ce qu'on peut appeler une structure d'époque.

Le sociologue veut comprendre la nature de l'époque présente, dessiner sa structure et dégager ses grandes forces agissantes. Chaque époque, pour peu qu'elle soit définie convenablement, constitue un « champ d'étude intelligible » qui laisse voir sa mécanique historiogénétique propre. Ainsi le rôle des élites du pouvoir dans l'historiogenèse varie selon le degré de centralisation atteint par les instruments de décision institutionnels.

Les notions de structure et de dynamique de la « période moderne », et les caractéristiques uniques et essentielles qui lui sont propres, sont fondamentales pour les sciences sociales, et trop souvent ignorées. Les politistes étudient l'Etat moderne ; les économistes, le capitalisme moderne. Les sociologues, notamment dans la dialectique qu'ils engagent avec le marxisme, posent maints problèmes en fonction des « caractéristiques des temps modernes », et les anthropologues adaptent leur intelligence du monde moderne à l'examen des peuples sans écriture. Les grands problèmes classiques de la science sociale moderne (ceux des sciences politiques et économiques, autant que ceux de la sociologie) sont consacrés à une interprétation historique tout à fait précise : l'interprétation de l'essor, des éléments, et de la forme qui ont marqué les sociétés industrielles urbaines de l'Occident moderne, notamment par opposition avec l'époque féodale.

Les grands concepts de la science sociale ont presque toujours trait à la transition historique entre la communauté rurale des temps féodaux et la société urbaine des temps modernes. Le « statut » et le « contrat » de Maine ; la « communauté » et la « société » de Tönnies ; le « statut » et la « classe » de Weber, les « trois Etats » de Saint-Simon ; le « militaire » et l' « industriel » de Spencer, la « circulation des élites » de Pareto ; les « groupes primaires et secondaires » de Cooley ; le « mécanique » et l' « organique » de Durkheim ; le « populaire » et l' « urbain » de Redfield ; le « sacré » et le « profane » de Becker ; la « société de marchandage » et l' « Etat-garnison » de Lasswell — tous ces concepts, quel que soit leur degré de généralisation, plongent dans le vif de l'histoire. Même ceux qui croient se tenir à l'écart de l'histoire, montrent, par l'usage qu'ils en font, quelque notion des lignes de force historiques et même un sens évident de la période.

C'est en fonction de cette intelligence de la forme et de la dynamique de la « période moderne », en fonction aussi de l'intelligence de ses crises, qu'il faut comprendre l'intérêt que le sociologue porte aux « lignes de force ». On étudie les lignes de force pour essayer d'aller par-derrière les événements et de leur donner un ordre qui ait un sens. Dans ces recherches, on vise toujours la ligne de force à quelques longueurs d'avance, et surtout on s'efforce d'apercevoir en même temps toutes les lignes de force en tant qu'éléments mobiles de la structure totale de la période. Intellectuellement, il est plus facile (et c'est plus sage politiquement) de dégager les lignes de force une par une, en les laissant pour ainsi dire égaillées, que d'essayer de les apercevoir toutes à la fois. Aux yeux de l'empiriste littéraire qui écrit de petits essais bien équilibrés, sur un point particulier, puis sur un autre, toute « vue d'ensemble » apparaît comme une « exagération extrémiste ».

Les « vues d'ensemble » ne sont évidemment pas sans danger. Tout d'abord, ce que l'un voit comme une totalité, l'autre le voit comme un fragment, et parfois, par manque de vue générale, les arbres finissent par cacher la forêt. La tentative peut évidemment être entachée de parti pris, mais pas davantage que le choix du pur détail analysable, sans idée de totalité, car ce choix est nécessairement arbitraire. Dans les travaux historiques, on risque aussi de confondre « prédiction » et « description ». Mais il ne faut pas non plus les distinguer catégoriquement, et ce ne sont pas les seules façons d'envisager les lignes de force. On peut aborder les lignes de force en tentant de répondre à la question : « Où allons-nous ? », et c'est souvent ce qu'essaient de faire les sociologues. Ce faisant, nous essayons d'étudier l'histoire plutôt que de nous y réfugier, de dégager les lignes de force contemporaines sans faire du « journalisme », de supputer la trajectoire de ces lignes de force sans tomber dans la prophétie. Ce n'est pas simple. Il faut constamment se souvenir qu'on a affaire effectivement à des données historiques ; qu'elles se transforment à toute allure ; qu'il existe des lignes de force de signe inverse. Et il faut sans arrêt compenser l'immédiateté de la coupe instantanée par la généralité dont nous avons besoin pour faire ressortir la signification des lignes de force propres à la période comme totalité. Mais le sociologue s'efforce surtout d'apercevoir ensemble toutes les lignes de force, de les saisir structurellement, et non comme les occurrences de milieux sporadiques, dont la somme ne donne rien de nouveau, si tant est qu'elles puissent jamais s'ajouter. Tel est l'objectif qui permet à l'étude des lignes de force de faire comprendre une période ; il exige d'utiliser adroitement toutes les ressources de la documentation historique.

3

Il existe un « recours à l'histoire » très à l'honneur dans la sociologie actuelle, et qui tient davantage du cérémonial que de l'authentique utilisation. Je veux parler du délayage insipide qui consiste à « situer l'arrière-plan historique », le plus souvent dans les préfaces, et du procédé *ad hoc* qu'on appelle « l'explication historique ». Ces explications, qui s'appuient sur l'histoire passée d'une seule société, n'expliquent rien. Je développerai à ce propos trois idées :

Premièrement, il faut bien le reconnaître, on doit souvent étudier l'histoire afin de mieux s'en défaire. Je veux dire que les explications historiques seraient souvent plus à leur place dans l'énoncé de ce qu'on doit expliquer. Au lieu d' « expliquer » quelque chose comme une « survivance », on ferait mieux de se demander « pourquoi la chose a survécu ». On s'apercevrait plus d'une fois que la réponse varie en fonction des Etats par lesquels sont passés les éléments examinés ; il faudrait chaque fois découvrir quel rôle cet Etat a joué, comment et pourquoi un autre lui a succédé.

Deuxièmement, lorsqu'il s'agit d'une société contemporaine, il est bon de commencer par expliquer ses traits contemporains dans le cadre de leur fonction contemporaine, c'est-à-dire de les envisager comme les parties intégrantes, voire comme les conséquences d'autres traits contemporains. Ne serait-ce que pour les circonscrire, les délimiter clairement, et isoler leurs composantes, il est mieux de prendre appui sur une plate-forme temporelle relativement exiguë — mais toutefois nécessairement historique.

Dans leurs travaux sur les problèmes de l'adulte, certains néo-freudiens, surtout Karen Horney, paraissent s'inspirer de la même procédure. On ne remonte aux causes génétiques et biographiques du caractère qu'après avoir fait le tour des traits et des entours contemporains. Et naturellement, une querelle classique sur ce sujet met aux prises l'école d'anthropologie historique et l'école fonctionnaliste. Elle est due en partie au fait que les « explications historiques » tombent trop souvent dans les idéologies de type conservateur : il a fallu très longtemps aux institutions pour évoluer et il ne faut pas les brusquer ; elle est due aussi au fait que la conscience historique nourrit une espèce particulière d'idéologie radicale : les institutions n'ont qu'un temps ; par conséquent, ces institutions particulières ne sont ni éternelles, ni « naturelles » à l'homme ; elles changeront comme le reste. Ces deux façons de voir reposent sur une sorte de déterminisme historique, voire sur un fatalisme, qui conduit tout droit à une attitude d'indifférence, et à une conception erronée de l'historiogenèse réelle ou possible. Je ne veux pas faire taire un sens historique que j'ai acquis à grand-peine, mais je ne veux pas non plus appuyer mes méthodes d'explication sur la notion de destin historique utilisé par les conservateurs ou les radicaux. Pour moi, le « destin » n'est pas une catégorie historique universelle, comme je m'en ouvrirai plus tard.

Le troisième point prête encore davantage à la polémique,

mais s'il est fondé, il est extrêmement important : je crois que les périodes et les sociétés diffèrent selon que, pour les comprendre, il faut ou non faire directement appel aux « facteurs historiques ». La nature historique d'une société donnée dans une période donnée peut être telle que le « passé historique » ne l'explique pas directement.

Il est clair que pour comprendre une société à évolution lente, prisonnière depuis des siècles d'un cycle de pauvreté, de tradition, de maladie, et d'ignorance, il faut examiner le substrat historique, et les mécanismes historiques persistants qui l'enchaînent au drame de sa propre histoire. Si l'on veut expliquer ce cycle, et les mécanismes de chacune de ses phases, il est indispensable de se livrer à une pénétrante analyse historique. Ce qu'il faut expliquer avant tout, c'est le mécanisme du cycle complet.

Mais ni les Etats-Unis, ni les pays du Nord-Ouest de l'Europe, ni l'Australie d'aujourd'hui ne sont prisonniers d'un cycle d'airain. Ce cycle, comme dans le monde désert d'Ibn Khaldoun[3], ne les enchaîne pas. Chaque fois qu'on a essayé de les comprendre par le cycle, on a couru à l'échec, et on est tombé dans l'absurdité ultra-historique.

En somme, la pertinence de l'histoire obéit au principe de spécificité historique. Certes, « tout est héritage du passé », mais c'est précisément le sens de l'expression « héritage du passé » qui fait le problème. Il y a des choses nouvelles qui surgissent dans le monde, ce qui revient à dire que « l'histoire se répète » et « ne se répète pas » ; tout dépend de la structure sociale et de la période dont nous étudions l'histoire[4].

---

3. Voir Muhsin Mahdi, *Ibn Khaldoun's Philosophy of History*, Londres, George Allen et Unwin, 1957, et *Historical Essays*, Londres, Macmillan, 1957, où l'on trouvera l'excellent commentaire de H. R. Trevor-Roper.

4. A l'appui de cette idée, je citerai l'excellent ouvrage de Walter Galenson sur les histoires du mouvement ouvrier : « A s'en aller explorer le substrat ancien, on risque de glaner très peu de choses, si la documentation nouvelle fait défaut. Il faut donc concentrer son attention sur les événements récents, et ce n'est pas là la seule raison. La différence entre le mouvement ouvrier d'aujourd'hui et celui d'il y a trente ans n'est pas seulement quantitative, mais également qualitative. Avant 1930, il était beaucoup plus sectaire ; ses décisions n'entraînaient pas de grands bouleversements économiques, et il s'attachait davantage aux étroits problèmes d'ordre intérieur qu'à la politique nationale ». (Walter

Si l'on admet que ce principe sociologique s'applique aux Etats-Unis d'aujourd'hui, que notre société se situe dans une période où les explications historiques sont moins pertinentes qu'ailleurs, on comprendra peut-être mieux quelques grandes tendances de la sociologie américaine et notamment : 1) pourquoi tant de sociologues, qu'intéressent seulement les sociétés occidentales contemporaines, et parfois même les Etats-Unis exclusivement, considèrent que leurs travaux n'ont rien à demander à l'histoire ; 2) pourquoi certains historiens parlent aujourd'hui, un peu légèrement à mon sens, d'histoire scientifique, tout en s'efforçant d'utiliser dans leurs travaux des techniques hautement formalistes, voire résolument a-historiques ; 3) pourquoi d'autres historiens, notamment dans les suppléments de la presse dominicale, nous donnent l'impression que l'histoire n'est qu'un tissu de sornettes dont la seule fonction est de concocter des mythes sur le passé au profit des idéologies du moment, libérales aussi bien que conservatrices. Le passé des Etats-Unis est une mine d'images d'Epinal ; et (si j'ai raison d'affirmer le manque de pertinence aujourd'hui d'une grande partie de l'histoire) voilà qui facilite considérablement l'exploitation idéologique.

La pertinence du travail historique auprès des tâches et des espoirs de la science sociale n'est pas tout entière dans les « explications historiques » de ce seul type de structure sociale qu'est le modèle américain. En outre, la pertinence relative de l'explication historique est elle-même une idée proprement historique, qu'il faut contrôler et contester sur le terrain même de l'histoire. Et même pour cette société-ci, la pertinence de l'histoire peut à l'occasion être poussée trop loin. C'est seulement le comparatisme qui peut nous persuader de *l'absence* de certaines étapes historiques dans une so-

---

Galenson, « Reflections on the Writing of Labor History », *Industrial and Labor Relations Review*, octobre 1957). En liaison avec l'anthropologie, la polémique entre les explications « fonctionnelles » et les explications « historiques » se poursuit depuis longtemps. Le plus souvent, les anthropologues sont fonctionnalistes parce qu'ils ne savent rien sur l'histoire des « cultures » qu'ils examinent. Il leur faut expliquer le présent par le présent, en faisant appel aux interrelations significatives entre les diverses caractéristiques contemporaines d'une société. Voir sur ce point l'article récent d'Ernest Gellner « Time and Theory in Social Anthropology » dans *Mind* d'avril 1958.

ciété, absence sans laquelle on ne peut pas comprendre sa forme actuelle. L'absence d'époque féodale détermine maints aspects de la société américaine, notamment le caractère des élites et l'extrême souplesse du statut, qu'on a trop souvent prise pour un manque de structure de classes et de « conscience de classe ». Les sociologues ne manquent pas d'essayer d'esquiver l'histoire par la raideur exagérée du concept et de la technique. Mais ces tentatives mêmes réclament des hypothèses sur la nature de l'histoire et de la société qui ne sont ni fécondes ni justes. Cette esquive empêche — et je pèse mes mots — de comprendre précisément les aspects contemporains de cette société particulière, structure historique qu'on ne peut espérer saisir sans s'inspirer du principe sociologique de la spécificité historique.

4

Les problèmes de psychologie sociale et historique sont parmi les plus déroutants qu'il nous soit donné d'étudier aujourd'hui. C'est en cette étonnante croisée des chemins que les grandes traditions intellectuelles de notre temps, et tout particulièrement celles de la civilisation occidentale, viennent se rejoindre et se confondre. C'est ici que « la nature de la nature humaine », image générique de l'homme héritée du Siècle des Lumières, est mise en question aujourd'hui par l'extension des gouvernements totalitaires, par le relativisme ethnographique, par la découverte des grandes réserves d'irrationalité de l'être humain, et par la rapidité des transformations historiques que peuvent subir hommes et femmes.

Nous avons été amenés à voir que les biographies d'hommes et de femmes, que les individus divers qu'ils deviennent les uns et les autres, ne peuvent se comprendre sans faire appel aux structures historiques à l'intérieur desquelles s'inscrivent les milieux de leur vie quotidienne. Les transformations historiques sont signifiantes non seulement pour les modes de vie individuels, mais aussi pour le caractère même de l'être humain, pour ses limites et ses possibilités. Unité historiogénétique, l'état-nation dynamique est également l'unité au sein de laquelle hommes et femmes sont formés, choisis, émancipés, refoulés — l'unité anthropogénétique. C'est pourquoi les luttes entre nations et entre blocs de nations sont aussi les luttes dont sortiront les types d'hommes qui finiront par prédominer au Moyen-Orient, en Inde, en Chine, aux Etats-Unis ; c'est pourquoi culture et politique sont aujourd'hui si intimement liées, et c'est pourquoi on a tant besoin de l'imagination sociologique, et pourquoi on l'appelle. Car on ne peut comprendre « l'homme » comme créature biologique isolée, comme paquet de réflexes et batterie d'instincts, comme « champ intelligible », comme système en-soi et de-soi. Sans préjudice du reste, l'homme est un agent historique et social qui ne peut se comprendre que sur le mode d'une relation étroite et complexe avec les structures sociohistoriques.

La question des rapports entre la « psychologie » et les « sciences sociales » a évidemment fait couler beaucoup d'encre. Il s'agissait essentiellement de tentatives formelles destinées à intégrer de multiples idées sur l' « individu » et sur le « groupe ». Nul doute qu'elles servent toujours à quelque chose ; heureusement, elles n'ont rien à faire avec notre tentative, qui consiste ici à délimiter le champ des sciences humaines. De quelque manière que les psychologues délimitent leur champ d'activité, l'économiste, le sociologue, le politiste, l'anthropologue et l'historien, en étudiant la société humaine, émettent de leur côté des hypothèses sur « la nature humaine ». Ces hypothèses tombent actuellement dans le domaine de cette discipline marginale qu'on appelle la « psychologie sociale ».

C'est un domaine qui suscite l'intérêt : la psychologie, comme l'histoire, est si essentielle pour le travail sociologique, que là où les psychologues n'ont pas mis la main, les sociologues ont dû faire le travail à leur place. Les économistes, les plus formalistes de tous les travailleurs des sciences humaines, se sont aperçus que le vieil « *homo oeconomicus* », hédoniste et calculateur, ne peut plus servir de fondement psychologique à une étude adéquate des institutions économiques. En anthropologie, on s'intéresse de plus en plus à « personnalité et culture » ; en sociologie et en psychologie, la « psychologie sociale » constitue un champ d'études très actif.

Par réaction, certains psychologues se sont dépensés dans la « psychologie sociale », d'autres ont tenté de redéfinir la psychologie de manière à circonscrire un champ d'études qui ne doive rien aux facteurs purement sociaux, d'autres enfin ont limité leurs activités à des recherches de physiologie humaine.

Mon intention n'est pas d'examiner ici les spécialisations universitaires de la psychologie, domaine extrêmement morcelé, et encore moins de les juger.

Il existe un style de pensée psychologique dont les psychologues universitaires ne se sont pas encore emparés explicitement, mais qui les a tout de même influencés, eux et toute notre vie intellectuelle. La psychanalyse, notamment l'œuvre de Freud, pose le problème de la nature humaine de la façon la plus large. Au cours de la dernière génération, les moins doctrinaires parmi les psychanalystes et leurs disciples ont fait deux grands pas en avant.

Tout d'abord, la physiologie de l'organisme individuel a été dépassée, et ce fut le début de ces analyses de petits cercles familiaux où se jouent d'horribles mélodrames. On peut dire que Freud a découvert l'analyse de l'individu dans l'entourage familial du père et de la mère d'un point de vue tout à fait inattendu — le point de vue médical. Naturellement l' « influence » de la famille sur l'être humain n'était pas passée inaperçue ; mais ce que Freud apportait de nouveau, c'était l'idée qu'en tant qu'institution sociale, la famille faisait partie intégrante du caractère intime et de la destinée des individus.

En second lieu, sous les lentilles de la psychanalyse, l'élément social était démesurément grossi, notamment à l'aide de ce qu'on peut appeler la sociologie du surmoi. En Amérique, la tradition psychanalytique s'accrut d'une tradition d'origine toute différente, qui s'était épanouie primitivement dans le behaviorisme social de George H. Mead. Mais surgit alors une restriction ou une incertitude. Le décor étroit des « relations interpersonnelles » apparaît clairement, mais le contexte général n'apparaît pas, où s'inscrivent ces relations et, partant, l'individu lui-même. Certes, il y a des exceptions, notamment Erich Fromm, qui a établi un rapport entre les institutions économiques et les institutions religieuses, et dégagé les significations qu'elles revêtent pour les uns et les autres. L'incertitude générale s'explique en partie par l'étroitesse du rôle social dévolu au psychanalyste : son travail et son champ de vision sont professionnellement liés à son malade ; les problèmes qu'il est amené à connaître, dans les conditions particulières de sa pratique médicale, sont étroitement limités. Malheureusement la psychanalyse n'appartient pas de façon pleine et entière à l'éventail des recherches universitaires[5].

Il reste donc, en psychanalyse, à faire, pour d'autres secteurs institutionnels, ce que Freud a si bien fait pour un type d'institution de parenté. Il faut arriver à une idée de la structure sociale comme composé d'ordres institutionnels, dont chacun soit l'objet d'une étude psychologique analogue à celle que Freud a accomplie pour certaines institutions de parenté. En psychiatrie — thérapie actuelle des relations « interpersonnelles », nous avons déjà commencé à soulever des questions à propos d'un point crucial : la tendance à enraciner les normes et les valeurs dans ce qui constituerait les besoins de l'individu *per se*. Mais s'il est vrai que la nature même de l'individu ne peut se comprendre sans faire appel à la réalité sociale, alors il faut nécessairement l'analyser sur le mode de ce rapport. Pareille analyse consiste non seulement à localiser l'individu, entité biographique, au sein des divers milieux interpersonnels, mais également à localiser ces mêmes milieux au sein des structures sociales qu'ils constituent.

5

En partant des nouvelles directions de la psychanalyse et de la psychologie sociale dans son ensemble, il est désormais possible d'énoncer rapidement les centres d'intérêt psychologiques des sciences sociales. Je ferai ici un inventaire très succinct des propositions que je tiens pour les intuitions les plus fécondes ou du moins pour les hypothèses raisonnables que peut formuler le sociologue praticien[6].

L'existence individuelle ne peut se comprendre sans faire

_____

5. La suprématie des « relations interpersonnelles » s'explique aussi par l'imprécision et la pauvreté du mot « culture », en fonction duquel on a reconnu et formulé presque tout ce qu'il y a de social dans les profondeurs de l'homme. Contrairement à la structure sociale, le concept de « culture » est l'un des plus élastiques des sciences sociales, et du même coup, manié de main de maître, on peut tout en tirer. Pratiquement, la notion de « culture » renvoie vaguement à des milieux sociaux *plus* la « tradition » et c'est rarement une idée adéquate de structure sociale.

6. Pour plus de détails sur ce point, voir Gerth et Mills, *Character and Social Structure*, New York, Harcourt Brace, 1953.

appel aux institutions au milieu desquelles la biographie est vécue. Cette biographie enregistre en effet tout ce qui concerne les rôles : adoption, abandon, modification et, très intimement, passage d'un rôle à l'autre. On est l'enfant d'une certaine famille, le camarade de jeu d'un certain groupe d'enfants, on est étudiant, ouvrier, chef d'équipe, officier général, mère de famille. La vie humaine se passe à jouer ces rôles au sein d'institutions spécifiques. Comprendre une biographie, c'est comprendre l'importance et la signification des rôles joués ; comprendre ces rôles, c'est comprendre les institutions dont ils font partie.

Mais la saisie de l'homme sous l'aspect de créature sociale nous fait pénétrer au-delà de la biographie extérieure où s'enchaînent les rôles sociaux. Cette saisie réclame que nous comprenions les dimensions « psychologiques » les plus intérieures de l'homme : l'image qu'il se fait de lui-même, sa conscience, et l'évolution même de son esprit. La plus grande découverte de la psychologie et de la sociologie modernes a consisté à s'apercevoir que les dimensions intérieures de la personne sont en grande partie modelées et même inculquées par la société. Au niveau du système nerveux et du système glandulaire, les émotions comme la haine, l'amour, la peur et la colère, quelles que soient leurs formes, n'existent qu'en relation étroite avec la biographie sociale et le contexte social où elles sont vécues et exprimées. Au niveau de la physiologie des organes des sens, nos perceptions du monde physique, les couleurs que nous distinguons, les odeurs et les bruits que nous percevons sont modelés et délimités par la société. Les motivations humaines et même la conscience plus ou moins nette qu'en ont les divers types d'hommes, sont toutes fonctions des habitudes lexicales qui prédominent dans une société et des transformations, des confusions qu'elles subissent.

Les milieux ne permettent pas à eux seuls de comprendre la biographie ni le caractère de l'individu, et à plus forte raison les milieux de l'environnement initial, ceux du nourrisson et du jeune enfant. Il faut saisir les réactions entre ces décors intimes de la vie et le cadre structurel qui les enveloppe, tenir compte des transformations de ce cadre, et des effets qui s'ensuivent pour les milieux. Une fois que nous voyons comment les structures sociales et les transformations structurelles influencent les scènes et les expériences de la vie intime, nous sommes à même de comprendre les causes des conduites et des sentiments individuels, qu'ignorent, dans leurs propres milieux, ceux-là mêmes qui les tiennent. On ne mesure pas la pertinence d'un type d'hommes à la coïncidence qu'ils perçoivent entre notre conception et leur autoreprésentation. Vivant dans des milieux restreints, les hommes ne peuvent pas raisonnablement connaître les causes de leur condition ni les limites de leur personne. Bien rares sont les groupes d'hommes qui savent exactement ce qu'il en est d'eux-mêmes et de leur position sociale. Affirmer le contraire, comme l'impliquent souvent les méthodes de certains sociologues, c'est supposer à l'homme une dose de conscience et de connaissance rationnelles de soi que même les psychologues du XVIIIᵉ siècle eussent désavouée. L'idée que se faisait Max Weber du « Puritain », de ses mobiles, et de sa fonction au sein des institutions religieuses et économiques, nous permet de le comprendre mieux qu'il ne se comprenait lui-même : la notion de structure permettait à Max Weber de transcender la conscience qu'avait « l'individu » de lui-même et de son milieu.

La pertinence de l'expérience initiale, le « coefficient » infantile dans la psychologie de l'adulte, varient eux-mêmes en fonction du type d'enfance et du type de biographie sociale qui prédominent dans les diverses sociétés. On voit par exemple aujourd'hui que le rôle du père dans la genèse de la personnalité doit se formuler dans les limites de certains types de famille, et en fonction de la place qu'occupent les familles dans la structure sociale dont elles font partie.

On ne bâtit pas l'idée de structure sociale sur des idées ou des faits concernant une série d'individus particulière et leurs réactions au milieu. Quand on essaie d'expliquer les occurrences socio-historiques au nom des théories psychologiques sur « l'individu », on sous-entend souvent que la société n'est qu'une vaste poussière dont il suffit de connaître les « atomes » pour connaître l'ensemble, grâce à une simple addition. Cette hypothèse n'est pas féconde. Et de fait, on ne peut recueillir aucune donnée élémentaire sur « l'individu » si on étudie en lui la psychologie de la créature sociale isolée. L'économiste ne peut poser l'existence d'un *Homo oeconomicus* que dans un modèle abstrait, et bien entendu ce modèle est loin d'être inutile ; le psychiatre de la vie familiale (ce qu'est pratiquement tout psychiatre) ne peut pas davantage poser l'existence d'un *Homo oedipodionus*. De même que désormais les relations structurelles entre rôles politiques et rôles économiques sont souvent décisives pour la compréhension des conduites économiques individuelles, décisifs sont aussi les bouleversements intervenus depuis le règne du père Victorien dans la distribution des rôles de la famille, et dans la place prise par l'institution au sein des sociétés modernes.

Le principe de spécificité historique n'est pas moins valable pour la psychologie que pour les sciences sociales. Il n'est pas jusqu'aux éléments intimes de la vie intérieure qui ne gagnent à être formulés dans des contextes historiques spécifiques. Pour s'en convaincre, il suffit de parcourir un moment l'infinie diversité d'hommes et de femmes qu'offre l'histoire humaine. Psychologues comme sociologues ont tout intérêt à réfléchir à deux fois avant de conclure la moindre phrase sur l' « homme ».

L'humaine diversité est telle qu'aucune psychologie « élémentaire », aucune théorie des « instincts », aucun principe sur la « nature humaine » connus de nous ne permettent d'en rendre compte. Tout ce qu'on peut dire sur l'homme, en dehors de ce qui tient à la réalité socio-historique de la vie humaine, a trait uniquement à l'immense domaine biologique de l'espèce et à ses virtualités. Or, le premier comme les secondes nous offrent tout un éventail de types humains. L'expliquer par la vertu d'une théorie de la « nature humaine fondamentale », c'est enfermer l'histoire humaine elle-même dans une aride petite cage de concepts sur la « nature humaine », élaborés le plus souvent à partir de divagations méticuleuses sur des problèmes de souris blanches.

Barzun et Graff font observer que « le titre du livre du docteur Kinsey, *Le Comportement sexuel de l'homme*, cache un postulat erroné : ce n'est pas un livre sur *l'homme*, mais sur des *Américains* du milieu du xxe siècle... L'idée même de nature humaine est une hypothèse de sociologie, et dire qu'elle constitue le sujet de ses exposés, c'est poser la question fondamentale. Il n'existe peut-être qu'une « culture humaine », et rien n'est moins immuable »[7].

---

7. Barzun et Graff, *The Modern Researcher*, New York, Harcourt Brace, 1957, pp. 222-223.

L'idée d'une « nature humaine », commune à l'homme en tant que tel, viole le principe de spécificité sociale et historique que réclame un bon travail de sciences humaines ; c'est à tout le moins une abstraction, dont les chercheurs n'ont pas acquis les droits. Il faudrait se souvenir à l'occasion que nous ne savons pas grand-chose sur l'homme, et que tout notre savoir ne dissipe pas les mystères qui enveloppent la diversité qu'il manifeste dans son histoire et dans sa biographie. Parfois nous vient l'envie d'aller plonger dans ces mystères, de sentir que nous y participons, et peut-être le faut-il ; mais en Occidentaux que nous sommes, nous étudierons aussi l'humaine diversité, ce qui revient à écarter les voiles du mystère qui la dérobent à nos yeux. Ce faisant, n'oublions pas l'objet de notre étude ; sachons que nous savons peu de chose sur l'homme, sur l'histoire, sur la biographie, et sur les sociétés dont nous sommes tout ensemble les créatures et les créateurs.

9

De la raison et de la liberté

De sa rencontre avec l'histoire, le sociologue tire l'idée qu'il se fait de l'époque où il vit. De sa rencontre avec la biographie, il tire l'idée qu'il se fait de la nature humaine fondamentale, et des limites qu'elle impose à la transformation de l'homme dans le courant de l'histoire.

Tous les sociologues classiques ont cherché à connaître les traits saillants de leur époque, et à savoir comment l'histoire s'y fait, tous ont sondé la « nature de la nature humaine », et examiné la diversité qui régnait à leur époque. Marx, Sombart, Weber, Comte, Spencer, Durkheim, Veblen, Mannheim, Schumpeter, Michel — ils ont tous, à leur manière, affronté ces problèmes. A l'heure actuelle, au contraire, de nombreux sociologues les ont esquivés. Or c'est justement aujourd'hui, dans la seconde moitié du XXᵉ siècle, que ces domaines se font pressants dans l'ordre des enjeux, persistants dans l'ordre des épreuves, et cruciaux pour l'orientation culturelle des sciences humaines.

1

A notre époque, les hommes cherchent de toutes parts à savoir où ils en sont, où ils vont, et ce qu'ils peuvent faire pour le présent dans l'ordre de l'histoire et pour l'avenir

169

dans l'ordre des responsabilités. Ce sont des questions auxquelles on ne peut pas répondre une fois pour toutes. Chaque période appelle des réponses différentes. Mais à l'heure où nous sommes, nous nous heurtons à une difficulté. Nous sommes à la fin d'une époque, et il nous faut trouver tout seuls nos réponses.

Nous nous trouvons à la fin de ce qu'on appelle les Temps Modernes. De même que l'antiquité fut suivie de plusieurs siècles d'hégémonie orientale, que les occidentaux, avec leur esprit de clocher, appellent les Siècles de Ténèbres, de même aujourd'hui, aux Temps Modernes succède une période postmoderne. Peut-être pourrions-nous l'appeler le « Quaternaire ».

Seules les définitions permettent de dire où commencent, où finissent les époques. Mais les définitions, comme tout ce qui est social, sont douées de spécificité historique. Et désormais nos définitions fondamentales de la société et du moi sont dépassées par la réalité. Je ne veux pas dire simplement que les hommes n'ont jamais été exposés auparavant, en l'espace d'une seule et même génération, à des bouleversements-éclairs. Je ne veux pas dire simplement que nous sentons approcher une fin de siècle, et que nous cherchons désespérément à entrevoir ce que nous réserve le suivant. Je veux dire qu'en essayant de nous orienter — si tant est que nous essayions, nous constatons que trop de nos espérances et de nos représentations d'hier sont assujetties à l'histoire ; que trop de nos catégories intellectuelles et affectives nous fourvoient, plutôt qu'elles ne nous aident à expliquer ce qui se passe autour de nous ; que trop d'explications sont issues du grand passage historique entre le Moyen-Age et les Temps Modernes, et que, généralisées pour notre usage actuel, elles deviennent encombrantes, elles tombent à côté, et cessent de nous convaincre. Je veux dire également que nos orientations cardinales, libéralisme et socialisme, ont cessé de rendre compte convenablement et du monde et de nous-mêmes.

Ces deux idéologies sont issues de la civilisation des Lumières, et ont partagé bien des hypothèses et bien des valeurs communes. Toutes deux faisaient valoir que la raison était la rançon de la liberté. La raison génératrice de progrès, la science comme souverain bien, l'éducation populaire et son retentissement politique sur la démocratie — tous ces idéaux des Lumières s'appuyaient sur le postulat optimiste que raison et liberté étaient indissolublement liées. Les penseurs qui ont le plus marqué notre réflexion sont tous partis de cette prémisse. Elle se cache sous les moindres nuances de l'œuvre de Freud : pour être libre, l'individu doit, par la raison, accéder à une conscience plus grande ; la cure consiste à donner libre exercice à la raison au cours de la vie. Même prémisse dans les grandes lignes du marxisme : pris dans l'anarchie irrationnelle de la production, les hommes doivent, par la raison, prendre conscience de leur position dans la société, ils doivent acquérir une « conscience de classe », expression qui, dans son sens marxiste, est aussi rationaliste que n'importe quel terme benthamien.

Pour le libéralisme, raison et liberté étaient les maîtres-mots de l'individu ; pour le marxisme, c'étaient les maîtres-mots du rôle de l'homme dans l'historiogenèse politique. Pour les libéraux et les radicaux des Temps Modernes, de même que la biographie était la création rationnelle du libre arbitre individuel, l'histoire était aussi une création rationnelle.

Or, à voir ce qui s'est passé dans le monde, on comprend bien pourquoi les idées de raison et de liberté paraissent aujourd'hui si ambiguës dans les nouvelles sociétés capitalistes et communistes ; pourquoi le marxisme est si souvent tombé au rang d'une morne rhétorique d'abus et de défense bureaucratiques, tandis que le libéralisme, devenu étranger et insignifiant, servait à masquer la réalité sociale. Ni la lecture libérale, ni la lecture marxienne de la politique et de la culture ne permettent de comprendre les grandes évolutions de notre temps. Ces deux modes de pensée ont servi de chenaux à une réflexion qui prenait pour objet des sociétés aujourd'hui disparues. John Stuart Mill n'a jamais examiné les types d'économie politique qui se font jour actuellement dans le monde capitaliste. Karl Marx n'a jamais analysé les types de sociétés qui se construisent actuellement dans le bloc communiste. Et ni l'un ni l'autre n'ont jamais eu vent des problèmes qui agitent les pays qu'on appelle sous-développés, où sept hommes sur dix s'efforcent aujourd'hui d'exister. Nous sommes mis devant de nouveaux types de structures sociales, qui, dans le cadre des idéaux « modernes », ne se plient pas à l'analyse, ni dans la perspective libérale, ni dans la perspective socialiste qui nous ont été léguées.

Le « Quaternaire » a pour trait idéologique distinctif la mise en question des idées de raison et de liberté ; la raison n'est plus la rançon de la liberté. C'est en cela que l'ère nouvelle s'oppose aux Temps Modernes.

2

Le rôle de la raison dans les affaires humaines et l'idée que l'individu est l'hôte de la raison, tels sont les deux grands thèmes légués par les philosophes du Siècle des Lumières aux sociologues d'aujourd'hui. S'ils doivent rester les valeurs cardinales par rapport auxquelles les épreuves sont précisées et les enjeux mis en lumière, alors il faut de toute évidence que les idéaux de raison et de liberté soient problématisés d'une manière plus exacte et plus résoluble que naguère. Car aujourd'hui ces deux valeurs de raison et de liberté sont menacées d'un péril aussi évident que sournois.

On sait où nous en sommes. Les grandes organisations rationnelles, les bureaucraties, se sont multipliées, mais le libre individu a toujours le même potentiel de raison. Prisonniers des milieux restreints de leur vie quotidienne, les hommes ordinaires ne savent pas raisonner sur les grandes structures rationnelles et irrationnelles dont leurs milieux sont les segments. Aussi accomplissent-ils des actes d'allure rationnelle, sans avoir la moindre idée des objectifs auxquels ils se prêtent, et on se demande dans quelle mesure les gros bonnets eux-mêmes, pareils aux généraux de Tolstoï, ne font pas seulement *semblant* de savoir. La prolifération de ces organisations, la division accrue du travail, multiplient l'une et l'autre des champs d'existence, de travail et de loisirs où il n'est plus possible de raisonner. Le soldat, par exemple, « accomplit méticuleusement toute une chaîne de gestes fonctionnels et rationnels sans savoir le moins du monde à quoi ils sont destinés », et sans connaître davantage la fonction qui est dévolue à chaque geste dans cet ensemble[1]. Des techniciens éminents peuvent mener à bien la tâche qui leur est confiée sans savoir qu'ils fabriquent la première bombe atomique.

Il se fait jour que la science n'est pas un second avènement technologique. Ce n'est pas parce que ses techniques et son rationalisme prédominent dans une société que les hom-

---

1. Voir Mannheim, *Man and Society*, New York, Harcourt Brace, 1940, p. 54.

mes vivent selon la raison, à l'abri des mythes, des fraudes et de la superstition. L'éducation universelle peut fort bien mener à l'idiotie technologique et à l'esprit de clocher nationaliste, au lieu de promouvoir l'intelligence bien informée et indépendante. A répandre au sein des masses la culture historique, on risque de banaliser la sensibilité culturelle au lieu d'élever son niveau, et de compromettre gravement les chances de l'invention créatrice. Un niveau élevé de technologie et de rationalisme bureaucratique ne va pas forcément de pair avec un niveau équivalent d'intelligence individuelle ou d'intelligence sociale. Le second ne s'ensuit pas logiquement du premier. Le rationalisme social, technologique ou bureaucratique ne décuple pas chez l'individu la volonté ni la faculté de raisonner. Au contraire, il semble qu'il les ébranle. Les dispositifs sociaux mis en place selon la raison n'engendrent pas nécessairement une plus grande liberté, ni pour l'individu, ni pour la société. Ils apparaissent bien souvent comme un instrument de tyrannie et de manipulation, comme un moyen de saboter les chances de la raison, et la faculté même d'agir en homme libre. Seuls quelques rares positions stratégiques, ou même simplement quelques points de vue privilégiés au cœur de la structure rationalisée, permettent d'apercevoir les forces structurelles qui, à l'œuvre dans cet ensemble, affectent les petits secteurs particuliers émergeant à la conscience des hommes ordinaires.

Les forces qui modèlent ces milieux sont issues d'ailleurs, et elles échappent à l'empire de ceux qui y baignent. En outre, ces milieux se rationalisent de plus en plus. Familles et usines, travail et loisirs, Etats et voisinages tendent tous à s'intégrer à une totalité fonctionnelle et rationnelle, ou bien deviennent les jouets de forces déchaînées et irrationnelles.

La rationalisation toujours accrue de la société, la contradiction entre rationalité et raison, la fin de la coïncidence qu'on prêtait au couple raison-liberté, voilà ce qui se cache derrière l'apparition de cet homme rationnel sans Raison, toujours plus autorationalisé et toujours plus inquiet. C'est en fonction de ce type d'homme que se pose le mieux le problème moderne de la liberté. Or ces tendances et ces doutes sont rarement problématisés et en tout cas rarement reconnus pour des enjeux, ou vécus comme des épreuves. Bien mieux, c'est la non-reconnaissance et la non-formulation du problème qui fait l'essentiel du problème actuel de la raison et de la liberté.

3

Aux yeux de l'individu, les événements sont dus à la manipulation, à l'administration, à l'abandon aveugle ; l'autorité est rarement explicite ; ceux qui détiennent le pouvoir ne jugent pas nécessaire de l'expliciter ni de le justifier. C'est pourquoi les hommes ordinaires, lorsqu'ils traversent des épreuves ou sentent confusément qu'ils se heurtent à des enjeux, n'arrivent pas à assigner à la pensée et à l'action des buts précis ; ils ne peuvent discerner ce qui menace les valeurs qu'ils entrevoient comme les leurs.

Devant ces effets de la grande ligne de force qu'est la rationalisation, l'individu « fait de son mieux ». Il règle ses aspirations et son travail sur la situation où il se trouve, et dont il ne connaît pas d'issue. Tôt ou tard, il renonce à en chercher une ; il s'adapte. Le temps que lui laisse son travail, il le consacre à jouer, à consommer, à « rigoler ». Mais cet univers de consommation se rationalise lui aussi. Aliéné de la production, aliéné de son travail, il finit par être également aliéné de la consommation et des vrais loisirs. Cette adaptation individuelle, et les effets qu'elle entraîne sur le moi et le milieu, font perdre à l'homme ses moindres chances, ses moindres facultés et ses moindres velléités de raison ; mais ce n'est pas tout ; il y perd également toute chance et toute faculté d'agir en homme libre. A tel point qu'il paraît ignorer les valeurs mêmes de raison et de liberté.

Ces créatures adaptées ne sont pas nécessairement stupides, même après avoir longtemps vécu, travaillé et joué dans un tel univers. Karl Mannheim a fort bien précisé les choses en parlant d' « autorationalisation », processus par lequel un individu, prisonnier des segments restreints de grandes organisations rationnelles, finit par ajuster étroitement ses élans et ses aspirations, son mode de vie et ses façons de penser aux « règles et aux règlements de l'organisation ». L'organisation rationnelle est, de ce fait, aliénante : les principes directeurs de la conduite et de la réflexion, et, tôt ou tard, ceux de l'affectivité aussi, ne sont pas inscrits dans la conscience individuelle de l'homme de la Réforme, ou dans la raison indépendante de l'homme cartésien. Les principes directeurs sont en fait étrangers et contraires à tout ce qu'on a pris, au cours de l'histoire, pour l'individualité. On peut dire qu'à l'extrême limite, la raison dépérit à mesure que croît la rationalité, et à mesure qu'elle cesse d'appartenir et d'obéir à l'individu, pour passer du côté des organisations géantes. C'est alors qu'il y a rationalité sans raison. Cette rationalité ne coïncide plus avec la liberté, mais lui porte un coup fatal.

Il est tout naturel que l'idéal d'individualité soit mis en cause : à notre époque, la question pendante, c'est la nature même de l'homme, l'image que nous nous faisons de ses limites et de ses possibilités d'homme. L'histoire n'a pas fini d'explorer les limites et les sens de la « nature humaine ». Nous ne savons pas jusqu'où peut aller la transformation psychologique de l'homme des Temps Modernes à l'époque contemporaine. Mais c'est le moment de poser la question sous sa forme définitive : verrons-nous le règne du « gai robot » ?

Nous savons déjà que les moyens ne manquent pas pour transformer l'homme en robot : chimie, psychiatrie, contrainte appliquée, environnement dirigé, pressions non préméditées, et concours de circonstances fortuits. Mais peut-on en faire un robot joyeux et obéissant ? Peut-il trouver le bonheur dans cette condition ; quelles sont les qualités et les significations de ce bonheur ? Il ne suffit plus simplement de poser en principe une métaphysique de la nature humaine, selon laquelle, au plus profond de lui-même, l'homme abriterait une soif de liberté et une volonté de raisonner. Il faut se demander aujourd'hui ce qui favorise l'avènement du gai robot, dans la nature de l'homme, dans la condition humaine actuelle, dans les diverses structures sociales, et ce qui s'y oppose.

L'avènement de l'homme aliéné, et son cortège de thèmes, affectent l'ensemble de notre vraie vie intellectuelle et causent notre malaise. C'est l'un des grands thèmes de la condition humaine contemporaine et de toute étude digne de ce nom. Je ne connais rien — idée, thème ou problème — qui soit si profondément ancré dans la tradition classique et qui fasse à tel point défaut à la sociologie contemporaine.

C'est ce que Marx a aperçu si excellemment dans les premiers essais sur « l'aliénation » ; c'est le grand problème de Georg Simmel dans son fameux essai sur la « Métropole » ; c'est à quoi pensait Graham Wallas en décrivant la « grande société ». C'est ce qui inspire à Fromm la notion d' « automate ». C'est la crainte de voir régner cet homme qui explique la récente utilisation de conceptions classiques comme « le statut et le contrat », « la communauté et la société ». C'est l'austère contenu que recouvre l' « hétérodirection » (*other-directed*) de Riesman et l' « éthique sociale » de Whyte. Et, bien sûr, c'est essentiellement le triomphe (si l'on peut dire) de cette créature, qui fait tout le sens du *1984* de George Orwell.

Du côté positif, de grands concepts ont été élaborés pour faire face au triomphe de l'homme aliéné : le « ça » de Freud, la « *Freiheit* » de Marx, le « je » de Mead, la « spontanéité » de Karen Horney. Ils cherchent dans l'homme-homme un réduit qui leur laisse espérer qu'il ne se laissera pas faire, qu'il ne deviendra pas une créature aliénée, coupée de la nature, de la société, et du moi. Invoquer la « communauté », c'est tenter, bien à tort — je crois — d'affirmer les conditions qui s'opposeraient à la venue d'un tel homme ; et si beaucoup d'humanistes condamnent les efforts déployés par les psychiatres pour adapter l'homme, c'est parce qu'ils croient que ces praticiens provoquent la venue de créatures aliénées et autorationalisées. Derrière tout cela, et bien plus encore derrière les pensées et les inquiétudes traditionnelles des chercheurs intelligents, il y a le simple fait (décisif), que l'homme aliéné est la contre-épreuve de l'image que l'Occident se fait de l'homme libre. La société où s'épanouit cette créature, ce gai robot, est l'antithèse de la société libre, ou encore, au sens littéral du mot, l'antithèse de la société démocratique. L'avènement de cet homme fait de la liberté une épreuve, un enjeu, et, espérons-le, un problème pour les sociologues. Epreuve individuelle, dont l'intéressé ignore aisément les termes et les valeurs, c'est l'épreuve qu'on appelle l' « aliénation ». Enjeu collectif, dont les intéressés ne cherchent pas à connaître les termes et les valeurs, il ne s'agit de rien moins que l'enjeu de la société démocratique, telle qu'elle est vécue et rêvée.

C'est exactement parce que cet enjeu et cette épreuve ne sont pas reconnus pour ce qu'ils sont et n'ont pas d'existence explicite que le malaise et l'indifférence qui les dénotent sont tellement profonds et tellement significatifs. C'est un aspect fondamental du problème actuel de la liberté, tel qu'il est posé dans son contexte politique, et un aspect fondamental du défi intellectuel que lance sa formulation aux sociologues contemporains.

Ce n'est pas un simple paradoxe de dire que les valeurs de liberté et de raison se trouvent derrière l'absence d'épreuves, derrière l'inconfortable sentiment d'inquiétude et d'aliénation. De même, l'enjeu où conduisent les menaces qui pèsent sur la liberté et la raison est essentiellement l'absence d'enjeux explicites ; c'est à l'apathie qu'ils nous mènent, plutôt qu'à des enjeux définis en tant que tels.

Si les enjeux et les épreuves n'ont pas été élucidés, c'est précisément que les facultés et les qualités humaines requises pour le faire sont la raison et liberté, celles-là mêmes qui sont menacées, et qui ne cessent de s'amenuiser. Ni les épreuves ni les enjeux n'ont été mis en problèmes par les sociologies examinées dans ce livre. Ce que laisse espérer la sociologie classique, c'est qu'ils le seront un jour.

4

Les enjeux et les épreuves mis en cause par les crises de la raison et de la liberté ne sauraient être formulés en un seul grand problème ; mais il n'est pas question non plus de les aborder et de les résoudre en les pulvérisant sous forme d'un nuage d'enjeux microscopiques, ou d'épreuves éparpillées dans une diaspora de milieux. Ce sont des problèmes de structure, et il convient de les formuler conformément à la tradition classique, c'est-à-dire selon la biographie humaine et la grande histoire. C'est la seule façon de retrouver les liens de structure et de milieux qui affectent aujourd'hui ces valeurs, et de mener une analyse casuelle. La crise de l'individualité et celle de l'historiogenèse ; le rôle de la raison dans la libre existence individuelle et dans la création de l'histoire — c'est dans la reformulation et l'élucidation de ces problèmes que réside le grand espoir des sciences sociales.

Moralement et intellectuellement, la sociologie laisse espérer que la raison et la liberté resteront des valeurs chères, qu'elles entreront sérieusement, régulièrement et imaginativement dans la formulation des problèmes. Mais c'est aussi l'espoir politique de ce qu'on appelle, sans grande rigueur, la culture occidentale. Dans les sciences sociales, les crises intellectuelles coïncident aujourd'hui avec les crises politiques : travailler pour un domaine, c'est travailler pour l'autre. Nos grandes traditions politiques tiennent tout entières dans le libéralisme classique et dans le socialisme classique. L'effondrement de ces idéologies est lié à la décadence de la libre individualité et à l'effacement du rôle que joue la raison dans les affaires humaines. Si l'on désire reformuler pour notre temps, dans la sphère politique, les objectifs du libéralisme et du socialisme, il faut penser, comme condition *sine qua non*, une société où tous les hommes deviendraient des hommes de solide raison, dont le libre raisonnement aurait des conséquences structurelles sur leur société, sur son histoire, et partant, sur leurs destinées individuelles.

Si le sociologue prête attention à la structure sociale, il ne pense pas pour autant que l'avenir est déterminé par la structure. Nous étudions les limites structurelles de la décision humaine pour essayer de trouver des points d'intervention concrète, afin de savoir ce qu'on peut et ce qu'on doit changer dans la structure si l'on veut que s'accroisse le rôle de la décision explicite dans l'historiogenèse. Nous nous penchons sur l'histoire sans croire que l'avenir est inévitable, qu'il est prisonnier du passé. Ce n'est pas parce que des hommes ont autrefois vécu dans certaine société, que des limites précises ou infrangibles sont du même coup assignées aux sociétés qu'ils peuvent être appelés à créer. Nous étudions l'histoire pour savoir au sein de quelles alternatives l'humaine raison et l'humaine liberté peuvent à présent faire l'histoire. Nous étudions donc les structures sociales historiques afin d'y trouver les moyens de les dominer. C'est la seule façon d'apprendre les limites et le sens de la liberté humaine.

La liberté n'est pas seulement le bon plaisir ; ce n'est pas non plus la simple faculté de choisir. La liberté, c'est d'abord la faculté de formuler le choix, ensuite celle d'en débattre — et enfin celle de choisir. C'est pourquoi il n'y a pas de liberté sans plus grande raison. Dans la biographie de l'individu et dans l'histoire de la société, la raison a pour tâche de formuler les choix et d'élargir le champ des décisions humaines dans l'historiogenèse. L'avenir des choses humaines n'est pas l'affaire d'une prédiction de variables. L'avenir est affaire de décision, dans les limites s'entend, de la possibilité historique. Mais c'est une possibilité qui n'est pas rigide ; aujourd'hui ses limites sont même singulièrement vastes.

A l'échelon suivant, le problème de la liberté consiste à savoir comment sont prises les décisions qui engagent l'avenir des affaires humaines, et qui les prend. Sur le plan de l'organisation, il s'agit de mettre au point un bon appareil de décision. Sur le plan moral, il s'agit de poser le problème de la responsabilité politique. Sur le plan intellectuel, il s'agit de savoir quels sont les avenirs possibles des affaires humaines. Mais le problème de la liberté ne consiste pas seulement à décider de la nature de l'histoire ni à connaître les chances qu'ont, sur le plan structurel, les décisions explicites de modifier sa carrière ; c'est la nature de l'homme qui est en jeu et le fait que la valeur de liberté ne peut reposer sur la « nature fondamentale de l'homme ». En dernier ressort, le problème de la liberté se ramène à celui du gai robot, et s'il en est ainsi aujourd'hui, c'est que *tous* les hommes *ne veulent pas* être libres ; tous les hommes ne veulent pas ou ne peuvent pas (c'est selon) se donner la peine d'acquérir la raison qu'exige la liberté.

A quelles conditions les hommes *veulent-ils* être libres, et se rendre capables d'agir librement ? A quelles conditions veulent-ils et peuvent-ils porter les fardeaux que la liberté leur impose, et y voir moins des fardeaux que des autotransformations entreprises de gaieté de cœur. Et négativement ; peut-on faire accepter aux hommes de devenir des robots *joyeux ?*

A l'heure qu'il est, ne faut-il pas s'attendre que l'esprit humain, en tant que fait social, dégénère, s'avilisse, tombe à un bas niveau culturel, et que le phénomène passe inaperçu sous l'avalanche des *choses* technologiques ? La rationalité sans raison, n'est-ce pas aussi cela ? Et l'aliénation humaine ? Et la relégation de la raison dans les affaires humaines ? L'avalanche des *choses* dissimule ces significations : ceux qui les utilisent ne les comprennent pas ; ceux qui les inventent ne comprennent plus qu'elles. C'est pourquoi il nous est *interdit,* sans encourir une redoutable ambiguïté, de faire de l'abondance technologique l'indice de la qualité humaine et du progrès culturel.

Formuler un problème, c'est nécessairement énoncer les valeurs compromises et la menace qui les enveloppe. Car c'est la menace qu'on sent peser sur les valeurs chères (dont celles de raison et de liberté) qui constitue la substantifique moelle de tous les problèmes cruciaux de la recherche sociologique, de tous les enjeux collectifs, et de toutes les épreuves individuelles.

Les valeurs compromises dans le problème culturel de l'individualité sont assez bien incarnées dans l'idéal de l'Homme de la Renaissance. La menace qui pèse sur cet idéal est la suprématie que se taille parmi nous le gai robot.

Les valeurs compromises dans le problème politique de l'historiogenèse s'incarnent dans l'idéal prométhéen selon lequel l'homme fait sa propre histoire. La menace qui pèse sur cet idéal est double. *Primo*, l'historiogenèse s'accomplit par défaut, et les hommes continuant de déclarer forfait, ils se contentent d'aller à vau-l'eau. *Secundo*, il peut arriver que l'histoire passe effectivement par certaines mains — mais celles d'étroites élites, qui ne sont pas responsables devant ceux qui doivent s'efforcer de survivre aux conséquences de leurs décisions et de leurs carences.

J'ignore les réponses qu'on peut donner au problème de l'irresponsabilité politique d'aujourd'hui, ou au problème politique et culturel du gai robot. Mais il paraît aller de soi qu'il n'y aura pas de réponse tant que les problèmes ne seront pas abordés. Et les sociologues des sociétés prospères ne sont-ils pas tout désignés pour ce faire ? Beaucoup y coupent aujourd'hui, et c'est assurément la plus criminelle carence dont les privilégiés de notre temps soient en train de se rendre coupables.

10

De la politique

Les sociologues n'ont pas à laisser les « contingences »
du contexte décider du sens politique de leur travail, pas plus
qu'ils n'ont à laisser d'autres hommes en disposer selon leur
propos. Il leur appartient de plein droit de statuer souverai-
nement sur la signification à lui donner, et sur l'emploi qu'il
convient d'en faire. Dans une très large mesure, qui reste
d'ailleurs à déterminer, c'est à eux d'influencer leur stratégie,
voire de la définir. Pour ce faire, ils doivent formuler des
jugements explicites, et prendre des décisions concernant la
théorie, la méthode, et les faits. Du point de vue de la stratégie, ces jugements sont du ressort de l'intellectuel isolé aussi
bien que de la confrérie. Et pourtant, n'est-il pas clair que
le jugement implicite, en morale et en politique, a beaucoup
plus d'influence que les discussions ouvertes sur la stratégie
personnelle et professionnelle ? C'est seulement en mettant
ouvertement ces influences à la question que les hommes peuvent pleinement les connaître, et par là régler leurs retentissements sur le travail sociologique et sur sa signification politique.

En aucun cas, le sociologue ne peut couper court aux
options de valeur et éviter de les sous-entendre dans son travail. Les problèmes, comme les enjeux et les épreuves, se
nourrissent des menaces qui pèsent sur les valeurs, et ne peu-

vent se formuler clairement sans reconnaître ces valeurs. De plus en plus, la recherche et les sociologues sont exploités à des fins idéologiques et bureaucratiques. Ceci dit, en tant que spécialistes et en tant qu'individus, les chercheurs sont amenés à se demander s'ils ont conscience des utilisations et des valeurs de leur travail, s'ils en ont la pleine maîtrise, s'ils cherchent à l'acquérir. Selon les réponses ou l'absence de réponses, et selon qu'ils mettent ou non ces réponses au service de leur travail et de leur vie professionnelle, ils donneront une réponse différente à l'ultime question : dans leur travail de sociologues, a) jouissent-ils d'une autonomie morale ; b) sont-ils asservis à la moralité d'autrui ; c) sont-ils abandonnés à eux-mêmes ? Les maîtres-mots de ces problèmes, utilisés avec la meilleure intention du monde d'ailleurs, n'ont plus cours. Les sociologues doivent à tout prix se poser ces questions. Dans ce chapitre, je suggérerai quelques éléments indispensables à leur réponse, et aussi la réponse à laquelle je suis moi-même arrivé au cours des dernières années.

1

Dans son travail, le sociologue n'est pas mis en demeure de choisir ses valeurs de but en blanc. Il travaille déjà d'après certaines d'entre elles. Celles que ces disciplines incarnent aujourd'hui ont été choisies parmi les valeurs créées par la société occidentale ; partout ailleurs, la sociologie est un produit d'importation. Certes, il en est qui ne se font pas faute de faire croire que les valeurs choisies « transcendent » la société, occidentale ou pas ; d'autres laissent entendre que leurs normes sont « immanentes » à une société existante, dont elles constitueraient une pure virtualité. Mais il ne fait plus de doute aujourd'hui que les valeurs inhérentes aux traditions de la science sociale ne sont ni transcendantes ni immanentes. Ce sont tout simplement des valeurs saluées par le plus grand nombre, dans les limites dont se contentent les sphères restreintes. Ce qu'un homme appelle un jugement moral, c'est uniquement un désir de généraliser, et par conséquent de mettre à la portée d'autrui, les valeurs qu'il a choisies.

Il me semble que les traditions de la sociologie et, en tout cas. l'espoir intellectuel qu'elle a fait naître, font place à trois grands idéaux politiques. Le premier est tout simplement la valeur de vérité — le fait. L'entreprise même de la sociologie, dans la mesure où elle détermine le fait, revêt une portée politique. Dans un monde où l'on propage la sottise, tout énoncé de fait a un retentissement politique et moral. Tous les sociologues, de par leur existence même, sont engagés dans le combat qui met aux prises l'obscurantisme et les lumières. Dans notre monde, faire de la sociologie, c'est faire la politique de la vérité.

Mais la politique de la vérité ne rend pas compte des valeurs qui orientent notre entreprise. La vérité de nos découvertes, la précision de nos recherches, vues dans leur contexte social, ne sont pas forcément pertinentes dans les affaires humaines. Le sont-elles ou non ; sur quel mode le sontelles ? Telle est justement la seconde valeur, qui est en définitive celle du rôle que joue la raison dans les affaires humaines. Une troisième valeur va de pair avec les deux premières ; c'est l'humaine liberté, avec toute son ambiguïté. Raison et liberté, je le répète, sont les valeurs cardinales de la civilisation occidentale ; toutes deux sont saluées pour des idéaux. Mais dans la pratique, dans l'ordre des critères et des objectifs, elles suscitent bien des controverses. Aussi l'une de nos tâches intellectuelles, à nous sociologues, consiste à élucider l'idéal de raison et l'idéal de liberté.

Si la raison humaine est appelée à jouer un plus grand rôle, un rôle plus explicite, dans la genèse de l'histoire, les sociologues sont certainement au nombre de ses meilleurs messagers. Dans leur travail, ils mettent la raison au service de l'intelligence des affaires humaines ; c'est là leur mission. S'ils veulent travailler et agir selon une direction choisie en connaissance de cause, ils doivent d'abord se situer dans la vie intellectuelle et dans la structure socio-historique de leur siècle. Ils doivent se situer dans les domaines sociaux de l'intelligence ; et ils doivent ensuite faire communiquer ces domaines avec la structure de la société historique. Ce n'est pas ici la place d'un tel travail. Je veux simplement évoquer trois rôles politiques, en fonction desquels le sociologue peut se penser, en tant qu'homme de raison.

La science sociale en général et la sociologie en particulier font place au thème du roi-philosophe. D'Auguste Comte à Karl Mannheim, on n'a cessé de plaider en faveur de l' « homme du savoir » et de justifier l'extension du pouvoir qu'on voulait lui accorder. Plus précisément, le couronnement de la raison, c'est évidemment le couronnement de « l'homme de raison ». Cette façon de comprendre le rôle de la raison dans les affaires humaines est pour beaucoup dans les efforts déployés par les sociologues pour maintenir sur un plan extrêmement général l'accueil qu'ils faisaient à la raison parmi les valeurs sociales. Ils ont voulu éviter le ridicule auquel est promise cette idée lorsqu'on la met face à face avec la réalité du pouvoir. C'est une façon de voir qui va bien souvent à l'encontre de la démocratie, car elle postule l'existence d'une aristocratie, qui serait celle du talent, au lieu d'être une aristocratie de la naissance ou de l'argent. Mais l'idée passablement ridicule que le sociologue doit devenir un roi-philosophe est une façon parmi d'autres de concevoir le rôle que peut s'essayer à jouer le sociologue dans la collectivité.

La qualité de la politique repose très largement sur les qualités de ceux qui la font. Si le « philosophe » venait à être roi, je m'empresserais de déserter son royaume ; mais lorsque les rois n'ont pas de « philosophie », ne sont-ils pas incapables de tenir une ligne de conduite devant les responsabilités ?

Le second rôle, le plus fréquent, consiste à se faire le conseiller du roi. Les mises à contribution bureaucratiques que j'ai décrites en sont le meilleur exemple. Le sociologue isolé tend à mettre le doigt dans cet engrenage compliqué de la société moderne, qui enrôle l'individu dans une bureaucratie rationnelle et fonctionnelle, et il se retranche dans son alvéole de spécialiste, de manière à ne rien connaître de la structure sociale postmoderne. Ici, nous l'avons vu, la sociologie elle-même se fait machine rationnelle et fonctionnelle ; le sociologue isolé perd autonomie morale et solide rationalité, et le rôle de la raison dans les affaires humaines s'amenuise, exploitée qu'elle est par la bureaucratie et la manipulation, dont elle se contente désormais de fignoler les techniques.

Mais c'est la pire forme que puisse prendre le rôle de conseiller du roi ; car ce rôle n'est pas condamné, j'en suis sûr, à s'inspirer toujours du style bureaucratique. C'est un rôle où il est difficile de conserver son intégrité morale et intellectuelle et, par conséquent, sa liberté de travail de sociologue. Il n'est que trop facile, étant sociologue consultant, de se prendre pour un philosophe, et de considérer ses clients comme des dirigeants éclairés. Mais seraient-ils philosophes, ces sociologues, que leurs clients et maîtres ne sont pas nécessairement de ces gens que la grâce des lumières peut toucher. C'est pourquoi je suis tellement frappé par la fidélité de certains experts envers les despotes rien moins qu'éclairés auxquels ils louent leurs services. C'est une fidélité qui semble à l'épreuve de l'impéritie despotique comme à celle de la sottise dogmatique.

Je ne dis pas que le rôle de conseiller est un rôle impossible ; je sais qu'on peut le jouer bien, et que certains n'y manquent pas. Et s'ils étaient plus nombreux encore, la tâche des sociologues qui choisissent le troisième rôle en serait facilitée, car ils se recoupent.

La troisième voie, par où le sociologue peut réaliser la valeur de raison, est bien connue elle aussi, et parfois utilisée. Ce rôle consiste à rester indépendant, à faire son travail tout seul, à choisir tout seul ses problèmes, tout en *interpelant* les rois et en *s'adressant* aux « collectivités ». La sociologie devient alors une sorte d'appareil de renseignement collectif, par où passent les enjeux collectifs et les épreuves personnelles, ainsi que les lignes de forces structurelles qui les sous-entendent tous deux ; quant aux sociologues, ils entrent rationnellement dans une association autogérée, que nous appelons les sciences sociales.

En assumant ce rôle, que je vais expliquer bientôt, nous essayons d'*agir* sur la valeur de raison ; en postulant que nous pouvons faire quelque chose, nous postulons une théorie de l'historiogenèse ; nous supposons que l' « homme » est libre, et que, par le jeu de ses entreprises rationnelles, il peut influencer le cours de l'histoire. Je laisserai de côté désormais toute discussion sur les *valeurs* de raison et de liberté, et je m'attacherai à découvrir quelle théorie de l'histoire permet de les réaliser.

2

Les hommes sont libres de faire l'histoire, mais certains sont plus libres que d'autres. Pour que cette liberté prenne effet, il faut que les hommes aient accès aux instruments de décision et de pouvoir grâce auxquels il est possible de faire l'histoire. Elle ne se fait pas toujours de cette manière-là ;

dans les lignes qui suivent, je ne parlerai que de la période contemporaine, où les instruments du pouvoir historiogénétique se sont tellement centralisés et tellement étendus. C'est à cette époque que je me place ; si les hommes n'y font pas l'histoire, ils tendent de plus en plus à devenir des ustensiles aux mains de ceux qui la font, et les simples objets de cette genèse.

Le rôle que jouent les décisions explicites dans la genèse de l'histoire constitue à lui seul un problème historique. L'importance de ce rôle dépend des instruments de pouvoir dont on dispose à un moment donné, dans une société donnée. Dans certaines sociétés, les innombrables actions d'une infinité de gens modifient leurs milieux, et transforment peu à peu la structure elle-même. Ces transformations constituent le flux de l'histoire ; l'histoire est abandonnée à elle-même, et pourtant, en fin de compte, « les hommes la font ». Ainsi, des millions de producteurs et des millions de consommateurs prennent à chaque instant des millions de décisions, font et défont l'économie de marché. C'était peut-être à ce genre de chose que pensait Marx en écrivant, dans *Le 18 Brumaire* : « les hommes sont les artisans de leur propre histoire, mais ils ne la font pas selon leur bon plaisir ; ils la font dans des circonstances qui ne dépendent pas d'eux »...

Le destin, ou l' « inévitabilité », régit des événements historiques qui échappent à tout groupe ou à toute sphère possédant trois caractéristiques : 1) assez dense pour pouvoir être identifié, 2) ayant assez de pouvoir pour prendre des décisions riches en conséquences, et 3) à même de prévoir ces conséquences et, partant, de pouvoir être tenu pour responsable. En ce sens, les événements sont les résultats cumulatifs et non prémédités d'une myriade de décisions émanant d'une myriade d'individus. Chaque décision entraîne une conséquence minime, et risque d'être annulée ou amplifiée par d'autres décisions du même genre. Il n'y a aucun lien entre l'intention d'un seul et le résultat cumulatif des myriades de décisions. Les événements sont sans commune mesure avec les décisions humaines. L'histoire se fait derrière notre dos.

Ainsi conçu, le destin n'est pas un fait universel ; il n'est pas inhérent à la nature de l'histoire ou à la nature de l'homme. Le destin fait partie d'une certaine structure sociale, douée de spécificité historique. Dans une société où le dernier mot est au fusil ; où l'unité d'économie est la ferme familiale et la petite boutique ; où l'état-nation n'existe pas encore, ou bien se profile très loin à l'horizon ; où la communication ressortit au bouche-à-bouche, au prospectus, à la chaire, dans *cette société-là*, l'histoire, à coup sûr, est un destin.

Mais qu'on regarde maintenant la condition qui est la nôtre. Elle se définit par l'énorme accroissement et par la centralisation de tous les moyens de pouvoir et de décision, c'est-à-dire de tous les instruments de l'historiogenèse. Dans la société industrielle moderne, on développe et on centralise les conditions favorables à la production économique, on remplace les paysans et les artisans par des entreprises privées et des industries d'état. Dans l'état-nation moderne, les instruments de violence et d'administration politique évoluent de façon analogue ; les nobles sont sous la coupe des rois, les chevaliers et leur adoubement laissent place à des armées actives et à de terrifiantes machines militaires. C'est aux Etats-Unis et en U.R.S.S. qu'on va le plus loin dans cette dramatique évolution *post-moderne*, et dans les trois ordres de l'économie, de la politique, et de la violence. Aujourd'hui, les instruments de création historique se centralisent aussi bien sur le plan national que sur le plan international. N'est-il pas clair que l'homme tient aujourd'hui une occasion unique de faire son histoire en toute connaissance de cause ? Les élites du pouvoir qui détiennent ces moyens de création font aujourd'hui l'histoire ; certes, ils la font « dans des circonstances qui ne dépendent pas d'eux », mais si l'on songe à celles qu'ont dû affronter d'autres hommes en d'autres temps, ces circonstances-là ne paraissent pas autrement redoutables.

Voilà bien le paradoxe de notre situation présente : les instruments de la genèse historique étant ce qu'ils sont, il est clair que les hommes ne sont pas forcément la proie du destin, qu'ils *sont en mesure* aujourd'hui de faire leur histoire. Or c'est aujourd'hui précisément que dépérissent et s'effondrent en Occident les idéologies dont les hommes tiraient l'espoir qu'ils pourraient faire cette histoire. Cet effondrement, c'est aussi l'effondrement des espoirs des lumières, qui laissaient prévoir le règne de la raison et de la liberté dans l'histoire humaine. Là-derrière se cachent aussi les carences intellectuelles et politiques de la communauté intellectuelle.

Où est donc l'intelligentsia qui, *tout à la fois*, parle au nom de l'Occident, influence par son activité les partis et les

collectivités, et participe aux grandes décisions du siècle ?
Où sont les moyens de communication de masse auxquels ces
hommes ont accès ? Qui, parmi les responsables du système
bipartite et de ses sanglantes machines militaires, prête attention à ce qui se passe dans l'univers du savoir, de la raison
et de la sensibilité ? Pourquoi la libre pensée est-elle écartée
des décisions du pouvoir ? Pourquoi les hommes du pouvoir
se laissent-ils aller à l'ignorance et à l'irresponsabilité ?

Aux Etats-Unis, intellectuels, artistes, ministres, chercheurs
et hommes de science sont en train de se livrer une guerre
froide où ils répètent et entretiennent la confusion des bureaucraties. Jamais ils ne demandent aux gens du pouvoir de
changer de ligne de conduite, jamais ils ne soumettent de
suggestions aux collectivités. Ils ne cherchent pas à faire
entrer la responsabilité dans la politique des Etats-Unis ; ils
contribuent à l'en chasser, et ils veillent à ce qu'elle reste en
l'état. Les carences du clergé chrétien ont aussi leur part de
responsabilité dans cette affaire, au même titre que l'enrôle-
ment des savants dans les machines à science nationalistes.
Les inventions de journalistes, devenues routinières, y sont
également pour quelque chose, ainsi que toutes les sornettes
prétentieuses qu'on fait passer pour de la sociologie.

3

Loin de moi la prétention de voir tous les sociologues se
rallier à mon opinion, et d'ailleurs mon propos n'en souffre
pas. Je veux simplement dire avec force qu'une fois admises
les valeurs de raison et de liberté, le devoir par excellence
du sociologue est de circonscrire les limites de la liberté et
les limites du rôle que joue la raison dans l'histoire.

En adoptant le troisième rôle, le sociologue n'apparaît pas
à sa propre conscience sous les traits d'un être autonome,
soustrait à la société. Avec bien d'autres, il se sent au contraire
exclu des grandes décisions qui font l'histoire de ce temps ;
en même temps, il se sait au nombre de ceux qui subissent
les conséquences de ces décisions mêmes. Et voilà pourquoi,
dans la mesure où il sait ce qu'il fait, il devient explicitement
une créature politique. Personne n'est « en dehors » de la
société ; le problème, c'est de savoir la place que chacun y
occupe.

En général, le sociologue est de classe, de pouvoir et de statut moyens. C'est une situation qui ne l'avantage pas pour résoudre les problèmes de structure ; il n'en sait pas davantage que l'homme ordinaire, car les solutions de ces problèmes dépassent l'intellectuel et le personnel ; pour les formuler, on ne peut pas s'en tenir aux milieux auxquels a accès le sociologue ; il en va de même pour les résoudre, ce qui revient à dire que ce sont des problèmes de pouvoir social, de pouvoir politique et de pouvoir économique. Mais le sociologue est quelque chose de plus que « l'homme ordinaire ». Sa mission intellectuelle consiste à transcender les milieux où il lui est donné de vivre ; c'est ce qu'il fait en examinant l'ordre économique de l'Angleterre au XIXe siècle, la hiérarchie statutaire des Etats-Unis au XXe, les institutions militaires de Rome sous l'Empire, ou la structure politique de l'Union Soviétique.

Pour autant qu'il s'inquiète des valeurs de raison et de liberté, il cherchera à déterminer dans quelle mesure différents hommes, dans différentes structures sociales, peuvent espérer agir en hommes libres et doués de raison. Il cherchera ensuite à déterminer dans quelle mesure différents hommes jouissant de positions différentes dans des sociétés différentes, ont lieu d'espérer premièrement, en vertu de leur raison et de leur expérience, transcender leur milieu quotidien, et deuxièmement, en vertu de leur pouvoir, agir efficacement pour le bénéfice de la structure de la société et de leur époque. Tels sont les problèmes du rôle de la raison dans l'histoire.

On s'apercevra alors aisément que dans les sociétés modernes, certains hommes ont le pouvoir d'agir profondément sur les structures, et sont parfaitement conscients des conséquences de leurs actes ; que d'autres ont le pouvoir mais n'en connaissent pas la portée ; et que nombreux sont ceux à qui la conscience des structures ne permet pas de transcender les milieux quotidiens, et à qui les moyens d'action mis à leur portée ne permettent pas d'amener des transformations structurelles.

Ensuite, en tant que sociologues, nous nous situons. De par notre travail, nous n'ignorons pas les structures sociales et nous connaissons quelque peu leur dynamique historique. Mais il est trop clair que nous n'avons pas accès aux grands moyens de pouvoir qui existent actuellement et permettent de régler cette dynamique. Nous détenons cependant un petit « instrument de pouvoir » et c'est lui qui nous laisse entrevoir quels sont notre rôle politique et les dimensions politiques de notre travail.

La mission politique du sociologue qui admet les idéaux de raison et de liberté consiste à adresser son travail aux trois autres types d'homme que j'ai classés selon le pouvoir et la conscience.

A ceux qui détiennent le pouvoir et le savent, il fait endosser diverses doses de responsabilité, eu égard aux conséquences structurelles que son analyse permet de mettre au compte de leurs décisions ou de leur absence de décision.

A ceux dont les actes entraînent de telles conséquences, mais qui semblent l'ignorer, il adresse tout ce qu'il a découvert sur ces conséquences. Il s'efforce d'instruire et derechef, il fait endosser la responsabilité.

A ceux qui, de façon chronique, sont désormais démunis de pouvoir, et dont la conscience s'arrête au milieu quotidien, il révèle par son analyse le retentissement qu'entraînent sur ces milieux les décisions et les lignes de force structurelles, et comment les épreuves personnelles rejoignent les enjeux collectifs ; ce faisant, il révèle ce qu'il a découvert concernant les actes des puissants. Telles sont les missions éducatives dont il est investi, et ce sont là également ses grandes missions auprès de la collectivité, s'il est appelé à s'adresser à un grand public. Voyons donc maintenant les problèmes et les tâches que ce troisième rôle implique.

4

Abstraction faite du registre de sa prise de conscience, le sociologue est ordinairement un professeur ; ce facteur occupationnel détermine ce qu'il est à même de faire. Professeur, il parle à des étudiants, et éventuellement, par ses conférences et ses publications, à des publics plus vastes et d'un plus grand moment. Ne quittons pas, s'il vous plaît, ces données élémentaires de pouvoir, ou plutôt, de manque de pouvoir.

Pour autant qu'il se met au service de l'éducation libérale, c'est-à-dire *libératrice*, son rôle envers la collectivité a deux objectifs. Auprès de l'individu, il lui faut transformer les épreuves et les soucis individuels en enjeux sociaux et en problèmes perméables à la raison ; il faut aider l'individu à devenir un perpétuel autodidacte, faute de quoi il ne saurait prétendre être libre et raisonnable. Auprès de la société, il doit s'employer à réduire toutes les forces qui détruisent les collectivités véritables et tentent d'instaurer une société de masse ; ou, pour parler de manière positive, il a pour mission de former et de consolider des collectivités autodidactes. C'est à ce prix que la société sera libre et raisonnable.

Tout cela est bien général, et il me faut maintenant emprunter un chemin plus détourné. Nous avons affaire à des « savoir-faire » et à des valeurs. Les savoir-faire sont plus ou moins adaptés aux tâches de l'émancipation. Je ne crois pas que valeurs et savoir-faire puissent être associés aussi aisément que nous le supposons dans la recherche des « savoir-faire neutres ». C'est une échelle de degrés ; d'un côté les savoir-faire, et de l'autre les valeurs. Mais dans les segments intermédiaires, il y a ce que j'appellerai les *sensibilités*, et ce sont elles qui nous intéressent au premier chef. Apprendre à quelqu'un à se servir d'un tour, apprendre à lire et à écrire, c'est essentiellement apprendre un savoir-faire ; aider quelqu'un à savoir ce qu'il veut, discuter avec lui de sagesse chrétienne, de sagesse stoïque, ou de sagesse humaniste, c'est cultiver ou exercer son sens des valeurs.

De pair avec le savoir-faire et la valeur, il faut ranger la sensibilité, qui les enveloppe, et les dépasse ; elle implique une sorte de thérapeutique qui tient fort de l'antique connais-toi toi-même. Elle implique l'éducation de tous les savoir-faire qui entrent dans cette polémique avec soi-même que nous appelons tantôt la pensée, et tantôt, lorsqu'on l'engage avec autrui, le dialogue. L'éducateur doit commencer par ce qui excite l'intérêt de l'individu, même si cela doit lui paraître banal et vulgaire. Il doit faire en sorte que le sujet aborde ses préoccupations de façon de plus en plus rationnelle, ainsi que celles que l'entraînement lui fera acquérir. Et l'éducateur doit s'efforcer de former des hommes et des femmes à même de vouloir continuer seuls dans la voie qu'il a tracée : le produit de l'éducation libératrice, c'est l'autodidacte ; en somme, c'est l'individu libre et rationnel.

Une société où prédomine ce type d'homme est proprement démocratique. C'est aussi une société faite de collectivités véritables, et non pas de masses. Je veux dire ceci : qu'ils les connaissent ou non, les hommes qui traversent des épreuves dans une société de masse, sont incapables d'en faire des enjeux sociaux. Ils ne comprennent pas les interférences entre ces épreuves de milieu et les problèmes de structure sociale. C'est exactement ce que l'homme averti, membre d'une collectivité authentique, est à même de faire, contrairement aux autres : ce qu'il vit sur le mode d'épreuves personnelles, il sait très bien que d'autres le vivent aussi comme problèmes, et qu'on ne peut les résoudre individuellement, mais qu'il faut modifier les structures des groupes où il vit, et d'aventure la structure de la société entière. Les hommes de masse ont leurs épreuves, mais ils n'en savent pas l'origine ni la signification ; les hommes de collectivité se mesurent à des enjeux, et ils prennent généralement conscience de leur dimension collective.

Il appartient au sociologue (et à tout éducateur libéral) de traduire perpétuellement les épreuves personnelles en enjeux collectifs, et de donner aux enjeux collectifs leur riche dimension humaine. Il lui appartient de faire preuve, dans son travail et dans sa vie (car c'est un éducateur), de cette forme particulière d'imagination sociologique. Et il a pour objectif d'entretenir cette mentalité chez les hommes et chez les femmes qui, dans les collectivités, croisent son chemin. Se consacrer à cela, c'est promouvoir la raison et la liberté, en faire les valeurs cardinales d'une société démocratique.

Vous murmurez peut-être : « Je le vois venir. Il va placer son idéal si haut que rien ne pourra en approcher ». Cette remarque prouvera une chose, c'est que le mot de démocratie est bien galvaudé, et qu'on se soucie peu de lui rendre sa rigueur. L'idée de démocratie n'est pas simple, et c'est à bon droit qu'elle prête à discussion. Mais elle n'est tout de même pas si complexe et si ambiguë qu'elle ne puisse être utilisée par des gens qui veulent raisonner ensemble.

J'ai déjà essayé de montrer ce que je mets dans l'idéal de démocratie. La démocratie implique essentiellement que les gens affectés par une décision humaine soient pour quelque chose dans cette décision. Il s'ensuit que tout pouvoir décisionnaire doit être légitimé auprès de la collectivité, et que les décisionnaires doivent être tenus pour responsables devant elle. Ces trois conditions ne peuvent être respectées, il me semble, que dans les sociétés où s'épanouissent les collectivités et les individus du type décrit plus haut. Il y a cependant d'autres requisits.

La structure sociale des Etats-Unis n'est pas entièrement démocratique. C'est le moins qu'on puisse dire. Je ne connais pas de société qui soit absolument démocratique ; ce n'est qu'un idéal. Les Etats-Unis d'aujourd'hui sont démocratiques essentiellement par la forme et par la rhétorique des beaux lendemains. En fait, et si l'on va au fond des choses, ils sont souvent antidémocratiques ; dans de nombreux secteurs institutionnels, ce n'est que trop clair. Ce ne sont pas des assemblées provinciales qui gèrent l'économie de grandes entreprises, ce ne sont pas des pouvoirs responsables devant ceux que leurs activités intéressent principalement. C'est également le cas de machines militaires et de l'Etat. Ce n'est pas que je mise outre-mesure sur les chances qu'ont les sociologues de jouer un rôle démocratique auprès de la collectivité, ou de réhabiliter ainsi les collectivités. J'évoque simplement un rôle, qui me paraît possible, et que certains sociologues assument effectivement. En outre, ce rôle me paraît en accord avec celui que la pensée libérale et la pensée socialiste attribuent à la raison dans les affaires humaines[1].

_____

1. En passant, j'aimerai rappeler qu'en dehors du contexte et de l'exploitation bureaucratique actuels, le style de l'empirisme abstrait (et son inhibition méthodologique) n'est pas fait pour le rôle démocratique que j'évoque en ce moment. Ceux qui le pratiquent exclusivement, qui y voient le « seul travail sociologique » et qui vivent selon son ethos, ne sont pas à même de jouer le rôle d'éducateurs libéraux. Celui-ci consiste à donner aux individus et aux collectivités confiance dans leur faculté de raisonner, et à l'améliorer, à l'enrichir par l'autocritique, l'étude et l'entraînement. Il consiste à aider les gens, comme dit George Orwell, à « se sortir de la baleine », ou encore, selon la belle expression américaine, à n'être plus « les hommes de personne ». Leur dire que, pour connaître réellement la réalité sociale, il suffit de se lier à une recherche nécessairement bureaucratique, c'est frapper d'interdit, au nom de la science, leur désir de devenir des hommes indépendants et des penseurs solides. C'est décourager le travailleur isolé d'essayer de jamais connaître la réalité. C'est encourager l'esprit à régler ses convictions sur l'autorité d'un appareil étranger, tendance conforme à la bureaucratisation de la raison qui s'opère aujourd'hui. L'industrialisation de la vie universitaire et l'éclatement des problèmes de la sociologie ne sauraient pousser les sociologues à jouer un rôle d'éducateurs libéraux. Ce que ces écoles fractionnent, elles ne le réunissent jamais, fragments microscopiques dont elles se disent certaines. Mais ce ne sont jamais que des éclats abstraits ; le rôle de l'éducation libérale et le rôle politique de la sociologie, le grand espoir qu'elle fait naître, consistent précisément à aider les hommes à transcender ces milieux fragmentaires et abstraits, à prendre conscience des structures historiques et de la place qu'ils y occupent.

D'après moi, le rôle politique de la science sociale (nature et modalités de ce rôle) est directement proportionnel à la place qui est faite à la démocratie.

Si nous endossons le troisième rôle, le rôle autonome, nous essayons d'agir démocratiquement dans une société qui n'est pas entièrement démocratique. Mais nous agissons comme si nous étions dans une vraie démocratie, et ce faisant, nous tentons d'éliminer le « comme si ». Nous essayons de rendre la société plus démocratique. C'est le seul rôle, à mon avis, qui nous permette, à nous sociologues, de nous lancer dans cette entreprise. Du moins, je ne connais pas d'autre moyen de construire un régime démocratique. Et c'est pourquoi le problème des sciences sociales comme principal vecteur de la raison dans les affaires humaines est l'un des grands problèmes actuels de la démocratie.

5

Ont-ils des chances de réussir ? Etant donné les structures politiques où nous opérons, je ne vois guère les sociologues devenir les vecteurs efficaces de la raison. Pour remplir ce rôle stratégique, les hommes de savoir doivent se trouver dans certaines conditions. Les hommes font leur histoire, a dit Marx, mais ils la font dans des conditions qui ne dépendent pas d'eux. Quelles sont donc les conditions dont nous avons besoin pour remplir ce rôle avec succès ? Il nous faut des partis et des mouvements : 1) où les idées et les alternatives de la vie sociale soient l'objet d'un vrai dialogue ; et 2), qui puissent raisonnablement espérer influencer les décisions portant sur les structures. Seule l'existence de ces organismes nous permet d'escompter que la raison jouera un rôle dans les affaires humaines. C'est également la condition de la vraie démocratie.

Sous un tel régime, les sociologues, non contents de s'adresser à une collectivité imprécise et, je le crains, bien clairsemée, prendraient parti pour et contre les mouvements, les couches sociales et les intérêts. En somme, ils se lanceraient dans la polémique, et cette concurrence intellectuelle (par sa mécanique même, et par ses résultats) serait proprement politique. Si nous ne jouons pas avec l'idée de démocratie, si nous ne jouons pas avec le rôle de la raison, pareil engagement n'a rien d'angoissant. Ni les définitions de la réalité sociale, ni l'exposé des méthodes et des moyens politiques, ni à fortiori les buts proposés, soyons-en sûrs, ne donneraient lieu à une doctrine définitive et unifiée[2].

En l'absence de tels partis, de tels mouvements et de telles collectivités, nous vivons dans une société qui est démocratique par ses formes juridiques et par ses attentes formelles. Il ne faudrait pas se leurrer sur l'importance considérable et les chances qu'offre cet état de choses. En U.R.S.S., il n'existe pas, et les intellectuels y livrent un combat acharné pour l'obtenir : voilà qui devrait laisser à réfléchir. N'oublions pas non plus que si tant d'intellectuels y subissent la contrainte physique, beaucoup souffrent ici des contraintes morales qu'ils s'infligent à eux-mêmes. Certes, la démocratie américaine est presque exclusivement formelle, mais il n'empêche que si la raison doit jouer un rôle dans la création historique par la démocratie, l'un de ses principaux vecteurs doit être la sociologie. Certes, il n'y a ni partis démocratiques, ni mouvements, ni collectivités, mais il ne s'ensuit pas que les sociologues et les éducateurs ne doivent pas se servir des institutions pédagogiques, pour y abriter ne serait-ce qu'au début, ces collectivités d'individus, gage d'émancipation, et pour y encourager, pour y poursuivre leurs débats. Il ne s'ensuit pas non plus qu'ils ne doivent pas essayer de former ces collectivités autrement qu'en universitaires.

On risque évidemment de s'attirer des « ennuis » ; ou pire encore, de se heurter à un mur d'indifférence. Il faut, de propos délibéré, avancer des faits et des théories qui peuvent être mis à la question et attirer la polémique. Si l'arène intellectuelle manque d'ampleur, d'ouverture et d'information les gens ne peuvent mettre le doigt ni sur les réalités objectives ni sur les réalités de leur propre personne. A l'heure actuelle, le rôle que j'ai décrit exige bel et bien l'affrontement des définitions mêmes du réel. Ce qu'on appelle la « propagande », notamment la propagande nationaliste, n'est pas fait uniquement d'opinions sur des sujets divers. Elle consiste

---

2. L'idée d'un tel monopole en sociologie figure parmi les notions dirigistes que propose « La Méthode » des créateurs de science, administrateurs de la raison ; elle se dissimule adroitement aussi sous les « valeurs sacrées » des suprêmes-théoriciens. Sans parler bien entendu des slogans technocratiques analysés au chapitre 5.

essentiellement, comme l'a fait remarquer Kecskemeti, à répandre les définitions officielles de la réalité.

Notre vie en collectivité est souvent suspendue à ces définitions officielles, à des mythes, à des mensonges, à des bille-
vesées. Quand les lignes de conduite, après délibération ou
sans délibération, s'appuient sur des définitions erronées ou
trompeuses, alors ceux qui se proposent de les redresser sont
amenés irrémédiablement à détruire les influences. C'est pourquoi les collectivités que j'ai évoquées, ainsi que les hommes
doués d'individualité ont, de par leur existence dans une
telle société, un rôle décisif à jouer. Néanmoins, l'esprit, l'étude, l'intellect, la raison, les idées ont une mission : donner
une juste définition de la réalité, et une définition qui ait une
pertinence collective. En pédagogie et en politique, la sociologie a pour rôle d'aider les collectivités et les individus per-
fectibles à se développer et à survivre ; de cohabiter avec des
définitions adéquates des réalités personnelles et sociales, et
d'agir en accord avec elles.

Le rôle que j'assigne à la raison n'exige pas du sociologue
qu'il batte le pavé, qu'il s'envole par le premier avion vers
le théâtre d'une crise, qu'il brigue le Congrès, qu'il rachète
un journal, qu'il aille visiter les pauvres ou harangue les po-
pulations aux coins des rues. Voilà des actions admirables, et
je m'imagine très bien tenté par ces rôles-là, en certaines circonstances. Mais le sociologue n'a pas à les remplir en temps
normal ; ce serait une démission ; ce serait faire preuve de
scepticisme envers le grand espoir de la sociologie et envers
le rôle de la raison. Il suffit que le sociologue fasse son travail
et qu'il enraye la bureaucratisation de la raison et du discours.

Tous les sociologues ne sont pas d'accord avec moi, et
mon intention n'est pas de les convaincre. Je prétends dire
simplement que l'une de leurs missions consiste à bien préciser de quoi, selon eux, est faite la transformation historique et quelle place y occupent les hommes de raison et de
liberté. C'est ensuite seulement qu'ils viennent à discerner
leur rôle politique et intellectuel, au sein des sociétés étudiées,
et à décider du même coup ce qu'ils pensent réellement des
valeurs de raison et de liberté, si profondément rivées dans
la tradition et dans l'espoir de la sociologie.

Si les individus et les petits groupes ne sont pas libres
d'influencer l'histoire par leurs actes, et si, de surcroît, ils
n'ont pas assez de raison pour en apercevoir les conséquen-

ces ; si les structures de la société moderne, ou d'une société, quelle qu'elle soit, sont telles que l'histoire s'en va à vau-l'eau, et que rien, ni les moyens dont on dispose, ni le savoir qu'on peut acquérir, ne permet de la reprendre en main — alors le seul rôle indépendant dont la sociologie puisse se prévaloir, c'est de relater et de comprendre ; on ne peut plus songer à faire endosser des responsabilités au pouvoir ; les valeurs de raison et de liberté ne peuvent plus se réaliser qu'exceptionnellement, au sein de certains milieux personnels privilégiés.

Mais voilà bien des « si ». Les degrés de la liberté et la gamme des conséquences peuvent toujours prêter à discussion, mais je ne pense pas pour autant que la preuve soit faite, et qu'il faille renoncer à utiliser les valeurs de raison et de liberté pour tracer le chemin de l'entreprise sociologique.

Aujourd'hui, on cherche à ignorer ces questions délicates ; la sociologie n'est pas là pour « sauver le monde », dit-on. C'est tantôt le déni d'un chercheur modeste, tantôt le mépris cynique du spécialiste pour les questions trop générales ; tantôt l'aveu d'une espérance déçue ; c'est souvent une pose, par où l'on cherche à se parer du prestige de l'Homme de Science, esprit pur et désincarné. Mais il arrive qu'on en arrive là après avoir bien posé les faits du pouvoir.

Comme je la connais, je ne crois pas que la sociologie « sauve le monde », mais j'accepte volontiers qu'on « essaye de sauver le monde », si l'on entend par là qu'on fasse en sorte d'éviter la guerre et de réorganiser les affaires humaines en accord avec les idéaux de liberté et de raison. Le peu que je sais me fait bien mal augurer de l'issue. Mais même si nous en sommes là, il faut le dire : à supposer que l'esprit humain puisse effectivement résoudre les crises de notre temps, le sociologue n'est-il pas tout désigné pour montrer la voie ? Ce que nous représentons — sans toujours le montrer — c'est l'homme qui a pris conscience de l'humanité. C'est au niveau de la prise de conscience humaine que doit se placer la solution de tous les grands problèmes.

Vouloir *conjurer* ceux qui détiennent le pouvoir, au nom du savoir dont nous disposons, c'est un projet qui relève de la plus folle utopie. Les seuls rapports que nous puissions entretenir avec eux sont du domaine de l'utilité ; techniciens, nous acceptons leurs problèmes et leurs objectifs ; idéologues, nous leur conférons le prestige et l'autorité. Si nous cherchons autre chose sur le plan politique, il faut au préalable que nous révisions la nature de notre entreprise collective de sociologues. Un sociologue peut, sans utopie, conjurer ses collègues de le faire. Tout sociologue conscient doit affronter les grands dilemmes moraux que j'ai évoqués dans ce chapitre — faire le départ entre ce qui intéresse les hommes et ce qu'ils ont intérêt à faire.

Si nous nous en tenons à l'idée démocratique *qu'intéresse les hommes* ce qui nous concerne tous, alors nous acceptons les valeurs qui ont été inculquées souvent accidentellement, et souvent de propos délibéré, par les intérêts engagés. Ces valeurs sont souvent les seules qu'il ait été donné à l'homme de nourrir. Plutôt que des options, ce sont des habitudes contractées inconsciemment.

Si nous adoptons l'idée dogmatique selon laquelle *est de l'intérêt des hommes*, qu'ils y prennent ou non intérêt, de faire ce qui doit nous concerner moralement, alors nous risquons de violer les valeurs démocratiques. Nous nous exposons à devenir des manipulateurs ou des tyrans, voire les deux, au lieu de jouer notre rôle de conseillers dans une société où les hommes essaient de raisonner au même diapason, et où l'on place très haut la valeur de raison.

C'est en nous adressant aux enjeux et aux épreuves, en y puisant la matière de nos problèmes, que nous donnons à la raison une chance, sa seule chance, d'intervenir démocratiquement dans les affaires humaines au sein d'une libre société, et par là-même de réaliser les valeurs classiques qui nourrissent l'espoir de nos recherches.

Appendice

Le métier d'intellectuel

Pour le sociologue isolé qui se sent dans la tradition classique, la sociologie est un métier. Homme penché sur les problèmes de fond, il s'irrite et se lasse des discussions subtiles sur la théorie et la méthode-en-général ; c'est autant de perdu pour ses propres études. Mieux vaut, pense-t-il, écouter un praticien décrire sa démarche, que feuilleter dix « codes de procédure » établis par des spécialistes qui n'ont jamais rien accompli d'important. Les échanges de procédure entre praticiens chevronnés sont seules à même d'inculquer au débutant le sens de la méthode et de la théorie. Je crois utile, par conséquent, d'exposer en détail les cheminements de mon métier. C'est nécessairement un exposé personnel, mais j'y mets l'espoir que d'autres, et surtout ceux qui se lancent dans le travail indépendant, tempéreront de leur propre expérience ce que ceci aura de trop particulier.

1

Je vous rappellerai d'abord, à vous débutant, que les plus excellents penseurs qui vous ont précédé ne font qu'une mesure de leur vie et de leur travail. Ils respectent l'un et l'autre, et ils enrichissent l'un par l'autre. Certes, si les hommes ont pour coutume de les séparer, c'est que leur travail est inconsistant. Mais vous avez compris qu'homme d'études, vous avez une occasion sans pareille de vous ménager une vie qui favorisera l'amour du métier. Choisir le métier d'intellectuel, c'est opter pour un mode de vie autant que pour une carrière ; sans toujours le savoir, le travailleur intellectuel se fait lui-même, à mesure qu'il chemine vers la perfection du métier ; pour faire éclore toutes ses richesses latentes, il se bâtit une personne où dominent essentiellement les qualités du bon ouvrier.

Vous devez donc apprendre à utiliser au profit du travail intellectuel l'expérience acquise dans la vie ; vous devez sans cesse la scruter et l'interpréter. En ce sens, le métier est le centre de vous-même, et vous entrez vous-même tout entier dans la moindre de vos créations intellectuelles. Vous « avez une expérience », c'est-à-dire que votre passé resurgit dans le présent, qu'il l'influence, et qu'il circonscrit les limites de l'expérience à venir. Sociologue, vous avez pour tâche de régler ces interférences compliquées, de vous emparer de ce que vous vivez et de trier ; c'est le seul moyen d'en faire le guide et la pierre de touche de votre pensée, et d'acquérir du même coup le métier intellectuel. Mais comment y arriver ? Faites des fiches. Les fiches sont au sociologue ce que les carnets sont à l'écrivain. Elles sont indispensables.

Dans ces fiches, vous classerez les expériences vécues et les activités professionnelles, les études en chantier et celles que vous envisagez de faire. Vous, artisan intellectuel, vous y associerez votre cheminement intellectuel et votre aventure d'homme. Vous ne craindrez pas de mettre à profit votre expérience, et de la rattacher directement aux divers travaux en cours. Table de référence pour les travaux à répétitions, vos fiches économisent votre énergie. Elles vous encouragent à saisir au vol les « affleurements », ces idées qui viennent de partout, sous-produits de la vie quotidienne, bribes de conversation sur le trottoir, rêves. Une fois couchées sur le papier, elles peuvent faire éclore une pensée plus réfléchie, ou bien prêter une pertinence intellectuelle à des expériences plus cherchées.

Vous avez certainement remarqué de quels soins les penseurs expérimentés entourent leur esprit, avec quelle attention ils scrutent leur évolution et disposent de leur expérience. S'ils couvent précieusement la moindre expérience, c'est précisément qu'à l'heure actuelle l'homme en vit un petit nombre, et qu'elles sont indispensables à la création intellectuelle. L'ouvrier confirmé entretient à l'égard de son vécu un sentiment mêlé de confiance et de scepticisme ; c'est à cela qu'on le reconnaît, je crois. Cette confiance ambiguë garantit l'originalité de l'entreprise intellectuelle, et ce sont les fiches qui vous y mèneront et qui la justifieront.

En tenant vos fiches à jour et en vous astreignant à cet examen d'esprit, vous apprenez à entretenir un qui-vive intérieur. Quand des idées ou des événements vous secouent, essayez de les retenir par-devers vous, de les ficher, d'en deviner les dessous, de vous convaincre de leur ineptie ou de chercher à les articuler de manière significative. Les fiches vous donnent également l'habitude d'écrire. Vous risquez de vous « rouiller » si vous n'écrivez pas au moins toutes les semaines. En accumulant les fiches, vous pouvez faire l'expérience de l'écriture, et, comme on dit, perfectionner vos dons d'expression. Faire des fiches, c'est se livrer à l'expérience dirigée.

Le pire qui puisse arriver aux sociologues, c'est d'attendre pour coucher leurs « intentions » sur le papier, d'avoir à demander des subsides pour une recherche précise ou pour « un projet », et de s'en tenir là. C'est uniquement lorsqu'il s'agit de fonds que l'on dresse des plans d'études, et qu'on y apporte du soin. Pratique courante, qu'on ne saurait trop déconseiller ; il s'agit plus ou moins de vendre sa marchandise, et étant donné les espoirs qu'on veut faire naître, on risque de tomber dans le prétentieux ; on « dore la pilule », on enveloppe le projet dans une forme arbitraire bien avant terme ; c'est souvent le moyen de faire une affaire, destinée à drainer de l'argent pour des fins qui peuvent être avouables, mais dont la recherche proposée n'est que le prétexte. Le praticien devrait régulièrement dresser l'état de ses problèmes et de ses projets. Un sociologue débutant doit y réfléchir, mais on ne peut pas trop lui demander, et il ne peut pas non plus s'y astreindre ; en tout cas, il n'est pas question qu'il se fasse l'esclave d'un projet. Ce qu'il a de mieux à faire, c'est d'élaborer sa Thèse, qui se trouve être généralement le premier travail important de sa carrière d'indépendant. C'est seulement à mi-chemin, ou un peu avant, que ce travail de révision a des chances de porter ses fruits — et éventuellement d'intéresser les autres.

Tout praticien bien avancé dans son travail devrait toujours avoir à se dire : « par où commencer » ?, tant il a de projets, c'est-à-dire d'idées. Qu'il mette de côté quelques fiches pour les grands ordres du jour ; il les récrit sans cesse, pour lui, peut-être aussi pour en parler avec des amis. De temps en temps il se relit soigneusement, avec esprit critique, parfois aussi d'un mouvement nonchalant.

C'est le seul moyen pour que l'entreprise intellectuelle ne déraille pas. Il faut que les sociologues se communiquent leurs « états problématiques » respectifs, en toute simplicité ; c'est comme cela qu'ils pourront formuler les « problèmes fondamentaux de la sociologie ». Dans une libre république intellectuelle, il n'y a pas, il ne doit pas y avoir de problématique à l'emporte-pièce ; les citoyens doivent se rencontrer et discuter de leur travail à venir. Le travail du sociologue devrait donner lieu à trois catégories d'interludes — problèmes, méthodes, théories, et ces interludes lui faire retrouver son travail ; issus du travail en cours, ils devraient en retour lui servir de guide. Ce sont ces interludes qui justifient l'existence d'une association professionnelle. Et c'est là aussi que vos fiches se montreront utiles.

Faites diverses entrées dans votre fichier : idées, notes personnelles, notes de lectures, bibliographie, projets. C'est une question d'habitude, mais je pense que vous avez intérêt à les classer dans une grande section « projets », comportant beaucoup de subdivisions. Les thèmes changent parfois assez vite. Par exemple, si vous êtes étudiant, que vous préparez une Thèse tout en remettant des dissertations, vous vous ménagerez trois entrées : dissertations, Thèse, examen de l'année. Mais une fois vos études terminées, au bout d'un ou deux ans de recherche, vous réorganiserez vos fiches autour de votre projet de Thèse. Au fur et à mesure, vous constaterez qu'aucun projet n'impose son hégémonie, ni ses catégories. En fait, les fiches vous conduisent à multiplier les catégories de votre réflexion. Et c'est le mouvement de ces catégories, apparitions et disparitions, qui mesure vos progrès intellectuels. Et les fiches finiront par s'organiser en fonction de plusieurs grands projets, autour desquels gravitent à leur tour des sous-projets qui ne vivent pas plus d'un an.

Tout cela nécessite des notes. Il faudra vous habituer à

prendre des notes en quantité, toutes les fois que vous lirez un bon ouvrage (j'ajoute immédiatement que les mauvais livres font parfois les meilleures notes). La première chose à faire, en traduisant l'expérience (qu'elle soit relatée par d'autres, ou que vous la puisiez en vous-même), c'est de lui donner une forme. Le simple fait de formuler un segment d'expérience vous amène à l'expliquer ; prendre une note de lecture, c'est souvent attiser la réflexion. Sans parler, bien entendu, de l'aide qu'apportent les notes à l'intelligence du texte.

Vos notes seront peut-être, comme les miennes, de deux sortes : lorsqu'il vous arrive de lire de grands textes, vous essayez de saisir la structure du propos exposé par l'auteur, et c'est à cela que sont destinées vos notes ; mais assez vite vous cesserez de lire des livres entiers, et vous préférerez grappiller un peu partout avec une idée ou un sujet en tête, classés dans vos fiches. Alors vos notes sont très infidèles ; elles ne sont pas faites pour le livre ; c'est l'idée, c'est le fait, qui *servent* vos projets.

2

Mais ces fiches — qui doivent jusqu'à présent vous paraître tenir plutôt du journal littéraire, comment entrent-elles dans la production intellectuelle ? Eh bien, c'est précisément la tenue de ces fiches qui constitue la production intellectuelle. Les faits et les idées s'ajoutent les uns aux autres, à tous les stades de formation. Ainsi, lorsque je décidai d'écrire une étude sur l'élite, j'ai commencé par aligner à grands traits les types d'individus que je cherchais à comprendre.

Je dirai ici comment et pourquoi m'est venue l'idée de cette étude ; on verra comment les expériences vécues nourrissent la pensée intellectuelle. Je ne sais plus très bien quand le problème de la « stratification » s'est posé à moi, mais il me semble que c'est en lisant Veblen. Veblen m'avait toujours paru manquer de rigueur et de précision dans l'utilisation de ses notions d' « affaires » et d' « industrie », sorte de traduction de Marx destinée au public universitaire américain. En tout cas, j'écrivis un livre sur les mouvements ouvriers et sur leurs dirigeants, ouvrage d'inspiration politique ; puis un livre sur les classes moyennes, inspiré par le besoin de formuler mes expériences à New York depuis 1945. On me suggéra alors de boucler la trilogie en écrivant un livre sur les classes supérieures. J'y étais plus ou moins préparé ; j'avais lu Balzac, surtout pendant les années quarante, et j'avais été séduit par la mission qu'il s'était donnée : embrasser toutes les classes sociales et tous les grands types sociaux de ce temps qu'il voulait sien. J'avais également écrit un article sur l' « Elite des Affaires », pour lequel j'avais accumulé et comparé des statistiques sur tous les grands noms de la politique américaine depuis la Constitution. Deux tâches qui m'avaient été inspirées par un séminaire d'histoire américaine.

A la suite de ces articles et de ces ouvrages, à la suite des cours que j'avais faits sur la stratification, il m'était resté bien sûr quelques idées et quelques données sur les classes supérieures. Surtout qu'il est difficile, lorsqu'on étudie la stratification, de se cantonner dans son sujet, la « réalité » d'une couche sociale résidant essentiellement dans ses rapports avec les autres. C'est pourquoi je me mis à nourrir l'idée d'un livre sur l'élite.

Et pourtant ce n'est pas ainsi que le « projet » a « réellement » pris forme. Il s'est passé exactement ceci : 1) l'idée et l'intention sortirent de mes fiches, car tous mes projets naissent et finissent là, et mes livres ne sont que des émanations organisées, issues du travail incessant qui y aboutit ; 2) au bout de quelque temps, tous les problèmes en jeu finirent par s'emparer de moi.

Après la première esquisse, je relus toutes mes fiches, et pas seulement celles qui concernaient directement le sujet. On sollicite souvent l'imagination en plaçant côte à côte des éléments jusque-là isolés, en établissant des rapports insoupçonnés. J'ouvris de nouvelles entrées dans mes fiches pour ces problèmes particuliers, ce qui, par contrecoup, me contraignit de modifier quelque peu les autres fiches.

En réorganisant vos fiches dans un ordre différent, vous débridez votre imagination. Cela vient, il me semble, de ce que vous conjuguez des notes et des idées diverses portant sur des sujets différents. C'est une sorte de logique du mélange, et le « hasard » y joue un rôle important. En douceur, vous essayez de mettre toutes vos ressources intellectuelles, vos fiches, du côté des nouveaux thèmes de réflexion.

En l'espèce, je fis également appel à mes observations et à mon expérience quotidienne. Je réfléchis d'abord sur les expériences qui avaient trait aux problèmes de l'élite, puis j'allai trouver ceux qui me semblaient avoir vécu ou avoir envisagé ces problèmes. En fait, j'englobai ensuite plusieurs catégories de gens : 1) ceux que je voulais étudier ; 2) ceux qui les touchaient de près et 3) ceux qui avaient à les connaître de par leur profession.

Je ne connais pas toutes les conditions sociales nécessaires au bon travail intellectuel, mais s'il en est une, c'est bien de s'entourer de gens disposés à écouter et à bavarder — il arrive parfois qu'il faille les inventer. En tout cas, je me plonge dans un bain intellectuel et social pertinent, qui me permette de bien penser mon travail. C'est à quoi visaient les remarques précédentes, touchant à l'union nécessaire de la vie intellectuelle et de la vie privée.

Le bon travail sociologique ne saurait consister en une seule « recherche » empirique bien délimitée. Il faut au contraire bon nombre d'études particulières qui, aux moments cruciaux, lancent des formules générales sur la forme et la direction du sujet. Aussi ne peut-on déterminer ces grands moments avant d'avoir remanié les matériaux existants et d'avoir élaboré les grands postulats.

Or, parmi ces matériaux existants, j'en trouvai trois dans mes fiches, qui avaient trait à mon étude sur l'élite : des théories directement pertinentes ; des preuves déjà amoncelées par d'autres à l'appui de ces théories-là ; enfin, des matériaux déjà recueillis et en voie de centralisation, mais dont la pertinence n'avait pas encore été établie. Je commence par esquisser une théorie à l'aide de ces matériaux existants ; c'est ensuite seulement que je peux situer convenablement mes affirmations cardinales, mes intuitions, et concevoir les recherches qui permettront de les contrôler ; ce ne sera pas forcément nécessaire, quoique je sache pertinemment que j'aurai plus tard à faire la navette entre les matériaux existants et ma recherche personnelle. Tout énoncé final doit non seulement inclure toutes les données, dans la mesure où je les connais et peux y accéder, mais faire place aux théories dont on dispose, soit sur le mode positif, soit sur le mode négatif. Il suffit parfois de mettre l'idée en présence d'un fait qui l'étaye ou la ruine ; il faut parfois pousser assez loin l'analyse ou apporter des réserves assez circonstanciées. Il arrive que je puisse classer les théories comme autant d'options possibles et les laisser organiser le problème à leur gré[1].

---

1. Voir par exemple Mills, *Les Cols Blancs* (F. Maspero, 1966), cha-

Mais parfois aussi je laisse apparaître les théories uniquement dans l'ordre que j'ai choisi, et dans des contextes variés. En tous cas, dans l'ouvrage sur l'élite, j'accueillis les travaux de Mosca, Schumpeter, Veblen, Lasswell, Michel, Weber et Pareto.

On trouve chez ces auteurs trois sortes d'énoncés : *a*) chez les uns, il suffit de répéter systématiquement ce qu'ils disent sur certains points particuliers, ou bien l'ensemble ; *b*) chez d'autres, vous acceptez ou vous réfutez, en donnant vos raisons et vos arguments ; *c*) d'autres enfin vous fournissent des idées pour vos propres projets. Il faut donc s'attaquer à un point particulier, et se demander quelle tournure lui donner pour pouvoir le mettre à l'épreuve, et comment l'éprouver ; ensuite, comment l'utiliser comme point de départ, comment l'orienter de manière à donner de la pertinence aux détails descriptifs qui en émanent. C'est en manipulant ces idées existantes que vous vous sentez le continuateur d'une ligne déjà tracée. Voici deux extraits de notes préliminaires sur Mosca, qui illustrent assez bien ce que j'essaye de décrire :

> A la suite de ses anecdotes historiques, Mosca étaye sa thèse à l'aide de cette affirmation : c'est le pouvoir de l'organisation qui permet aux minorités de toujours diriger. Il y a des minorités organisées, et elles commandent aux hommes et aux choses. Il y a des majorités inorganisées, et ce sont elles qui sont commandées[2]. Mais pourquoi ne pas envisager : 1) la minorité organisée ; 2) la majorité organisée ; 3) la minorité inorganisée ; 4) la majorité inorganisée ? Voilà qui mérite une analyse fouillée. Tout d'abord, que veut dire « organisée » ? Mosca entend par là, je crois, « capable d'accomplir des actions et de suivre des lignes de conduite plus ou moins continues et coordonnées ». Si oui, sa thèse est juste par définition. Il ajouterait sans doute qu'une « majorité organisée » est impossible parce que de nouveaux chefs, de nouvelles élites prendraient la tête de ces organisations majoritaires, et il entend les classer dans ce qu'il

---

pitre 13. Même processus dans mes notes avec Lederer et Gasset contre les « théoriciens de l'élite », deux réactions contre la doctrine démocratique du XVIIIᵉ et du XIXᵉ siècle.

2. On trouve aussi chez Mosca des lois psychologiques censées justifier son opinion. Pensez à l'usage qu'il fait du mot « naturel ». Mais ceci n'est pas fondamental, et de surcroît, ne vaut pas qu'on s'y arrête.

appelle « la Classe Dirigeante ». Il les appelle « les minorités directrices », ce qui est un peu faible auprès de sa grande affirmation.

Je pense à ceci (et je crois que c'est le cœur des problèmes de définitions que nous soumet Mosca) : du XIXᵉ au XXᵉ siècle, il s'est produit une évolution au cours de laquelle la société organisée en 1) et 4) s'est *rapprochée* de 3) et 2). De l'état d'élite on est passé à l'état d'organisation, où l'élite n'est plus si organisée ni si puissante, et où la masse est plus organisée et plus puissante. La rue s'est acquis du pouvoir, et toutes les structures sociales ainsi que leurs « élites » ont pivoté tout autour. Et quel secteur de la classe dirigeante est plus organisé que l'alliance rurale ? Ce n'est pas une question de pure forme : je ne sais pas y répondre pour le moment ; c'est une affaire de degré. Tout ce que je veux, c'est tirer la chose au clair.

Mosca a une idée qui me paraît excellente et qu'on devrait exploiter. La « classe dirigeante » comporterait une clique supérieure et une seconde couche, plus étendue, avec laquelle a) le sommet entretient des contacts étroits et incessants, et dont b) il partage les idées et sentiments, et par conséquent, estime-t-il, les lignes de conduite (page 430). Essayer de voir si, en d'autres endroits de l'ouvrage, il établit d'autres rapports. La clique se recrute-t-elle essentiellement dans la couche secondaire ? Le sommet est-il responsable de l'existence de cette couche, ou du moins y est-il sensible ?

Laissons Mosca. Une autre terminologie comprend a) l'élite, c'est-à-dire la clique supérieure ; b) ceux qui comptent, et c) les autres. L'appartenance à b) et c) est déterminée par a) ; quand à b) ses relations avec a) et c), ses dimensions, sa composition sont très variables. (A propos, quelle est l'étendue des variations relationnelles entre b) et a), entre b) et c) ? Voir Mosca ; creuser ce point par une analyse systématique).

Voilà qui me permet d'envisager plus nettement les différentes élites, qui sont élites en fonction des dimensions de la stratification. Et aussi de retrouver plus nettement les distinctions que fait Pareto entre élites gouvernantes et élites non gouvernantes, de manière moins formelle, toutefois, que chez lui. Bien des gens de statut supérieur se retrouveraient dans la seconde catégorie. Même chose pour les grosses fortunes. Clique ou Elite auraient trait, selon les cas, au pouvoir ou à l'autorité. L'élite, ici, voudrait toujours dire l'élite du pouvoir. Les autres catégories supérieures seraient alors désignées par « les classes supérieures » ou par « les hautes sphères ».

On pourrait rapprocher cela de deux grands problèmes : la structure de l'élite ; les rapports conceptuels — plus tard peut-être, les rapports réels, entre théories de la stratification et théories des élites (à chercher).

Du point de vue du pouvoir, il est plus simple pour nous de choisir ceux qui comptent que ceux qui dirigent. Pour les premiers, on isole les niveaux supérieurs sous forme d'un agrégat assez inconsistant, et on se base sur la position sociale. Mais pour les seconds, il faut montrer dans le détail comment ils exercent le pouvoir, et comment ils sont liés aux instruments sociaux par le truchement desquels il s'exerce. Il s'agit davantage de personnes que de positions, ou du moins faut-il faire plus de place aux personnes.

Aux Etats-Unis, actuellement, le pouvoir met en jeu plus d'une élite. Comment juger la position relative occupée par ces différentes élites ? Cela dépend des problèmes et des décisions. Une élite voit l'autre parmi ceux qui comptent. Reconnaissance mutuelle au sein de l'élite, que les autres comptent ; d'une façon ou d'une autre, on se considère réciproquement comme des gens importants. Projet : choisir trois ou quatre décisions cruciales des dix dernières années : lâcher de la bombe atomique, augmentation ou diminution de la production d'acier, grèves de 1945 à la General Motors, et chercher à déterminer par le détail le personnel qui y a pris part. Utiliser la « décision » et les prises de décision pour accrocher un entretien.

3

Il arrive un moment dans votre travail où vous en avez fini avec les livres. Vous avez tout fiché et noté ; et dans les marges de ces notes, dans d'autres fiches, sont consignées des idées de recherche empirique.

Je n'aime pas faire du travail empirique si je peux m'en passer. Quand on n'a pas de personnel, c'est bien du souci ; quand on en a, c'est davantage de souci encore.

Etant donné la condition intellectuelle des sciences sociales aujourd'hui, il y a tant à faire dans le domaine de la « structuration » initiale (le mot servira pour le besoin de la cause) que la « recherche empirique » est nécessairement pauvre et sans intérêt. Ce n'est qu'un exercice formel pour débutants, et parfois une utile occupation pour ceux qui ne sont pas en mesure d'aborder les problèmes de fond plus difficiles. La recherche empirique en soi n'a pas plus de vertus que la lecture en soi. Le but de l'enquête empirique est de résoudre les désaccords et les incertitudes sur les faits, et de donner aux discussions un résultat plus fécond en asseyant plus solidement les parties en présence. Les faits disciplinent la raison ; mais la raison est toujours aux avant-postes du savoir.

Même si vous n'avez jamais l'argent nécessaire pour mener à bien vos projets d'études empiriques, il faut pourtant que vous continuiez à projeter. Car cela fait, même si vous n'exécutez pas, vous êtes amené à chercher de nouvelles données, qui pourront à l'occasion se révéler pertinentes dans la poursuite de vos problèmes. De même qu'il est stupide de se lancer dans une enquête de terrain lorsque la réponse est écrite dans les livres, de même il est stupide de penser qu'on a épuisé les livres, si on ne les a pas traduits en études empiriques appropriées, c'est-à-dire en questions de fait.

Les projets empiriques nécessaires à mon travail doivent d'abord laisser entendre qu'ils sont bien conformes aux exigences du premier brouillon, que j'ai décrites plus haut ; ils doivent l'asseoir dans sa forme originelle ou bien le forcer à se modifier. Ou, pour employer une formule plus prétentieuse, ils doivent être signifiants pour les constructions théoriques. Ensuite, les projets doivent être efficaces, bien tournés et, si possible, ingénieux. J'entends par là qu'ils devront fournir le maximum de renseignements pour le minimum de temps et d'effort.

Mais comment faire ? Il faut poser les problèmes de manière à laisser au seul raisonnement le soin d'en résoudre la plus grande partie possible. Par le moyen du raisonnement, nous nous efforçons a) d'isoler toutes les questions de fait qui demeurent ; b) de poser ces questions de fait de telle manière que les réponses nous ménagent d'autres solutions à l'aide d'autres raisonnements[3].

---

3. Peut-être devrais-je envelopper tout cela dans un langage plus prétentieux, afin de bien montrer à ceux qui en ignorent, combien c'est important :

Les situations problématiques doivent être formulées en tenant compte de leurs implications théoriques et conceptuelles, ainsi que des paradigmes appropriés de la recherche empirique et des modèles de vérification. Ce paradigme et ces modèles, à leur tour, doivent être ainsi faits que l'on puisse tirer de leur utilisation d'autres implications théoriques

Pour affronter les problèmes de cette façon, il faut passer par quatre étapes ; mais mieux vaut les refaire plusieurs fois de suite que s'attarder indûment auprès de l'une d'entre elles. Ce sont : 1) les éléments de la définition auxquels, connaissant le sujet, le problème, ou le champ de recherche, vous estimez qu'il faudra faire place ; 2) les rapports logiques qui unissent ces éléments et ces définitions ; la construction de ces petits modèles préliminaires offre d'ailleurs à l'imagination sociologique une excellente occasion de se manifester ; 3) l'élimination d'idées fausses, dues à l'omission d'éléments indispensables, à des définitions terminologiques impropres ou obscures, à l'importance injustifiée qu'on aura accordée à certains éléments et à leurs extensions logiques, 4) énoncés sans cesse repris des questions de fait qui demeurent.

La troisième opération est indispensable, mais souvent négligée. La conscience du problème tel qu'il est ressenti par les gens — sur le mode de l'enjeu et de l'épreuve, doit être prise en considération ; elle fait partie du problème. Les formules des chercheurs doivent faire l'objet d'un examen attentif ; tantôt on les rejettera, tantôt on les utilisera dans la reformulation.

Avant de déterminer les études empiriques nécessaires à mon propos, je commençai par esquisser un projet de grande envergure où diverses études restreintes se mirent à apparaître. Je cite à nouveau mes fiches :

> Je ne suis pas encore à même d'étudier les hautes sphères en général, d'une manière systématique et empirique. Aussi j'avance quelques définitions et quelques procédures, une sorte de projet idéal pour cette étude. Après quoi je peux, *premièrement*, rassembler les matériaux existants qui approchent de cette étude ; *deuxièmement*, envisager comment rassembler les matériaux, étant donnés les modèles existants, qui satisfont ses exigences aux points cruciaux ; et *troisièmement*,

---

et conceptuelles. Il faut d'abord explorer minutieusement les implications théoriques et conceptuelles des situations problématiques. Pour ce faire, le sociologue doit spécifier chacune de ces implications et les envisager en relation avec les autres, mais de telle sorte qu'elles s'adaptent bien aux paradigmes de la recherche empirique et aux modèles de vérification.

préciser les recherches empiriques à grande échelle qui se révéleront nécessaires à la fin.

Les hautes sphères doivent évidemment être définies systématiquement, en fonction de variables spécifiques. Formellement — et c'est plus ou moins la méthode de Pareto, il s'agit des gens qui « possèdent » le plus dans une valeur donnée ou dans un ensemble de valeurs. Deux questions se posent alors : quelles variables vais-je choisir pour critères, et que dois-je entendre par « le plus » ? Une fois résolue la question des variables, je dois construire les meilleurs indices possibles, de préférence des indices quantitatifs, afin de classer la population en fonction d'eux ; c'est alors seulement que je peux chercher à déterminer ce que j'entends par « le plus ». Car c'est l'examen empirique des diverses classifications, et leur recoupement, qui doivent en partie me guider.

Mes variables cardinales doivent au début être assez générales pour me laisser une certaine latitude dans le choix des indices, et en même temps assez particulières pour m'amener à chercher des indices empiriques. A mesure que je procède, je devrai faire la navette entre les conceptions et les indices, guidé par le désir de ne rien perdre des significations recherchées et de rester précis en même temps. Voici les quatre variables wébériennes par lesquelles je commencerai.

I — La *classe* concerne le montant du revenu et son origine. J'aurai donc besoin de connaître la répartition de la propriété et celle du revenu. Le mieux serait un tableau combinant la source et le montant du revenu ; malheureusement ces documents sont rares. Nous apprendrions ainsi que X pour cent de la population a touché Y millions, et que Z pour cent émanait de la propriété, W pour cent du retrait de fonds d'entreprises, Q pour cent de salaires et de traitements. Au sein de la classe, je peux donc définir les hautes sphères comme l'ensemble de ceux qui ont le plus, soit ceux qui a) reçoivent un certain revenu pendant un certain temps, soit ceux qui b) totalisent deux pour cent au sommet de la pyramide des revenus. Chercher les archives du trésor et les listes des gros contribuables. Voir si l'on peut mettre à jour les tableaux du T.N.E.C.[4] sur le montant et la source des revenus.

II — Le *statut* concerne les signes extérieurs de respect. Pas d'indices simples ou quantitatifs. Les indices existants ne

_____

4. T.N.E.C., *Temporary National Economic Committee* (N.D.T.).

sont applicables qu'après entretiens personnels, sont limités à des études sur des communautés restreintes, et de toute façon ne présentent pas d'intérêt. Autre problème qu'ignore la *classe*, le *statut* implique des rapports sociaux : il faut au moins quelqu'un pour recevoir les marques de respect et quelqu'un pour les adresser.

On confond facilement la notoriété et le signe de respect, ou, plus exactement, on ne sait pas s'il faut considérer la notoriété comme un indice de statut, bien que ce soit le plus facile à déterminer ; exemple : pendant deux jours de suite, au milieu du mois de mars 1952, le *New York Times* a cité les noms suivants... (à chercher).

III — Le *pouvoir* implique qu'on accomplit sa volonté, fût-ce contre le gré d'autrui. Comme pour le *statut*, les indices sont mauvais. Il me faut le dédoubler : a) l'autorité formelle, définie par les droits, les pouvoirs et les positions dans diverses institutions, notamment le militaire, le politique et l'économique ; b) les pouvoirs dont on sait officieusement qu'ils sont exercés, mais qui ne sont pas formellement institués : meneurs de groupes de pression, propagandistes disposant de puissants moyens de communication, etc.

IV — *L'occupation* concerne les activités rémunérées. Ici encore, chercher par où prendre *l'occupation.* a) Si j'utilise les revenus moyens des diverses occupations pour les classer, je prends l'occupation pour un indice de classe, pour son fondement. De même, b) si j'utilise le statut ou le pouvoir inhérents aux différentes occupations, j'utilise les occupations comme des indices de pouvoir, de compétence ou de talent. Mais c'est très difficile de classer les gens de la sorte. Pas plus que le statut, la compétence n'est une chose homogène où l'on puisse distinguer des plus et des moins. Ce qu'on a trouvé généralement, c'est de mesurer le temps nécessaire pour acquérir les diverses compétences, et peut-être faudra-t-il s'en contenter, bien que j'espère trouver mieux.

Tels sont les problèmes que j'aurai à résoudre pour définir les hautes sphères de façon analytique et empirique, en fonction de ces quatre variables cardinales. Pour les besoins de la cause, supposons que je leur aie trouvé des solutions satisfaisantes, et qu'elles m'aient toutes quatre permis de classer la population. J'aurai donc quatre types de gens : les grands par la classe, par le statut, par le pouvoir, et par la compétence. Supposons en outre que j'aie isolé les deux pour cent du haut, dans chacun des quatre secteurs — les autres sphères. Je pose alors la question suivante, que je suis à même de résoudre empiriquement : ces quatre classifications se recoupent-elles, et dans quelles proportions ? On peut poser la simple abaque suivante :

$$(+ = 2 \% \text{ du haut} ; \quad — = 98 \% \text{ du bas})$$

		Classe			
		$+$ Statut		$—$ Statut	
		$+$	$—$	$+$	$—$
$+$ Compétence	$+$	1	2	3	4
	$—$	5	6	7	8
$—$ Compétence	$+$	9	10	11	12
	$—$	13	14	15	16

Pouvoir

Ce diagramme, si j'avais de quoi le remplir, contiendrait des données majeures et de nombreux problèmes importants pour une étude sur les hautes sphères. Il me fournirait la solution de bien des questions, tant sur le plan des définitions que sur le plan des problèmes de fond.

Je ne possède pas les données, et je ne les aurai pas ; raison de plus pour spéculer sur elles : au cours de mes réflexions, si je suis inspiré par le désir d'approcher les réquisits empiriques d'un projet idéal, je tomberai sur des secteurs importants, sur lesquels je pourrai obtenir des matériaux pertinents, points d'attaches et tremplins pour des réflexions ultérieures.

Il y a deux choses à ajouter à ce modèle général pour le compléter formellement. Pour bien concevoir les couches supérieures, il faut prêter attention à la durée et à la mobilité. Il convient de déterminer les positions (de 1 à 16) entre lesquelles il y a des mouvements d'individus et des mouvements de groupes, tant au sein de la génération actuelle qu'au cours des deux ou trois générations précédentes.

Cela introduit dans le schéma la dimension temporelle de la biographie (ou des carrières), et de l'histoire. Ce ne sont pas uniquement des questions empiriques supplémentaires ; elles ont aussi une pertinence définitionnelle. Car, a) nous ne voulons pas trancher la question de savoir si, en classant les gens en fonction des variables cardinales, nous devons définir nos catégories selon la durée pendant laquelle eux ou leur famille ont occupé le rang en question. Ainsi, je pourrais avoir envie de décréter qu'appartiennent aux deux pour cent supérieurs du statut (ou du moins à un niveau élevé du statut), ceux qui y sont depuis au moins deux générations. En outre, b) je ne veux pas trancher la question de savoir si je dois construire une « couche » non seulement en fonction de l'interaction de plusieurs variables, mais si je dois la concevoir (à la suite de la définition donnée par Weber, puis abandonnée, de « classe sociale »), comme l'unité constituée par les rangs entre lesquels il existe une « mobilité typique et libre ». Ainsi, les occupations des cols-blancs inférieurs, et le travail des ouvriers salariés moyens et supérieurs dans certaines industries, paraissent, en ce sens, constituer une couche.

En lisant et en analysant les théories des autres, en projetant des recherches idéales, en parcourant vos fiches, vous serez amené à dresser une liste d'études spécifiques. Certaines mènent trop loin, et il faudra y renoncer bon gré mal gré ; d'autres fourniront la matière d'un paragraphe, d'une section, d'une phrase, d'un chapitre ; certaines enfin envahiront tout, et donneront des volumes. Voici encore des notes préliminaires destinées à plusieurs projets :

1) La journée de dix cadres supérieurs dans de grandes entreprises ; même chose pour dix administrateurs fédéraux. A combiner avec des entretiens détaillés concernant le *curriculum vitae*. Observations qui ont pour but de décrire les grandes routines et les grandes décisions, du point de vue du temps que l'homme y consacre, et d'entrevoir les facteurs qui entrent dans les prises de décision. La procédure variera selon la bonne volonté du sujet, mais théoriquement elle doit comprendre d'abord des entretiens qui fassent apparaître le *curriculum vitae* et la situation actuelle de l'intéressé ; ensuite des observations sur sa journée de travail, notées sur le vif, pas à pas, dans son bureau même ; enfin, un entretien assez long, le soir même, ou bien le lendemain, où nous récapitulerons ce qu'il a fait, en essayant de sonder les démarches subjectives dont nous avons observé les manifestations externes dans la conduite.

2) Analyse des fins de semaine de la classe supérieure ; on observera de très près et on suivra pas à pas les routines, grâce à des entretiens avec le sujet et les autres membres de la famille, le lundi suivant.

Pour ces deux projets, j'ai d'assez bons « contacts », et, avec un peu de savoir-faire, on peut compter qu'ils en appelleront d'autres (1957 : pure illusion de ma part).

3) Etude des dépenses et autres privilèges qui, avec les traitements et revenus de toute espèce, constituent le niveau de vie, le style de vie des hautes sphères. Avec l'idée d'obtenir des renseignements concrets sur « la bureaucratisation de la consommation », le transfert des dépenses privées sur la comptabilité d'affaires.

4) Essayer de mettre à jour les informations qu'on peut trouver dans des livres comme *America's Sixty Families*, de Lundberg, dont les statistiques sur les impositions remontent à 1923.

5) Rassembler et systématiser, d'après les archives du trésor et autres sources gouvernementales, la répartition des différents types de propriété privée selon leur montant.

6) Une étude sur la carrière des présidents, des ministres et de tous les membres de la Cour Suprême. Je possède d'ores et déjà les renseignements sur fiches I.B.M. pour la période qui va de la Constitution jusqu'au second mandat de Truman, mais je veux développer les items et relire l'ensemble.

J'ai à peu près 35 projets de cette sorte (exemples : comparaison entre les sommes d'argent dépensées au cours des élections de 1896 et de 1952 ; comparaison entre Morgan en 1910 et Kaiser en 1950 ; documents concrets sur la carrière des « amiraux et généraux »). Mais, à mesure qu'on procède, il faut tenir compte de ses possibilités.

Après avoir esquissé ces projets, j'entrepris de lire des ouvrages d'histoire sur les groupes supérieurs, en prenant des notes à la volée (sans les ficher) et en interprétant mes lectures. Il n'y est pas vraiment nécessaire *d'étudier* un sujet sur lequel vous travaillez, parce qu'une fois que vous y êtes, il est partout. Vous devenez sensible à ses thèmes ; vous les voyez et les entendez dans tout ce que vous vivez, et surtout, à ce qu'il vous semble, là où ils n'ont que faire. Il n'est pas jusqu'aux *mass media*, notamment les mauvais films, les romans de quatre sous, les illustrés et les émissions de nuit, qui ne vous apparaissent sous un jour nouveau.

4

Mais, direz-vous, comment les idées vous viennent-elles ? Comment presser l'imagination de rassembler faits et images, de rendre les images pertinentes, et de donner un sens aux faits ? Je ne le sais pas très bien ; tout ce que je peux faire, c'est évoquer les conditions générales et les techniques simples qui permettent d'accrocher les idées.

L'imagination sociologique, je vous le rappelle, consiste essentiellement à changer de perspective à volonté, et de représenter fidèlement la société et ses parties. C'est cette imagination, évidemment, qui distingue le sociologue du technicien. On peut former un technicien en quelques années. L'imagination sociologique aussi se cultive : il n'y a pas de doute qu'elle réclame une certaine routine[5]. Mais il y a quelque chose d'inattendu chez elle, peut-être parce qu'elle consiste essentiellement à rapprocher des idées que personne ne croyait compatibles — disons, un mélange d'idées héritées de la philosophie allemande et des sciences économiques anglaises. Il y a, derrière ces rapprochements, une espèce d'agilité intellectuelle en même temps qu'un désir farouche de comprendre, dont le technicien est généralement dénué. C'est peut-être qu'on l'a trop bien formé, trop précisément. Comme on ne *forme* que dans les domaines déjà explorés, la formation interdit souvent au récipiendaire de chercher des voies nouvelles ; elle incite à se révolter devant ce qui, d'abord, est nécessairement vague, sinon échevelé. Mais vous devez à tout prix vous accrocher à ces notions, à ces images décousues, si elles viennent de vous, et les exploiter jusqu'au bout. Car c'est sous cette forme qu'apparaissent toujours les idées originales.

Il y a moyen de stimuler l'imagination sociologique.

1) Au niveau concret, le classement des fiches, constamment repris. Vous videz les tiroirs, vous mélangez ce qui était éparpillé, et vous reclassez. Faites-le sans hâte. L'ampleur et la fréquence de ces remaniements seront fonctions des différents problèmes et de la tournure qu'ils prennent. Mais la mécanique n'est pas plus compliquée que cela. Evidemment, vous aurez à l'esprit les différents problèmes auxquels vous travaillez activement, mais vous tâcherez également d'accueillir passivement les soudures imprévues et fortuites.

2) Jouer avec les expressions et les mots par le truchement desquels les problèmes sont exprimés. Chercher les syno-

5. Voir l'excellent article de Hutchinson sur l' « intuition » et la « création » dans *Study of Interpersonal Relations* publié par Patrick Mullahy, New York, Nelson, 1949.

nymes dans les dictionnaires et dans les ouvrages techniques, afin de recenser toutes les connotations. Vous en viendrez à élaborer les termes du problème et, par conséquent, à les définir d'une façon moins prosaïque et plus précise. C'est seulement en connaissant les divers sens qui s'attachent aux expressions que vous pourrez choisir ceux que réclame votre travail. Mais il y a plus. Vous vous efforcerez toujours, et surtout dans l'examen des énoncés théoriques, de surveiller étroitement le niveau de généralité où se situent les grands concepts, et vous aurez souvent intérêt à descendre de l'abstrait au concret. Cela fait, l'énoncé se subdivise en deux ou en trois éléments, dont chacun se situe dans une dimension différente. Vous aurez parfois à accomplir la démarche inverse ; vous éliminerez les déterminants et vous examinerez la conclusion ou l'énoncé ainsi modifiés sous un jour plus abstrait, afin de voir si vous pouvez en tirer davantage ou leur donner une forme plus complexe. Ainsi, et par le haut et par le bas, vous essayerez, poussé par le goût de la clarté, de fouiller les moindres aspects et les moindres implications de l'idée étudiée.

3) Classer les notions générales auxquelles vous aboutissez au cours de vos réflexions : elles s'avéreront fécondes. Chercher les types, leurs conditions et leurs conséquences, deviendra vite un automatisme. Au lieu de vous contenter des classifications existantes, notamment celles que recommande le bon sens, vous chercherez les communs dénominateurs et les facteurs de différenciation, internes et intermédiaires. Il faut que les critères de classification soient explicites et systématiques. Pour cela, il faut prendre l'habitude de dresser des classifications multidimensionnelles.

Celles-ci ne se limitent pas aux matériaux quantitatifs ; c'est même le meilleur moyen d'imaginer et de saisir des types *nouveaux*, en même temps qu'on critique et qu'on élucide les anciens. Abaques, tables et diagrammes qualitatifs ne servent pas seulement à exposer ce qu'on a déjà fait ; ce sont d'authentiques instruments de production. Ils clarifient la « dimension » des types, qu'ils vous aident également à imaginer et à construire. En quinze ans, je n'ai pas écrit dix pages de brouillon sans faire tant soit peu de classification multidimensionnelle — ce qui ne veut pas dire que je les publie. La plupart vous claquent dans les mains, auquel cas vous avez du moins appris quelque chose. Lorsqu'ils marchent, ils vous aident à penser plus clairement et à décrire plus explicitement. Vous découvrez ainsi l'étendue et les relations des bases sur lesquelles vous réfléchissez et des faits que vous manipulez.

La classification multidimensionnelle est au sociologue praticien ce que le schéma d'analyse logique est au bon grammairien. A plus d'un égard, la classification multidimensionnelle est la grammaire même de l'imagination sociologique. Comme toute grammaire, il faut la tenir en bride, et l'empêcher d'outrepasser les tâches qu'on lui assigne.

4) Il arrive souvent que pour bien voir, il faille tourner résolument le dos à ce qu'on étudie. Si vous réfléchissez sur le désespoir, réfléchissez aussi sur la joie ; si vous étudiez l'avare, étudiez aussi le prodigue. Rien n'est plus difficile que d'étudier un seul objet à la fois ; quand vous opposez, vous saisissez mieux, et vous pouvez isoler les dimensions en fonction desquelles vous comparez. Vous constaterez qu'il est très utile de passer de ces dimensions aux types concrets. C'est aussi de bonne logique, car sans échantillon, vous ne pouvez guère que *deviner* les fréquences statistiques : vous pouvez donner l'étendue et les grands types d'un phénomène, et le plus économique est de commencer par construire des « types polaires », des contraires, dans plusieurs dimensions différentes. Il faudra quand même acquérir et conserver le sens des proportions — chercher un fil directeur dans les fréquences d'un type donné. On s'efforce toujours de faire coïncider cette recherche avec celle des indices, qui réclame des statistiques.

Il faut donc multiplier les points de vue ; demandez-vous comment le psychologue que vous venez de lire, ou tel politiste, ou tel historien, aborderaient la question. Pensez le point de vue, et utilisez votre esprit comme un prisme où, de toute part, les rayons lumineux viendraient se réfracter. Il est très bon aussi d'écrire des dialogues.

Vous vous surprendrez souvent à contester, et en essayant de comprendre un nouveau champ intellectuel, commencez par exposer le pour et le contre. Connaître la « littérature » du problème, c'est être en mesure de situer les champions et les adversaires de n'importe quel point de vue. Entre parenthèses, il n'est pas toujours recommandé de connaître la « littérature » ; on risque de s'y noyer, comme Mortimer Adler.

218

Le tout, c'est de savoir quand ouvrir le livre, et quand le fermer.

5) Le fait de travailler sur le mode binaire — oui et non, vous encourage, au niveau de la classification multi dimensionnelle, à penser les extrêmes. C'est excellent, parce que l'analyse qualitative ne fournit pas les fréquences, ni les grandeurs. Sa technique et son objectif consistent à vous donner le registre des types. C'est suffisant dans la plupart des cas, mais il arrive que vous deviez vous faire une idée plus précise des proportions.

Il est possible de débrider l'imagination en inversant délibérément votre sens des proportions[6]. Devant le minuscule, imaginez le gigantesque, et demandez-vous si cela change quelque chose. Et vice-versa. Que donneraient des villages primitifs, s'ils avaient 30 millions d'habitants ? A l'heure qu'il est, avant de compter ou de mesurer quoi que ce soit, je jongle avec le moindre élément, la moindre conséquence, la moindre condition, dans un monde imaginaire que j'agrandis ou rétrécis à volonté. C'est ce que les statisticiens devraient entendre sous leur horrible expression « connaître l'univers avant d'y prendre ses échantillons ».

6) Quel que soit le problème, vous avez intérêt à saisir les matériaux sous l'angle du comparatisme. Chercher les semblables, dans une civilisation, dans une période ou dans plusieurs, c'est se ménager des fils d'Ariane. Vous n'avez pas besoin de vous livrer à des comparaisons explicites. Tôt ou tard, vous orienterez automatiquement votre réflexion selon l'histoire. Cela s'explique : ce que vous étudiez est limité ; pour le saisir sous l'angle de la comparaison, il vous faut l'inscrire dans un cadre historique. Pour exprimer la chose autrement, la méthode des contrastes veut que nous examinions les documents historiques. On obtient parfois des *points* qui faciliteront une analyse des lignes de force ; sinon on aboutira à une typologie de phases. Vous utiliserez donc l'histoire pour inclure davantage, ou pour inclure des éléments plus pratiques — j'entends par là un spectre qui comprenne les variations qui se succèdent sur une catégorie de dimensions connues. Le sociologue ne doit pas ignorer l'histoire du mon-

---

6. C'est d'ailleurs ce que Kenneth Burke appelle, dans son essai sur Nietzsche, la « perspective par incongruité ». Voir à tout prix Burke, *Permanence and Change*, New York, New Republic Books, 1936.

de ; s'il l'ignore, et quel que soit son savoir par ailleurs, c'est un infirme.

7) Enfin voici une réflexion qui concernerait plutôt l'art de construire un livre. Cependant, ceci ne vous dispense pas de faire jouer votre imagination : le contenu de votre livre se ressent toujours de la manière dont vous procédez pour disposer et présenter votre matière. L'idée que je vais vous livrer vient d'un grand présentateur, Lambert Davis, qui, j'imagine, ne la reconnaîtra plus une fois passée par mes mains. Il s'agit de la distinction entre sujet et thème.

Le sujet sera par exemple, « la carrière des cadres d'entreprises », « le pouvoir accru des responsables militaires », ou « le déclin des matrones ». Cela tient d'ordinaire en un chapitre, ou une section. Mais l'ordre dans lequel sont disposés les sujets vous fait entrer dans le domaine des thèmes.

Un thème est une idée qui a trait généralement à une grande ligne de force, à une grande conception, à une distinction cruciale, comme « rationalité et raison ». Au cours de l'élaboration du livre, vous saurez que vous êtes au bout de vos peines au moment où vous prendrez conscience des grands thèmes, qui peuvent être au nombre de deux, ou trois, ou cinq, ou sept, selon les cas. Vous les reconnaîtrez à leur indiscrétion : ils veulent s'immiscer dans tous les sujets et vous risquez de les prendre pour des répétitions. C'en sont parfois... Il vous arrivera plus d'une fois de les trouver dans les passages mal venus, confus, mal écrits, de votre manuscrit.

Il faut les isoler, les formuler d'une façon générale, aussi clairement et aussi brièvement que possible. Ensuite, vous les rangerez dans la classification multidimensionnelle de vos sujets. A propos de chaque sujet, vous vous demanderez comment il est influencé par les thèmes, et vice-versa.

Parfois, un thème demande un chapitre ou une section à lui seul, soit au début, pour l'introduire, soit à la fin, pour résumer. En général, je pense que tous les auteurs et tous ceux qui nourrissent une réflexion systématique, sont d'accord pour faire apparaître tous les thèmes côte à côte, à un moment donné, et élucider leurs rapports. Souvent, mais pas toujours, on peut le faire au début. Généralement, dans un ouvrage bien construit, on le fera à la fin. Et tout au long de l'ouvrage, vous vous efforcerez de rapporter les thèmes aux sujets. C'est plus facile à dire qu'à faire, car ce n'est pas toujours si mécanique qu'il y paraît. Il arrive pourtant que ça

le soit, à condition que les thèmes soient rigoureusement isolés et élucidés. Or, tout est là... Car ce que j'appelle thèmes
dans le contexte du métier littéraire, s'appelle idées dans le
contexte du travail intellectuel.

Il peut vous arriver de constater qu'un ouvrage n'a pas de
thèmes. Il n'y aura que des sujets, enveloppés bien sûr, d'introductions méthodologiques à la méthodologie, et d'introductions théoriques à la théorie. Elles sont indispensables à ceux
qui écrivent sans idées — tout comme l'inintelligibilité.

5

Vous êtes prêt à m'accorder qu'il faut écrire votre livre
aussi clairement et aussi simplement que le sujet et votre
propre pensée l'autorisent. Mais vous n'êtes pas sans avoir
remarqué que les sciences sociales affectionnent la boursou-
flure et les mots compliqués. On croit imiter la « physique »,
sans se rendre compte que cette prose-là n'est pas indispensable. On a dit que « l'écriture traverse une crise », une crise
où les sociologues sont amplement compromis[7]. Est-ce à dire
qu'on agite des problèmes, des concepts et des méthodes particulièrement subtils ou profonds ? Sinon, pourquoi utiliser
ce que Malcolm Cowley appelle si bien le « *socspeak* » (le
jargon sociologique)[8] ? Votre travail en a-t-il absolument besoin ? Si oui, n'y a-t-il rien à faire ? Sinon, comment l'éviter ?

Ce manque d'intelligibilité n'a rien à voir avec la complexité du sujet, ni avec la profondeur de la pensée. C'est
simplement une question de statut universitaire.

Dans l'université d'aujourd'hui, celui qui écrit des choses
que tout le monde peut comprendre se verra traiter de « littéraire » ou de « journaliste ». Vous savez peut-être déjà ce que
cela veut dire : on est superficiel parce qu'on est lisible. L'uni-

---

7. C'est Edmund Wilson, « le plus grand critique de la langue anglaise », qui l'a dit. Il écrit : « Ayant lu beaucoup d'articles écrits par des
experts en sociologie et en anthropologie, je peux affirmer que si les
dissertations passaient effectivement entre les mains d'un professeur
d'anglais, comme le voudrait mon projet d'université idéale, on provo-
querait une révolution dans les deux disciplines — à supposer que la
première sorte indemne de l'opération. *A Piece of My Mind*, New York,
Farrar, Straus et Cudahy, 1956, p. 164.

8. Malcolm Cowley, « Sociological Habit Patterns in Linguistic Trans-
mogrification », *The Reporter*, 20 septembre 1956, pp. 41 sq.

versitaire américain s'efforce de mener une vie intellectuelle sérieuse dans un milieu social qui la réprouve. Son prestige doit compenser les grandes valeurs qu'il a sacrifiées en choisissant sa carrière. Pour lui, le prestige ne va pas sans un statut d' « homme de science ». Etre traité de « journaliste », c'est perdre dignité et profondeur. Et cela explique, je crois, le vocabulaire recherché et le style compliqué. Il est facile à adopter. C'est devenu une convention — ceux qui ne la respectent pas encourent la réprobation morale. Loi des médiocres, désireux d'exclure ceux qui se signalent à l'attention des gens intelligents, universitaires ou pas.

Ecrire, c'est prétendre se faire écouter. Telle est la loi de *tout* style. C'est aussi revendiquer au moins un statut suffisant pour se faire lire. Le jeune universitaire revendique l'un et l'autre, et comme il se sent mal placé dans la collectivité, il revendique le statut avant de prétendre à l'attention du lecteur. De fait, en Amérique, les érudits les plus éminents jouissent d'un statut médiocre auprès du grand public. Et la sociologie représente un cas extrême : son style s'est créé à une époque où les sociologues jouissaient d'un statut misérable même auprès de leurs collègues. Le besoin de statut explique pourquoi les universitaires tombent si facilement dans l'inintelligibilité. Et inversement, ceci explique qu'ils ne jouissent pas du statut qu'ils convoitent. Cercle vicieux s'il en est, mais cercle que l'intellectuel peut aisément briser.

Pour vous sortir de la *prose* universitaire, il vous faut d'abord quitter la *pose* universitaire. Au lieu d'étudier la grammaire et les racines du vieil anglais, essayez donc de répondre aux trois questions suivantes : 1) Quel est le degré de difficulté et de complexité de mon projet ? 2) Lorsque j'écris, quel est le statut auquel je prétends ? 3) Pour qui est-ce que je tente d'écrire ?

1) Réponse : mon sujet n'est jamais aussi difficile et aussi complexe que ma prose. A preuve la facilité avec laquelle on peut traduire en clair 95 % des ouvrages de sociologie[9].

---

9. Exemples de telles traductions : chapitre 2. Sur l'art d'écrire, le meilleur ouvrage que je connaisse est celui de Robert Graves et Alan Hodge, *The Reader Over Your Shoulder*, New York, Macmillan, 1944. Voir également les excellentes discussions de Barzun et Graff, *The Modern Researcher, op. cit.* ; G. E. Montague, *A Writer's Notes on His Trade*, Londres, Pelican, Books, 1930-1949 ; et Bonamy Dobrée, *Modern Prose Style*, Oxford, The Clarendon Press, 1934-1950.

Mais, direz-vous, on a pourtant besoin de termes techniques[10] ? Bien sûr, mais « technique » ne veut pas dire « difficulté » et encore moins « jargon ». Si ces termes techniques sont réellement nécessaires, et en même temps clairs et précis, il n'est pas difficile de les utiliser dans un contexte de langage correct et de faire comprendre leur sens au lecteur.

Vous objecterez peut-être que les mots ordinaires sont « chargés » de valeurs et d'affectivité, et qu'il vaut mieux les remplacer par des mots nouveaux ou par des mots techniques. A quoi je répondrai : il est vrai que les mots ordinaires sont chargés. Mais bien des termes techniques de sociologie le sont aussi. Ecrire clairement, c'est peser précisément ces charges, c'est dire exactement ce que vous voulez dire, de telle sorte que les autres le comprennent et ne comprennent rien d'autre. Imaginez que la signification que vous voulez mettre dans le mot tient dans un cercle de deux mètres de diamètre, où vous êtes installé ; que la signification perçue par le lecteur tient dans un autre cercle de deux mètres, où il est installé aussi. Les cercles sont sécants ; la surface commune aux deux cercles représente l'aire de compréhension mutuelle. La surface du cercle du lecteur qui est extérieure au vôtre constitue l'aire de signification anarchique ; là, il invente. La surface de votre cercle qui ne recoupe pas le sien mesure votre échec : ça ne « passe pas ». L'art d'écrire consiste à faire coïncider exactement les deux cercles de signification, à écrire de telle sorte que vous et votre lecteur, vous vous trouviez dans le même cercle de signification contrôlée.

Le « *socspeak* » n'a donc rien à voir avec la complexité du sujet ou de la pensée. On s'en sert presque exclusivement pour faire valoir des prétentions universitaires ; écrire de cette façon, c'est dire au lecteur (sans qu'on s'en rende comp-

---

10. Ceux qui connaissent le langage mathématique bien mieux que moi me disent qu'il est précis, clair, économique. Aussi je me méfie beaucoup des sociologues qui veulent installer les mathématiques parmi les méthodes de leur discipline, tout en écrivant eux-mêmes une prose imprécise, confuse et rien moins qu'économique. Ils devraient prendre exemple sur Paul Lazarsfeld, qui croit fermement dans la vertu des mathématiques, et dont la prose manifeste toujours, même au brouillon, ces qualités mathématiques. Quand je ne comprends pas sa démarche mathématique, j'accuse mon ignorance ; quand je ne suis pas d'accord avec ce qu'il écrit en langage ordinaire, je sais qu'il se trompe, car on sait toujours exactement ce qu'il dit, et par conséquent *où* il se trompe.

te d'ailleurs) : « Je m'en vais vous dire quelque chose de si compliqué que, si vous voulez comprendre, il faudra d'abord apprendre mon difficile langage. Pour l'instant, vous n'êtes qu'un journaliste, un profane, un sous-homme ».

2) Avant de répondre à la seconde question, il faut distinguer deux façons de présenter un ouvrage de sociologie, selon l'idée que l'auteur se fait de lui-même, et selon sa *voix*. Première façon : l'homme tantôt crie, tantôt murmure, tantôt ricane, mais on sait toujours qu'il est là. On sait aussi de quel homme il s'agit ; confiant, névrosé, franc ou enveloppé, c'est *effectivement* un foyer d'expérience et de raisonnement ; et voilà qu'il a trouvé quelque chose ; il nous dit quoi, il nous dit comment. C'est cette voix qui se fait entendre derrière les plus belles pages de la langue anglaise.

Seconde façon : aucune voix ne se fait entendre. Ce degré d'écriture n'est pas « vocal » ; c'est un son autonome. C'est de la prose manufacturée. C'est plein de jargon, mais surtout c'est maniéré ; ce n'est pas seulement impersonnel : c'est ostensiblement impersonnel. Les communiqués officiels sont quelquefois rédigés comme cela. Les lettres d'affaires aussi. Les ouvrages de sociologie très souvent. Hormis le cas de certains grands stylistes, toute écriture est mauvaise, qui ne saurait naturellement passer par les lèvres humaines.

3) Et ceux qui entendent la voix ? Un auteur doit toujours savoir à qui il s'adresse, et ce qu'il pense de son public. Ce n'est pas simple : il faut savoir décider à propos de soi-même, et connaître les publics qui lisent les livres. Ecrire, c'est prétendre se faire lire, mais par qui ?

Un de mes collègues, Lionel Trilling, a répondu à cette question, et a bien voulu me laisser l'exprimer à sa place. Il faut supposer qu'on vous demande de parler sur un sujet que vous connaissez bien, devant un auditoire d'étudiants et d'enseignants qui appartiennent à tous les départements d'une université renommée, et devant des curieux venus d'une ville voisine. Imaginez-vous que cet auditoire est devant vous, et qu'il a le droit de savoir. Imaginez-vous aussi que vous voulez lui apprendre des choses. Et maintenant, écrivez.

Le sociologue qui rédige a le choix entre quatre façons de faire. S'il admet qu'il est une voix, et se met dans les conditions que je viens de décrire, il tentera d'écrire une prose lisible. S'il se suppose une voix, mais ne se connaît pas de public, il donnera aisément dans l'inintelligible. Celui-là doit veiller au grain. S'il se prend moins pour une voix que pour le canal d'un son impersonnel, et s'il trouve un public, ce sera un monstre sacré. Si enfin, sans connaître le son de sa propre voix, il ne trouve pas de public, mais parle dans un désert où personne ne recueille ses paroles, alors nous avons affaire à une vraie machine à prose : c'est un son autonome perdu dans une immense salle vide. C'est terrifiant, c'est du Kafka : nous sommes aux lisières de la raison.

La frontière entre le verbiage et la profondeur est souvent délicate, voire périlleuse. On ne peut nier le curieux sortilège dont tombent victimes ceux qui (rappelons-nous le poème de Whitman), commençant leurs études, prennent tant de terrible plaisir à leurs premiers pas qu'ils n'iront jamais plus loin. Le langage est un univers merveilleux par lui-même, mais plongés dans cet univers, nous ne devons pas prendre la confusion des commencements pour la profondeur des résultats. Universitaire, vous devez vous considérer comme un représentant du beau langage, et vous devez vous astreindre à assumer, en écrivant et en parlant, le discours de l'homme civilisé.

Dernier point, concernant les interférences entre pensée et écriture. Si vous écrivez seulement en tenant compte de ce que Hans Reichenbach a appelé le « contexte de découverte », peu de gens vous comprendront ; en outre, vous exprimerez une pensée très subjective. Pour la rendre objective, il vous faut travailler dans le contexte de présentation. Tout d'abord, vous vous « présentez » votre idée ; c'est ce qu'on appelle souvent « penser clairement ». Cela fait, vous la présentez aux autres, et vous vous apercevrez plus d'une fois qu'elle n'est pas encore assez claire. Vous êtes alors dans le « contexte de présentation ». Il vous arrivera, en présentant votre pensée, de la modifier — non seulement dans la forme de son énoncé, mais souvent aussi dans sa teneur. Les idées vous viendront à mesure que vous travaillerez dans le contexte de présentation. En somme, ce sera un nouveau contexte de découverte, différent de l'original, situé à un niveau plus élevé, parce qu'il aura une plus grande objectivité sociale. Ici encore, la pensée et l'écriture sont liées. Il faut avancer et reculer entre ces deux contextes, et sachez chaque fois quelle direction vous prenez.

Vous avez maintenant compris que l'on ne se *lance* pas dans un projet ; on y travaille déjà, soit de façon personnelle, dans les fiches, dans les notes qu'on prend en bouquinant, soit au cours de travaux dirigés. En vivant et en travaillant de la sorte, vous aurez toujours de nombreux sujets que vous voudrez pousser plus loin. Après vous être décidé pour une « mise en route » quelconque, vous ferez flèche de tout bois pour votre sujet ou votre thème : vos fiches, vos lectures en bibliothèque, vos conversations, vos types d'hommes. Vous essayez de bâtir un microcosme où entrent toutes les grandes clés de votre travail, de les mettre en place systématiquement, de réajuster sans cesse cette ossature autour des développements de chaque élément. Vivre dans cet univers fabriqué suffit pour connaître ce dont on a besoin : idées, faits, idées, chiffres, idées.

Ainsi, vous découvrirez et vous décrirez, établissant des types pour mettre en ordre ce que vous avez trouvé, concentrant et organisant l'expérience en nommant les items. Cette recherche de l'ordre vous mettra sur la piste des modèles et des lignes de force, des relations à la fois typiques et causales. Vous chercherez le sens de ce que vous trouverez, vous chercherez ce qui peut passer pour le signe visible de l'invisible. Vous ferez l'inventaire de tout ce qui a trait à ce que vous cherchez à comprendre ; vous le réduirez à l'essentiel ; ensuite, soigneusement, systématiquement, vous enchaînerez ces items pour constituer une sorte de modèle de travail. Puis vous mettrez ce modèle en relation avec ce que vous essayez d'expliquer. C'est quelquefois simple, quelquefois impossible.

Mais toujours, parmi les détails, vous chercherez des repères qui vous indiquent où sont le grand courant, les formes et les tendances sous-jacentes du registre social au milieu du xxᵉ siècle. Car, en définitive c'est cela, l'humaine diversité, qui fait le sujet de votre livre.

La pensée est un combat pour l'ordre et en même temps pour l'étendue. Il ne faut pas s'arrêter de penser trop tôt, car vous n'apprendriez pas tout ce que vous devriez apprendre ; il ne faut pas non plus continuer indéfiniment, car vous risqueriez d'éclater. C'est ce dilemme, je crois, qui fait de la réflexion, pour autant qu'elle donne quelque chose, l'entreprise la plus passionnée dont l'être humain soit capable.

Je résumerai tout ce qui précède sous forme de préceptes et de mises en gardes.

1) Soyez un bon ouvrier : évitez les procédures trop rigides. Cherchez surtout à développer et à exploiter l'imagination sociologique. Evitez le fétichisme de la méthode et de la technique. Travaillez à la réhabilitation de l'artisan intellectuel, dans toute sa simplicité ; soyez-en un vous-même. Que chaque homme fasse sa méthodologie pour son propre compte ; que chacun fasse sa propre théorie ; que la théorie et la méthode se pratiquent comme un véritable métier. Défendez le primat de l'intellectuel isolé ; luttez contre la domination des équipes de techniciens de recherche. Abordez pour votre propre compte les problèmes de l'homme et de la société.

2) Evitez les opérations byzantines qui consistent à associer et à dissocier les concepts, évitez le maniérisme du verbiage. Astreignez-vous, astreignez les autres à la simplicité de l'énoncé limpide. Ne recourez aux termes compliqués que si vous croyez fermement, par leur emploi, élargir le registre de votre sensibilité, la précision de vos références, la profondeur de votre raisonnement. Evitez de chercher dans l'obscurité un moyen de couper court aux jugements sur la société — et de couper court au jugement de vos lecteurs.

3) Elaborez toutes les constructions ultra-historiques que réclame votre travail ; fouillez également dans les petits détails infra-historiques. Faites de la théorie formelle et construisez des modèles de votre mieux. Examinez par le détail les petits faits et leurs rapports, les grands événements uniques également. Mais ne soyez pas fanatiques ; articulez tout ce travail, étroitement et continûment, sur la réalité historique. Ne vous imaginez pas que quelqu'un d'autre, un jour, quelque part, le fera à votre place. Prenez pour tâche de définir cette réalité, formulez vos problèmes en la respectant. Essayez de résoudre ces problèmes à son niveau, et par conséquent de résoudre les enjeux et les épreuves qu'ils recouvrent. N'écrivez pas trois pages sans avoir à l'esprit un exemple bien solide.

4) Ne vous contentez pas d'étudier un petit milieu après l'autre ; étudiez les structures sociales où s'inscrivent ces milieux. En fonction de ces études à grand point, choisissez les milieux que vous voulez étudier en détail, et étudiez-les de manière à comprendre les interférences entre milieux et structures. Procédez de la même manière avec le temps. Soyez

plus qu'un journaliste, et même qu'un bon journaliste. Sachez que le journalisme peut être une belle chose, mais sachez que votre métier est encore plus beau. Aussi ne relatez pas vos menues recherches, ne les figez pas en tranches instantanées, ne les limitez pas à des durées trop brèves. Prenez pour échelle temporelle le fil de l'histoire humaine, et situez-y les semaines, les années, les siècles que vous examinez.

5) Comprenez bien que votre but est de saisir sur le mode comparatif les structures sociales qui se sont fait jour et qui existent aujourd'hui dans le monde. Comprenez que pour accomplir cette tâche, il faut faire fi de la spécialisation arbitraire en honneur dans les départements universitaires. Diversifiez votre spécialisation, selon le sujet abordé, et surtout selon le problème. En formulant et en tentant de résoudre les problèmes, n'hésitez pas, cherchez à exploiter sans cesse, et avec imagination, les perspectives et les matériaux, les idées et les méthodes de toutes les études de bon aloi sur l'homme et sur la société. Ce sont *vos* études ; elles font partie de ce dont vous faites partie. Ne vous les laissez pas ravir par ceux qui les noieraient sous un jargon et des prétentions d' « *experts* ».

6) Sachez toujours quelle image de l'homme, la notion générique de sa nature humaine, votre travail sous-entend ; et aussi quelle image vous vous faites de l'histoire : comment vous concevez que l'histoire se fait. En somme, précisez et révisez sans cesse vos idées sur les problèmes de l'histoire, sur les problèmes de la biographie, sur les problèmes de la structure sociale où interfèrent biographie et histoire. Ayez à l'esprit la diversité des individus, et les modes de transformation de la Grande Histoire.

7) Sachez que vous êtes l'héritier et le continuateur de la tradition classique ; aussi ne tentez pas de comprendre l'homme comme un fragment isolé, ni comme un champ intelligible, un système en-soi et de-soi. Efforcez-vous de comprendre les hommes et les femmes en tant qu'agents historiques et sociaux ; de comprendre comment la diversité des hommes et des femmes est choisie et formée par la diversité des sociétés humaines. Avant d'achever quoi que ce soit, orientez-vous, fût-ce indirectement, vers la tâche cruciale qui doit être la vôtre : comprendre la structure et la tendance, la tournure et les significations de votre époque, ce monde superbe et ter-

rible de la société humaine dans la seconde moitié du xx⁰ siècle.

8) Ne laissez pas les enjeux collectifs déterminer vos problèmes d'après leur formulation officielle, ni les épreuves personnelles d'après le mode sur lequel elles sont vécues. Surtout, ne sacrifiez pas votre autonomie politique et morale, en acceptant au nom de quelqu'un d'autre l'empiricité illibérale de l'ethos bureaucratique, ou l'empiricité libérale de la diaspora morale. Sachez que bien des épreuves individuelles ne peuvent se résoudre sur le plan même des épreuves, mais doivent être abordées selon les enjeux collectifs, et selon les problèmes de l'historiogenèse. Sachez que la dimension humaine des enjeux collectifs ne doit apparaître qu'en les articulant sur les épreuves personnelles, et les problèmes de la vie individuelle. Sachez que les problèmes de la sociologie, s'ils sont formulés comme il convient, doivent recouvrir à la fois les épreuves et les enjeux, l'histoire et la biographie, et le registre de leurs interférences. Dans ce registre se font la vie de l'individu et la création des sociétés ; et c'est dans ce registre que l'imagination sociologique a une chance de distinguer parmi toutes les autres la qualité de l'existence humaine de notre temps.

Table

Dans la Petite Collection Maspero

Ouvrage reproduit par procédé photomécanique
Achevé d'imprimer le 10 janvier 1983
sur presses Cameron
dans les ateliers de la S.E.P.C.
à Saint-Amand (Cher)
Dépôt légal : janvier 1983
N° d'imprimeur : 1971
Cinquième tirage : 18 500 à 21 500 exemplaires
ISBN *2-7071-0144-3*